师永刚◎著

天将雄师

北京联合出版公司
Beijing United Publishing Co.,Ltd.

1. 狂妄的城池

看到这座残迹的那一瞬间，单一海觉得自己终于看到了一种暗示，看到了那种在梦境中似乎才有的奇异，他的内心像被谁猛捣了一拳似的，发出叽叽吱吱的疼痛的声音。那种透彻心肺的悸痛传达着一种针刺似的快感。他深呼一口气，任这快感在内心中四处窜游，心情突然出现了一个窗口，一块明亮的窗口。

这块残迹在他眼中出现两年了。两年中，他每年都要利用夏天到这里看看，像看一个老朋友似的。他有种莫名的亲近，似乎这里才是他单一海最富有意义的地方。他很满意自己还有这种被冲撞的激动，这表明他还是那么富于激情。激情才是人年轻的激素！

他点燃一支烟，把迷彩帽从头上抹下，顺势把头上密集的汗液抹去，像抹去刚才短暂的惊讶，迅速恢复了以往的宁静。宁静地站在这块神秘的废墟上，对他几乎像是一种洗礼。一种只有用心灵才可以感受的、被擦去污垢的清澈和安宁。

太阳这时又唰地下坠了一阵，刚才的艳丽尽消，圆圆的涨着红脸挂在焉支山梢口的风中，一浮一浮的。在西部待久了，单一海有一种错觉，似乎太阳是唰唰地升起来，又唰唰地落下去。但这时似乎才中午两点整，太阳应该在自己笔直站立的头顶，可却偏斜着。一切的征兆，包括山呀什么的明确的物体都倾斜着，向西倾斜着。整个西部的地势，都像一条巨大的正在下滑的凝滞着的河流。这种倾斜在这儿明确到了让人悲哀的地步。可单一海似乎天生喜欢这种西倾的姿势。在他刚刚踏入这种倾斜的感觉中时，连精神上也立即趋于一致了。他在给女朋友邹辛的信中说："这是战士的姿势，我喜欢冲击的感觉，冲击令人神圣，西部就让我神圣，我指的是这儿似乎天生让我觉得西部从古至今，似乎只有战士、古战场、边塞等才配拥有……"很是自我陶醉了许久。这种胜利像是一种精神上的美食一样，不可以吃但却扎扎实实地融进了单一海的血液。

单一海把脚蹬在一段山口上，回避着从稍西方向上直射过来的阳光。残迹像覆上了一层静悄悄的柔光，伴着寂静，几乎就是一幅被几百年前画好之后搁在这儿的大尺寸油画。那种远远近近逼来的宁静的锋芒，有声有色地刺激着单一海，他有些不知所措地打量着对面这座过于突兀的残迹。不，准确地说，是一座残碎的城堡。这城堡，再准确地说，只是一片极像城堡的影子。它夹在焉支山脉接近主峰的地方，像一把兀现的利刃，刺激着这儿的宁静。单一海还是头一次见到这样一座废弃的城堡，居然建在海拔四千多米的高山上。这种高度和那城堡隐隐显出的肃杀，让他隐约有些伤感。他一见到这城堡，就隐约觉出这是一座兵营，是一座古代的战士们据守的兵城。这种发现激醒了他心中的血，他下意识地觉出一种亲切，一种隐蔽着的但让他特别激动的欲望哗哗呼呼地击拍着他的神经。好几百年前，几千年前，这座古城的主人是谁？那些将军、那些士兵，他们是谁？这些念头涌出来时，他竟有种无由的怅然。

去年深秋，连长单一海带侦察排班长冯冉勘察地形。地形勘察完了，他们发现了一只可怜的岩羊。岩羊真傻，见到人也不躲，还呆呆地望着这两个人类。单一海被这种冷漠激怒了，他想自个儿好赖还是个战士呀！真是和平了，和平到了连羊也不怕战士了。他对冯冉努努嘴，冯冉把装好子弹的八一式冲锋枪递过去。单一海接过枪，枪声真亮，岩羊在第一声枪响时，仍怅然地寻找枪响的由来。这呆傻再次激怒了单一海，他又一枪出去，鲜血从岩羊的肥臀上汩汩流出。可怜的岩羊这才学会了逃跑。受伤的岩羊带他们翻过一道高坡之后，留下一些如梅花的血迹，闪进一片树林不见了，留下两个猎人在 4265 米的海拔上大口地寻找氧气。他们未打到猎物，却闯进了这片遗址。他们是上周进驻山上的，他的连队奉命随全团来到焉支山进行每年例行的野营驻训。夜晚露营后，他查对地图，居然发现自己仅距遗址五公里，他悄悄地告诉了冯冉之后，便把这秘密压缩进了内心，他不允许战士们出入这里。他忽然有种强烈的占有欲。他觉得，这块遗迹似乎天生属于自己，他自私地把这块遗迹当作了自己的一块领地，一片精神上的军事禁区，他想在精神上保留一块战场，哪怕是废弃的沙场，也是一种胜利。

遗迹真像是一个人的脚印，可是这脚印真是太大了。

他凝视着低处的残迹，那是个奇怪的圆形城堡。他的形状多么像是一个圆圆的大型的鸡蛋，蛋壳用黄土垒造而成，蛋壳内的城墙显示着当年房屋的规模。那是一种异族的形状和文化垒筑的东西，似乎与古罗马的建筑相似。但令他觉出兴趣的是那土城的造势。站在一个战士的立场，他很佩服那个当年垒城的人，城内弯弯曲曲的街巷如同一座小小的城市。那巷道却无时无刻不在体现着军事用途。城有四重，四重的城墙垛上配置着的武器，火力密集，科学地体现着当年守城军士的智慧。这城在古代的战争中肯定从来未被击破过，只是未被战争破坏过的城墙却被时间无声地损坏了。一想到时间，单一海不由得想起土城墙那被风销蚀得只剩下土粉断垣的样子。有时候，他真想告诉那些整天喋喋不休地寻找时间的家伙们，你不是要寻找时间吗？喏，你不用找了，这就是时间，只有这些残缺的被时间打败的遗迹，才配代表时间。单一海莫名地涌现出一种孤独，一种内心深处极端的悲凉。他忽然强烈地觉出，战士和战士，其实是一样的，其实是没有历史的，也没有时间。可是，对面的黄土内，那些人是谁呢？他们从哪里来，后来又去了哪里？

他并不比这座沉默的城知道得更多，他唯一可做的是他终于把这座城浓缩在了一张纸上，他有了这座残迹的草图就像有了什么证据。他找了许多人去问，去查了县志，但却仍是糊涂，可越是糊涂。他越想弄清这座城的由来。后来，他见了在凉州一家古籍研究所的一个古怪的老人，老人姓子，这个姓太古怪了，与他研究的学问一样怪。他在寻找一支失踪的军队，一支由古罗马战俘组成的军队。那个姓子的老者默不吭声地看了那张草图许久，才拍手大叫："真是奇迹，它们真的在这儿，真的在这儿……与我想象的太一致了。"老人呢喃着，把急着要返回山上的单一海送出家门，郑重地握着他的手："也许你发现了一支军队，也许只是一座旧城的残骸，可我没有证据，比如文字，比如他们残缺的脚印，比如残矢、脸孔……我需要你画出这座城详尽的地址和方位，还有一些实物。也许我们将共同发现一个两千年前的秘密。这也许是个可怕的发现。"

单一海驱车向山上野营驻地急驰时，内心像被搅住一样。他太压抑了，他觉得自己几乎被子老讲的那些话给压得喘不过气来。在山坡上急速行进的吉普车，像一只小小的虫子，一会儿就蜿蜒到了驻地。

尽管老人的话只是一种猜想，可他真下意识地预感到自己正在接近一个秘密，一个只有在战士间才有的秘密。自从有了这个猜想，那种急切进入这块遗址的想法一下子变得有些沉重了，直到今天早上，他从梦中醒来，看到湛蓝的天空时，这种念头方又呼地燃烧起来，让他浑身不自在，他压制着自己没有半点流露。上午是政治学习，他向指导员交代了几句，就一个人出来了。那一段路他走得急如星火，全身出了许多的汗珠子。现在凉风刮过，全身舒服得骨头节吱吱响。他稍微整理一下自己的情绪，大步走向城堡的大门。那门只是两座土墙之间的一个缺口，他下意识地认为这就是大门。因为他注意到只有这儿才寸草未生。他下意识地挺胸收腹，感觉是在检阅。突然他又把腰下意识地挺直，仿佛城门边还立着个哨兵，也许就是那传说中的古罗马人，穿着汉族的衣服，并且是被汉族俘获的古罗马人。他们怎么来的，这么远，又是怎样在这里当起了战士。单一海的心中涌满了这些奇怪的问题。但他未作停留，任这些念头在脑子里晃悠。一瞬间，他甚至后悔，未曾向子老问及这些问题。未问别人，便等于给自己背上了一个疑问。有个疑问，总让人心里沉甸甸的，像挑着一担水，却不知这水是哪口井里的。他习惯边走边想，一走路他脑子就特别活跃，特别适合思考。走路和思考，对他是一种巨大的享受，可这种享受在他还未进入大门时戛然而止。

他看见了一双清晰的鞋印。那两行鞋印从大门口大摇大摆而入，又悠然而去。已被风吹软的浮土才是最好的见证者！

可这人是谁？单一海有些突然而来的惊愕。

那行脚印行走的方向有些不守规则，蜿蜒得像是叹息。从那行淡淡的脚印上，单一海仿佛看到了那个人偶尔的驻足和呆呆仰望的神情。一个人的脚印就是一个人的表情哪！单一海在军校攻读时，读过一本关于脚迹方面的书。从那以后，他下意识地注意过许多人的脚印，从那些奇形怪状的印迹上，他读懂了许多自己未曾发现的东西，那些东西其实才是人最基本的表情。他下意识地保持着自己这一奇特的习惯。保持一种怪异甚至是独特的窥视方式，就像持有一种独特的认人方法和标准。

他跟定那行脚印，从土墙进入这座残缺的古城堡。堡垒内的阳光似乎被那些土吸走了一般，倏然暗淡了下来。单一海镇定一下，看准方位，摸出纸笔。他决定先不去理会那行脚印。这也许只是一个牧羊人的足迹吧！一个孤独的牧羊人！但他忽视了这个牧羊人的羊群。他有种深深的冲动，描摹出这座城的每一点细枝末节，并且尽可能找出一点实物，如果可能，他真想让自己的连队将这座城挖地三尺。他想，肯定会有一些残矢或者那些战士的骨殖开口说话的，为子老提供一个可供判断和佐证的东西，也为自己。

他把那张绘图纸在图板上固定好。淡淡的微风哗哗地掀动着它，发出啪啪的带有金属质感的回响。单一海很喜欢这种纸，硬韧光滑，一看就让人有种想在上面挥毫的冲动。他还有个私人的小毛病，凡属一些重大的材料或者标图，他都爱找来这种纸，用以实施个人的想法。他觉得，高质量的东西必须要有高质量的纸张才相配。一看到那种把高质量的东西用软不拉叽的白粉纸表现的行为，他就觉得有些说不出的不舒服。今天，他特意把那几张好纸拿来。他想，我肯定可以把这座城绘好，并且一次成形，永不改动。

单一海有这种能力，他比任何人都信服自己的本领。他在陆军大学指挥专业学了三年，此后又在司令部绘了三年地图，垒了三年沙盘。在十年间几乎绘遍了自己驻防地域的所有地图，并且差距仅万分之三。要知道，这是手绘呀！他的参谋专业几乎成了这个集团军参谋专业的标高。他可以用一把尺子、一支铅笔，当然还有一张上好质地的高标绘图纸，靠目测就可以准确地复述你随手指定的某类地形地物。但他天生不爱在平静的司令部机关闲待着，他用了一个不过分漂亮的借口，终于到了这个乙种师的 168 团当了二连连长。这个连长太悲哀了，悲哀到了一种连他的专长也一无是处的地步。战士们并不需要他做任何类似的表演。

他已有一年时间，收藏起了这种特殊的专长。

他在等待那种深深的从精神上覆盖一座山的快感。他拿出指北针，在图板上放好，对准大门。他迅速发现了这座城的怪异，城偏着西。也就是它的大门开得毫无规则，或者说，这座门并不是按传统的中国建城规则，天圆地方，四方四正，正东正西，不得有丝毫混差。而这城的大门，却是在偏西上。他稍微有些惊奇，迅速走到门前 150 米远处的一座高冈上俯视，这座城竟只有这样一个偏西的大门，他忽然觉出一种深深的寒意和悲哀。这些守城的战士，只给自己留了一个门，还是战斗的门！也就是说，这座城和这些士兵永无退路。从一开始，他们就给自己定了一个标准，一个战士的标准：只有胜利，否则死亡。明白了这层含意，单一海脊骨间涌起阵阵寒意，他闭眼定神，似乎要从中挣扎出什么似的。他提笔疾画。仅片刻，那座城的轮廓和概貌便挪到了纸上，但中间却是一片空白，他忽然想把这四重城内的全貌用线条和代码全部画出来，他觉得那些传说中的战士，也许正在城内隐藏着。

他重又进入土城，这次他决定，凭直觉前行。在山上他已看出，这座城近似迷宫，四重内又是四重，似乎永无尽头，又似乎一步到头。所以，他那次与冯冉在城边上驻足良久，还是未敢轻易进入。他忽然想起那行脚印，是谁，竟敢轻易入内？

城内的土屋残壁已被风化，有的只剩高高的一堵大墙，中间却洞开着，风从中间掠过时，呜呜的如同吹胡笳。城内残垣密集，回音效果奇好，到处是一片肃杀的低鸣，仿佛是一些绝音，夹着风尘，一点点地来回走动。单一海每走十多米，都用残石碎土，用自己的理解，在地上摆成一个小小的沙盘或模型，直到自己满意了，再在图上留下一片小点。他准备把全城用模型局部凸现完毕后，再进行详画。这还有一个作用，他把这当成了路标。

转过一条貌似街道的路后，他又触到了那行脚印。那行脚印时隐时现，令单一海有种无由的亲切。这个牧人居然与自己的直觉有些相似。至少与自己这半个小时的直觉是吻合的。他忽然对那脚印产生了兴趣，他觉得这个人只要不离开他的直觉，他肯定可以凭直觉找到他。他顺着残道前行，看到一堵残垣挡住了去路。面前一下出现了三种选择，左右各有一条小路，但那行脚印却直接从残垣后面绕了过去，他停顿了一下，略作思索，选择了向左。他对那行脚印本能地产生了一种拒绝，他本能地认为那行脚印是正确的，可却又希望它不正确，也许只有这样才可以证明自己高人一筹。单一海想着，已悟到再向左走，只是一条死路。他本能地回转身，绕过残垣，向前直走。前面是一段石板，上面的脚印失去了。单一海觉出片刻的轻松，拿出指北针，判定自己还是在正北方向。他在每个重要的地方都堆了个小小的模型。现在，这半个城的许多局部都在他的心里自动组合，揉捏成了一个整体。迎面是一排房屋，还有一口井，似乎每间屋里还有炊烟的迹痕。这应该是住人的房子。可这房子这么小，像一个个住家的单元，更像是战士们的家。家，一想到这个字眼，他的心里不由一动。内心温暖了一下，又被片刻的惊讶给淹没了。此城的设计者肯定是个大胆无知……又谋略超群的家伙。他太狂妄了，狂妄到忘了给自己留一座逃跑的门的地步，无知到了把家属妻儿摆放在城门边缘。这正是兵家所忌呀！可这个家伙全然不顾什么兵家所忌。他按自己的思维和权力，为自己和自己的属下造了一座坟墓式的老城。而几千年来，居然从未被击破！忽然，单一海有些心悸般地敬佩起那个无名的家伙了。此人真狂啊！他感叹，从一开始，他就为自己和属下们断了逃跑的路径，他不允许自己的兵们留出心思来寻找生还的路径，他把你的亲人放在你的身边，让他们温情的目光盯住你。这样的驭兵之道比他的"破釜沉舟"还"破釜沉舟"，这是一种大绝望，也是一种大勇气，更是一种大战士风度。

他不由得有些坏坏地笑了。大步越过半堵破墙，那行脚印又出现在了他的路上，真邪了，他暗自惭愧。这个人仿佛路标，仿佛城内的主人，到处转悠，从脚印上看，似乎全无顾虑，全无徘徊，甚至没有哪怕一丁点儿的犹豫。似乎边走边欣赏，只是随意走去，便走通了一座迷宫式的兵城。单一海有些莫名的愤怒。他觉得内心中仿佛有什么被占领了似的，老觉得有双脚在踩击着他，让他疼。他恼怒地蹲下来，认真地盯着那双脚印，那脚印不深，浅浅的，从尺寸上他判断有37码，也就是说，此人身高1.62米左右，又是一个小个子。他继续读着那鞋印，这竟是双部队配发的八七式迷彩高腰胶鞋的印迹。这种鞋子刚装备部队不久，穿着舒适，看着帅气，官兵没有谁舍得拿这种鞋子给老百姓换鸡蛋吃。是连队里谁吧？比如冯冉，也不可能，临出门时，他还看到他在连队。从这鞋印上看，肯定是刚刚踩上的，而且，他凭感觉，此人肯定在前方不远处行走，还没走出去。这个发现让他内心一动，也许是一个对这座城堡有兴趣的人，可他会是谁？他起身又跟着脚印走了几步，判断出此人体重最多五十多公斤，也就是说，此人偏瘦，从行走的步幅方式上看，似乎……似乎是个女人！穿一双迷彩胶鞋的女人！他被这个发现吓了一跳，抑或有种惊讶，更多的是激起了自己的好奇。他迅速起身，跟着那脚印前行，又走了几十米。虚浮的土已被茂密的草木遮住。草棵子很深，偶尔哗地飞起一只野鸽子，倏地又消失了。太阳此时被城墙挡住了，单一海无法判断时间，他的头脑中有些乱哄哄的，神秘的女人、遥远的来历不明的战俘、城中曲折的小径乱七八糟地涌在他心里。心神一乱，他的直觉就产生了问题，他越过一堵墙，过了几分钟，他又回到了那堵墙边儿上，他知道自己迷路了。他有些愤怒地捶了一下自己的脑袋，蹲在地上出神。半晌，待心神稍静后，他拿出指北针，重又确定方向，决定原路返回。

原路真好找，他很满意自己那些小小的模型，他一路上只找这些自己摆放的路标，它们此时静静地摆放在那里，每过一个小模型，他都有种行走在微缩了的这座残迹的快感。但渐渐地，他看到，在有浮土的地方，又多了一行鞋印，也就是说，那个人也返回了，或者是说他（她）也迷路了。这样一想，他竟有种无由的欣悦，毕竟她的直觉也与我一样，并不超群。但很快，单一海就发现异样了，他看到那脚印在他垒的每个模型前都略有停顿，并显得有些杂乱。很显然，这个人认真地审视过它们，让单一海略为惊讶和不满的是，他垒的几处模型已被人悄悄挪动和删改了。有一处表现古井和炮台、堡垒的三角模型被改得几可乱真，很细腻地呈现着实物的韵味。他稍微欣赏了片刻，看出那人没受过任何垒积训练，但却对环境有种天然的逼真的模拟感。

他不再孤独了。单一海叹息了一下，缓步向前走。那条土街的两边长满了高高的密草，有的竟如小树林，十分粗壮。他不再关注这些，顺手点燃一支烟，深深吸了一口，抬眼瞥见街前三十多米处奔出一只肥硕的大兔子来。它似乎受到什么惊扰，哗哗地撞断许多草枝，向他跑来。好大一只兔子！他大呼一声，迅急朝兔子追了过去，那兔子太笨，眼见单一海过来，却来不及转身，竟在原地打了个滚。单一海心中暗叫着"乖乖"，就要伸手去捉。兔子从他手中挣脱，又向前跑去。单一海爬起又追，就在距那兔子三米远左右，单一海只觉耳边裂帛似的一声枪响，眼前红光一闪，那兔子翻身倒地，又挣起来，撞断几棵蒿草，一头栽在草丛上，身上涌着汩汩的血。

2. 背后的猎枪

单一海那一刻觉得有些异样的惊骇和恐惧，一下子呆住了，内心中瞬间空白。那是一声枪鸣，从刚才的声音上，他判断是一支猎枪发射的子弹，子弹是狩猎用的散弹，内装六颗铁丸，射击半径正好两米左右，也就是说，他再往前跑半步或者一米，必有一颗铁丸嵌进自己的身体。要命的是，枪只打中了那只兔子，这家伙枪法好到了要用他这个活物作陪衬的地步！那一瞬间，单一海又气愤又恐慌，他知道自己在这个地方行走时，那支枪和两只眼睛已跟踪了他许久，而自己居然一无所知。他不由得一阵后怕，要是那颗子弹将自己谋杀掉，那自己临死也无法窥见凶手一面了。他对自己产生了深深的失望。他只有呆呆地站着，等那个狩猎者自己出来，此时，再作任何表示躲避，比如在地上迅速滚进之类的动作，都将只会成为一场可笑的表演，甚至增加对方自我欣赏的快感。

他定了定神，大步走去，把那只兔子拎起来，看到三颗铁丸全部散布在那兔子的身上，枪法真准呵！这个浑蛋，嘴上却大声喊："谢谢你把这么肥的兔子送给我。"说完，拎起兔子就走。

话音未落，从刚才射击过的草棵子后面摇晃出一个人来："哎，你这人怎么这么不讲理，那是我的猎物呀。"

单一海被那声好听的女音撞击着，嘿，是个女的，果真是个女的！听声音，还是个姑娘。他咬着牙："我也是你的猎物，为什么刚才不给我一枪，你的胆子也太大了吧！？"

"想当兔子还不容易，能撞到我枪口上的人，你是第一个。"话音未落，单一海便觉得头顶上"喔"又是一枪，霰弹的啾啾声撕裂着寂静的空气。单一海仍不回头，内心中却被这枪声惊得一忽悠一忽悠的，他感觉出那姑娘距他十米左右，正仰角发射，枪声距他很远，这是个至少不那么特别让人烦的姑娘。可却是个让人害怕的女人。他想，如果她不是当地猎户的女儿，那么她就是随团卫生队来出诊的三名女军医中的一个。那三个姑娘迄今他只见过一个，丑丑的、矮矮的，他感冒时去输液，那胖姑娘足足用了半小时才找到了他的血管。

但愿不是她们中的一个。

"哎，你怎么一点儿也不怕？小中尉。"单一海听出身后那个女人轻轻跺足，猜测她也许很好看，因为这一跺足明显有些撒娇的意味。同时，他也悲哀地觉出，这女人是个军人，因为她可以看懂他的军衔，还可以讲略带家乡味的普通话。本地女人又土又纯朴，不会像她这样讲话。

他觉得晦气十足，打定主意不回头，他觉得自己没有对付这类女人的经验。

"我料定你不会向一个陌生男人开枪，何况，你知道自己的枪口应该对准谁，不是我。"单一海硬硬地说，把兔子随手抛在地上，"野兔在打死一个小时后剥皮、烧烤，是一道最佳的野味……唉，可惜了，死在一个不懂如何享受猎物的人手里，我为它不幸。"

单一海耸耸肩，扬长而去。

"站住，胆小鬼，你以为你这样说几句俏皮话就是幽默，就是潇洒啦，我最讨厌你这类男人了，又虚又假，明明恐惧，还强作潇洒，明明害怕，还强作英勇状。你以为你走了，我就会自责啦，告诉你，刚才我还有道歉的不安，现在没有啦，你真没劲，没劲到了不敢回头看看向你开枪的人！"身后女人的口气似乎充满了极度的愤怒和……失落。她以为这个被惊吓到的男人，肯定会转过一张极为惊恐的脸面对她，但今天这个家伙居然高傲到了不愿回头看她一眼的地步。这已经不是对她的无礼，简直是轻蔑了。

单一海并没有驻足，他快意地吹起了口哨：啊，朋友，再见。哨声响亮，甚至刺耳。他向山下走去，刚走出几米，单一海听到身后头顶上"哐"地又是一枪。一只鸽子扑地落在他身边，他下意识地一蹲，双手捂住了脑袋。身后刺耳的尖笑声响作一团。他不由得沮丧地闭上了眼，后悔自己居然没有坚持住。他朝地上砸了一拳，恶狠狠地为自己悲哀。我还是怕了，唉，我以为我是不怕的，其实潜意识里还是在怕。唉，谁也不可能躲过去呵！这些悬垂着的怕。可我怕什么呢？怕一个狩猎的女人指向不明的枪口？人呵！其实最担心的还是背后的枪口。单一海惭愧自己也有这样的恐惧。只是……那女人仿佛未曾向他开过枪似的，接着他刚才吹的"啊，朋友，再见"摇曳而去。单一海缓缓抬起头，正好看见一个极婀娜的背影从眼前晃过去。他忽然觉出这背影真美，女人着一身军装，尤其是一件只有军队上才有的迷彩服，会有一种新的韵味。他轻轻地咀嚼着那女人的后背，忽然听出她哼的那曲子极准确，第一句正好接上他刚才被一惊而未哼出的第二段的第三句话。那女人走过他身前数米，亭亭转身，单一海发现这女人美得足以让人一下子忘记了仇恨。

他蹲在那儿，感觉像一棵过秋的向日葵，枯萎了。

"我还以为你不怕呢，没想到，你真的怕。"那女人居高临下地看定单一海，轻声低语，但没有丝毫的嘲弄。仿佛是在与他探讨什么事儿，倒忘了自己的恶作剧。

单一海有种被轻视的痛苦。他认真地看这个女人，哦，她真好看，尤其是那双眼睛。

"是的，我怕，不怕就不是我。我怕一切我怕的东西，包括我背后的枪口。"他从地上缓缓站起来，他的个头足以让他俯视对方，至少在心理上一下就扯平甚至垫高了自己。果然，对面的女人向后退了两步，不习惯地向他仰视。单一海忽然发现，她的肩上竟也扛着一杠两点的中尉肩章。这女人竟果真是团卫生队的。可她什么时候来的呢？他努力搜索着自己的记忆，试图找到与这女人相关的任何蛛丝马迹，比如姓名，比如……

"可我讨厌别人在背后跟踪我。知道吗？一个人尾随另外一个人比一支枪尾随一个人更可怕，也更危险。"那女人略略带些恶意地微笑着。

单一海发现，她笑的时候，眼睛并不笑，反而透着种拒人千里的冷漠。她居然只用嘴来表达笑，单一海认定这是……冷笑。

"这不是跟踪吧，我只是好奇，有谁敢进入这座迷宫式的残城。恰好我也对此有兴趣。我是指当我进入这座城的时候，我发现我要走的路，也就是唯一可以走的路已被一个人走过了。我想我不能因为前面有行脚印，就让自己别走了。何况这是全城唯一的一条路。"单一海轻舒一口气，略带嘲讽地看定对面女中尉的脖子，偷偷感叹，那儿真白。

"你怎么敢断定只有一条路？"女中尉脸儿轻斜，枪拄在地上，很明显，她的敌对情绪已转为怀疑，怀疑往往是对一种事物的初步肯定啊！单一海看出，那是一支英国造的"赫斯"猎枪，短小粗硬，手握在枪托上，像嵌在那儿一样，又舒服又坚强。真是支好枪，他轻轻咏叹。听那女中尉嘲弄地轻启朱唇，讲出第二句话来："多么可笑的借口。"

"这座城，不，城堡，在去年我就发现了，那时候，它的周围一片死寂，除了风，甚至没有一个牧羊人光临。我庆幸是我发现了这座城。"单一海稍停顿，感觉她在听，内心中涌出许多的语言："我曾经三次试图进入，我想，我发现了这座城，至少该我第一个进入吧……"

"可你并没有第一个进去呀，我在踏入城内时，浮土上只有些小小的蚂蚁留下的脚印，还有我的脚印，这说明了什么？"

"你说的是个事实。我发现了它，却在临进入时，又觉得这城实际上是一座迷宫。"

"迷宫，又是笑话。我根本不在乎什么迷宫，只在乎一路走去，我就走到了底，哪儿有什么迷宫啊？"

"是啊，是啊，等我终于觉得有把握走入时你已经先进去了。"单一海有些小小的惭愧。这个女人真是个巫婆，伶牙俐齿，占尽上风，你瞧瞧那眼睛，"并且很奇怪地走在我的直觉前面。"他补充说。

"你是说你的跟踪，只是与我的直觉发生了重合？两个人的直觉发生了重合？"她吱吱地尖笑，腰肢乱颤，感觉那些该凸出的东西要碎似的。可事实总是男人的担心都是空想式的愿望。笑毕，她把手伸出来，示意什么般的，又划回原地："我是头一回听人把跟踪解释得这么完美，就冲这，我原谅你了，中尉。"

单一海搓搓手，努力挤出笑来。

"我想被原谅的应该是你。知道吗？我以为我是这座城几百年、几千年后第一个检阅它的战士，我曾幻想过几十种隆重而又神奇的个人入城式，却唯独没想到跟在一个女人身后'入城'。"他轻轻地叹息着，满眼是孤独和无尽的遗憾。

"我很高兴无意中成了别人幻想中的主角，可是，中尉，应该自责的是你，我那会儿看到这座城时，首先发现的便是城外这一大堆凌乱的脚印。我还怀疑，这人既然到了城前，可竟未进。原来是你。"那女孩子满脸怜悯。

"你是怎样发现这座城的？"单一海稍一沉吟。团卫生队与团部驻扎在距此近六公里的一个山脚下，她居然跑了这么远的路来打猎。

"今天我休息，早晨出来散步。这儿太静了，静得只剩下了我自己的脚步声，我就这样漫无目的地瞎走，就看到了这座城……哎，你知道这座城的来历吗？"女中尉又把脸儿稍斜，这种妩媚放在此时不太相宜，单一海老被那双冰样的目光给扰乱着，无法从中拔身。他还注意到，这女孩子不说这儿的风景美丽，而只说宁静。哦，宁静，只有宁静才是这儿真正的美啊！单一海觉得，这女中尉不寻常。

"这城……"单一海回过头，深深地看那在夕阳中的残迹，"我也不知道，不过我感觉这是一座兵城。距今有可能超过两千年，或者一千五百年，有可能是异族人建的，比如匈奴，比如……还有一种可能，也许这儿驻扎过一支古罗马战俘组成的军队……"

"古罗马战俘……别是又在讲什么故事吧！我发现你的想象力极好，如果不出差错的话，你几乎可以由此伸展下去，写一部奇特的传奇小说。"女中尉近乎戏谑地看定他。

"我不喜欢用幻想来解释这座残城。"

"所以，你寻找证据？"

"你怎么知道？"单一海有些惊讶这女孩子的敏感。女人都是充满直觉和敏感的小兽，仗着这些，到处表现着自己的聪明。

12

"我看到那些你垒的模型了，那些东西单独存在没有任何意思，可把它们一旦组合起来我就有些后怕了。这座城真是一个迷宫。我都奇怪，自己居然不以为自己是走在迷宫里。"她快活地补充，"你当过参谋吧！把个小石头和浮土揉捏得像那些残缺的房子的灵魂，一看就把人抓住了……可是，你又能证明什么呢？难道，你想寻找历史？"

"我想找到那些战士。那些很久以前的战士。"单一海眼神中有些恍惚，忽然缄口不语。

"我明白了，"女中尉稍稍沉吟，"你的地图画完了吗？"

"没有，才一小部分。"

"你明天还来吗？"

"当然，如果有时间，我得尽快把它绘完，为了自己，也为了另外一个人，他比我更需要。"

"他是谁？"

"我不知道。目前为止，我只知道他姓子，是个古怪的老头。但他在寻找一支奇怪的军队，为这，我就答应了他。"

"他居然没告诉你为什么？"

"没来得及，当时我只有五分钟，部队要出发了，军令不容啊！但他答应等我回去后，告诉我。"

"是吗？"她好奇地说，"这是个很奇怪的地方，你画完后，可否复印一份给我？我喜欢这座残缺的城堡，可我并不在乎它的过去，甚至历史。你发现没有，残缺的东西真美。"她入神地凝视着城堡，阳光在风中哗哗鸣响，黄土反射着秋日斜阳最后的温暖，旁边地上的青草簌簌乱抖。

单一海那一刻有种很奇怪的感受，两人彼此为一座残城感动着，其间并没有相同的原因，这使他觉得这个下午很有意思。他头一次与一个女人，陌生到不知姓名、来由的女人，交谈这么久，并且默契得如同呼吸，在感觉上十分舒服。

"我为什么要复印给你？迄今为止，我还不知道你的名字哪。"他很奇怪地问，话一出口，又觉极蠢，潜意识里他早已答应了她，可却又傻傻地跟上这么一句。人啊，真是奇怪，奇怪到了个人要否定个人的地步。

"是吗？"她奇怪地瞥他一眼，"这很重要吗，单一海连长？"

这回轮到单一海吃惊了，这女人早就谙熟他的名字。也许还知道他的其他，比如隐私，比如各种有利不利的传闻，甚至详细到了出生年月之类。难怪她这么不动声色，成竹在胸，跟一个把自己摸得透透而自己却对对方一点儿也不明晓的人，尤其是女人打交道，简直是一种危险的游戏。他定定神，竭力不让吃惊成为自己的表情。

"原来你早就注意上我喽。"他淡淡地说。话音未毕，便发现女中尉脸上红潮泛起。不过因为夕阳红亮，反倒让人无法确定是阳光还是其他。不过，单一海私下认为，那是潮红，一般的女人在经过这句话后，不应该没有反应的。尤其是这位长着一双冰冷眼睛的女中尉。

"谁注意你了，别自我感觉太好了，你不觉得应该从其他方面找找原因？"她反唇相讥。

"当然，当然，我很有自知之明，本人有许多条伟大的优点和不伟大的缺点，不知是哪一点对不起了你的注视。"他偷偷地把注意换成了注视。

"你还记得这样一段自白吗？穷人的儿子单一海，山西人，生于1969年的乡村，现在古凉州当兵，他的个性导致了自己的偏执，热爱自己的父母与情人，崇拜狼……顺便还附了一张照片，极短的头发，宽长的额头，眼睛如同细线，嘴唇很硬。当时，我心说，天下这样难看且诚实的人已经不多了。今天看到你，心里正在想怎么就是你，不过，你现在似乎看上去有些成熟了，也衰老了。"

单一海记得毕业时写过这样的几句文字，当时军校的战友们临别赠言，踌躇满志，挥笔如挥剑，各自在留言簿上喷泻个人的各种胡话、酒话。这样的话他也许写了，但忘了写在哪个同学的本子上了。

他故作悲哀，夸张地耸耸肩："我还以为是你知道我那次从小流氓手中抢回一个美丽姑娘的故事。没劲，没劲，彻底没劲。"他的怪样子逗笑了女孩子，吱吱的尖笑一波又一波的，弄得单一海浑身不宁："可这话你是哪里看到的？"

"师诺你认识不？"

"师诺？是这个小子呀！听说调到总参某部了，春风得意，少年得志的家伙。我们断了联系有四年了，怎么，你知道他……"

"他是我表哥！"她皱皱眉头，显然不满意单一海的粗鲁。

"是你哥？"单一海有些疑惑地看定她，待她点头后，才有些尴尬地搓搓手，"对不起，对不起呀，我怎么就忘了天下怎么就这样小了呢？碰上了他妹妹。"

"别说什么对不起对得起的，太阳碰山尖了，该回去了。我们……"女中尉把枪扛在肩上，单一海赶紧把那兔子帮她拎上。

"那么，我该叫你师什么呀的吧……"

"我不姓师，我叫女真。"

"女真？为什么？"他有些怪异地问。这名儿太奇怪了，怪到了让他有些不知所措的地步。

"不为什么，哎，你这人怎么这样怪，叫女真怎么啦，不能叫？"

"不，不，只觉得似乎像一个族的名字，过去有个女真族吧！"

女中尉不再说话，单一海就跟在后面走。迅速暗下来的光淹没着他们的背影，到了岔路口，女真停住脚，单一海把兔子递过去。借着黑暗，两人的目光灼闪波流。稍顿，单一海问："那把'赫斯'猎枪真漂亮，是你的吗？"

"嗯，我父亲去世时留下来的，有支枪让人有种安全感，你说是不？"

"有枪的人都这么讲。可我没枪，不过，我希望有机会能看你打猎。只是，可千万不要把我当成猎物呀。"

"是吗？"她柔声笑笑，把那兔子拎上，转身消失在黑暗中，并不说告别，可在感觉上，两个人已经告别过了。礼节性的告别才是真正的告别呢！他相信他们还会相遇。单一海呆呆地看她走了许久，才听到身后连队开晚饭的哨声。哨声温暖而悠长，感觉像母亲唤未归家的小儿。单一海忽然觉得肚子很饿了，他强烈地想念米饭和土豆炖猪排。

3. 孤独的士兵

单一海走近靠团部的那片帐篷区一百多米处，就慢下脚来，那里是他的一个禁区。团里的机关和首长全部聚汇在这里。没事，即使散步，他也决不往这个方向走。潜意识里，他不想见任何人，尤其是团里的首长。见一次，他就有一次的沮丧或者压抑。在基层连队的人，最忌首长干扰。而基层团队的首长，又基本上属于家长式的干部，见了你，便要询问你的工作啦、连队的思想啦什么的，等你一五一十地汇报完了之后，他再指示，而那些指示，有时又完全是不适用的，可不执行，又犯忌。所以，单一海能躲就躲，尽可能不出现在首长的视野内。

可刚才，十分钟前，女真打来电话，她的声音在无线电话中温润悦耳，很动听地撞击着他的耳鼓："……是二连单连长吗？我是……哦，就是昨天冲你开枪的那个女真……对，你十分钟后能来这儿吗？我们有个小小的野餐，主要就是烤那只野兔，顺带着向你道歉，怎么样？"

单一海稍稍有些惊愕："在团部吗？那儿太显眼了，再说……"他略略沉吟，"连队工作忙，我可能走不开……"

"咯咯咯，到底是个连长，顾虑重重呵！我们这个野餐在团部一里外的松林边上，只有我们卫生队的三个女士，男同志就你一位。我打听过，今天星期五，下午是例行的政治教育，是指导员的事……"

"这……"

"别这啦那啦的。十分钟后，在团部前面的那条小河边，我等你。"说完，对方把电话撂了。

单一海握着电话，半晌未动，嘴里呢喃着……兔子肉，三位女士，他的神经嘣嘣地跳跃开了。他想起出来半个月了，居然没再见过女人。除了昨天见到女真，自己几乎忘了女人是什么样了。他忽然奇怪，自己居然有半个月没有再想起女人。去，他妈的。他想，管它是什么兔子宴还是鸿门宴哪。他揽镜顾影，头发乱糟糟地粘在一起，把鼻子贴到衬衣上使劲嗅，一股强烈的汗臭溢了出来。他用梳子在头上使劲地梳，除了又崩断几根梳齿外，便是把头发扯得生痛。单一海与指导员打了声招呼，上路了。他在靠近连队的山坳内，寻找到了那条小河。女真正微笑着坐在一块石头上等他。她没有发现他。她的两手伸到水流中，一下一下地拂水。女真没戴帽子，头发长长地披到了肩上，有几丝还闪进了水中，她也浑不在意。那种悠闲与孤独让单一海内心一动。他痴痴地看着她，甚至屏住呼吸，不让自己惊动她。他从她的身上认出了另外一个人的影子，那人也有这样的长发，只是没有女真漂亮。只是她……也许真的不属于自己了。单一海痴痴地望着女真，不由长叹一声。

叹息惊动了女真，她抬起头，快活地喊："呀，你早来了呀，鬼鬼祟祟地躲在一边，吓人家一跳。"

16

"吓人家一跳。"单一海暗暗回味，多么明媚的撒娇啊！他又长叹一声，假装受委屈似的嚷，"那只兔子放了有两天了吧，肉都酸臭了，你还敢烤？"

"少废话，快走吧！那两个家伙都快馋死了。"

"那她们咋不动手先烤呢？我就这么重要。"

"要会动手，还叫你？"女真轻轻娇叱。

"……哦，敢情是你们几个不会吃，也不会做，把我带来给你当厨师来了啊！"单一海满脸傻傻的快乐。

那片森林仍呈现着原始的古朴，老朽的树枝自然地锈蚀着，新长的松树透着青涩的香气。偶尔有几只蝴蝶在草丛中飞，它们简直是美的化身，轻轻地在草丛中跳舞。

"这个地方还真不错。"单一海驻足对女真说。抬头看到两个女兵欢呼着从草上爬起来，做欢迎状。

最先走过来的是——单一海迅速就认出她就是上个月那个给自己扎了半小时才找到血管的胖姑娘。呀，她可真胖，好像这半个多月的野营训练只是为她提供了一次加餐的机会，身上的大号军衣可怕地显小了。该凸该凹的地方原形毕露，仿佛这衣服就是紧身衣似的。单一海为她担着心，一边伸出手，一边迅速回忆她的姓名。似乎叫什么梅森。这样一个名字放在她身上似乎总有些不像似的。他感叹着，使劲拉了拉那胖姑娘的手："梅森医生呀！你这半个月怎么又瘦了。上个月，我来输液，就见你皮包骨头似的，现在好像只剩下骨头了。怎么，工作太累了吧！"他故意做出惊讶和伤痛的表情。梅森是个护士，但他知道野战医院的护士们都不喜欢人们喊她们护士。所以单一海也干脆叫她医生。尽管她们表面上骂你，心里可不知怎样的喜欢呢！他的话逗起了女真和那个姑娘的笑声。只是女真的笑含蓄了许多，看不出多深的喜悦。倒是挽着女真的那个姑娘笑得天真无邪了些，露出了几颗明媚的牙齿，显得嘴大了点，可不难看。

"单连长，你还记得我？"

"当然，你是咱们全团三十岁以下单身干部们注目的中心。谁敢不记得你呀！"

"是吗？"梅森笑眯着眼，接上刚才的话茬，"我真的瘦了吗？"随即站起来，做了一个芭蕾式的双腿弹跳小交叉，浑身像地震似的滚作一团。

"单连长的眼力就是不错，前天我下山称了一下，比原先体重下降 0.5 公斤。

这么细小的变化你随便就看出来了，可女真和艳芳她们就是不信。"梅森嘟嘟小小的嘴唇，一脸的娇媚，胖姑娘的撒娇更彻底一些，心里可能仅有一分，脸上已显出了十二分。

"信，我们信，行了吧！"女真和艳芳抚臂大笑。笑毕，随手拉过艳芳："这位你还没见过呢！你知道她是谁吗？"

"她呀，是艳芳吧，如果再恰巧姓梅的话，香港那个也叫梅艳芳的电影演员就与你重名了。"私下里却想，这名真该给梅森，俗得够够的了。

"你这人挺逗呵。"梅森护士抚掌大笑，一边笑一边揉肚子。

"还是你机灵些，听别人叫我艳芳也跟着喊，还乱喊，不过，很高兴认识你。"艳芳把手伸过来。单一海还没握住，那手已抽了回去。这个小动作又让两人大笑不已。单一海有些尴尬："亏你没有把手上的细菌给我，谢谢。"

"谁手上有细菌了？"艳芳急嚷。

旁边女真忍住笑，推了单一海一把："别一见女人就跟抽疯似的卖贫，知道你今天的任务吧？"

"知道，剥掉那只你们不会吃的兔子皮，架火烧烤，伺候你们三位千金过好今天的小型聚会，并且是正连级服务水准。各位就委屈一下吧！不要再提什么更高的标准了，否则，我又得努力当官了。"三人又笑。单一海一脸严肃，把身上油渍麻花的作训服解下，把两袖子在腰上一扎，便成了围裙，喊："东西在哪里，啊？"梅森把他的手一拉，说："在这儿哪！"

那只兔子被捆在一根树枝上，旁边放着一把匕首，再旁边是姑娘们捡的树枝和干柴。草地上铺着一张淡绿色的塑料布，还有一个小小的煤油炉，炉火正旺，里面的水正咕嘟咕嘟煮着什么。看来一切就绪，只等他和兔子了。单一海把兔子提起来，却不杀，交给梅森："去，先剥了皮，在河沟里洗洗，我来架炉子。"

"这……这皮我可不敢剥，我从小连鸡也不敢杀。"梅森怯怯后退。

"你还是军医哪，解剖没搞过？太平间没去过？一个动物的尸体就把你吓坏了，真不像我心目中的好医生。"单一海故意说。

"行，我去，剥皮我熟。"艳芳倒是麻利，一把拎过兔子，就走了。

"看看人家艳芳。"单一海又想损损梅森，抬眼看见女真默默坐在一边，看着远处发呆。她的沉默一下就让单一海安静了下来，他发现，自己好半天没听见女真说话了，而他，似乎一直在说给女真听。

他用小锹在地上掘了一个小坑，把四根干柴各用两节交叉捆好、固定。他们忘了带铁丝，单一海就又放了一根青枫木替代，这东西耐烤。做这一切他太熟悉了。每年上山，连里打来野鸡和野兔都是他主烤。他的烧烤手艺已成了连里许多小伙子佩服的要素之一。他的架子刚搭好，艳芳也把兔子皮剥完了，她的手艺真好，皮剥得干净利落，那只精光溜溜的兔子此刻像一个刚问世的婴儿，粉粉的、嫩嫩的，放在托盘上有些动人心弦。

单一海把盘子接过来，盘腿坐好："姑娘们，咱们要吃个什么味儿的？"他的目光转向女真，看似对三个人说，其实只是想听听女真的意见。

"能不能有巧克力味儿？"梅森抢着说。

"还口香糖味儿呢，能烤熟就行了。"艳芳打打梅森的腿。

"你还会烤许多种味儿出来？"女真微笑着问。

"那是，在我手里过的兔子、鸡，不下三百多只了吧。清烤、火爆、椒盐、泥烤，最少不下二十多种做法。这样吧，本来我想来个简单的，看在你们头次吃烧烤的分儿上，我玩个花样……泥巴香烤，如何？"单一海仿佛受到鼓励，热烈地看着女真。

梅森说："咳，还是人家女真面子大，说吃啥单一海就烤啥，唉，人比人，气死人哪！"说完，掏出小镜子把自己的胖脸摁进去，哗哗地梳头发。

女真嘴儿一抿，轻轻地打了梅森一下，两人立即又嬉作一团。单一海眼神忽悠一下，觉得女真涌现出的娇媚真是无比生动。

"哎，你刚才说烤什么，用泥巴？"女真醒过神来似的问他。

"对呀，就是把各种调料和泥巴糊在兔子身上。在火上烤，泥巴剥落了，兔子熟了，味道也就进去了。怎么样？"

"呀，那多脏呀！"艳芳急道。

"那倒谈不上，高温烧烤，哪儿还有脏东西呀！哎，我这可是祖传手艺，轻易不露的，你们要怕，我就不烤了。"

"不，不，还是吃泥巴什么烤吧。"梅森的口水已在嘴里来回动了。

"哎，孜然带没，盐巴、味精……带没？"看大家摇头，单一海从衣袋里摸出东西，掂掂，"我早知道诸位才是客人呢，否则今天这手艺是露不成了。"

"哟，没想到我们的单连长人丑嘴倒挺甜的，巴结女人挺有一手，说说，骗了多少个纯情少女？"梅森大咧咧地看着单一海。

单一海听到此处，脸上不由得一动。女真赶紧推了梅森一把："什么丑呀美的，真是狗嘴里吐不出象牙，连赞美人也不会。"

单一海的心开始隆隆地沉。正是对自己容貌的不自信，尤其是在女人面前，让他有着深深的自卑，他的这种自卑在某些方面转化成了自傲，正因如此，他感激和爱着那个忽视了这一点的女朋友邹辛。想到邹辛，他的心像被刺了一下难受，他一下子沉默了。半晌，才作痛苦状，慨然道："丑陋挺让人觉得有趣，是不？我明白自己的优点，就是让不漂亮的人增加信心。让比我漂亮的人，增加优越感，提供一个相互对比的标本呀。"一边把兔子放上烤架，来回翻滚。有一刻，他几乎觉得是在烤自己。

梅森却接过来，直率地说："单连长倒是会寻找借口，自我解嘲的本领挺高明。哪天我找你拜师，行不？"脸上却是高傲的神情。

单一海有些恶作剧地笑笑："何必找借口，本人高兴还来不及哪！丑有什么不好，它才是上天送给你的好礼物哪！"

梅森被逗笑了，用手拍着腿："哎哟哎哟，还以为你有什么高论呢！我倒真想听听丑陋有啥不同。"

女真动容地看定他。似乎知道他要讲什么似的不语。这种神情鼓励了他，他环视另两位，继续讲："丑人天生沉默内向，敢于从童年就铸造自己的一切，喧闹、叫嚷、风流、美妙与他相距遥远，只有孤独或者不太漂亮的寂寞与他相伴。这是丑人天生的艺术情怀，这境界又岂是长相绝伦的美人所能轻得？丑人风貌别致，不容亲近。天生的敏感，导致心灵与肌肉的强健与刚硬，固守一方的心灵之田，很少有人可以共享。"单一海口若悬河，环视听得目瞪口呆的三位女士，期待掌声，可三位听得愣住了，溶化在他的思维中。他注意看女真，女真一双眼睛直直地看着他，显然他的话触动了她。她们还沉在他的话语中，没有回过神来。

他把手一摆，制止了那在想象中应该出现的掌声："……丑人爱人如爱己，女孩子在美人面前往往羞愧，失去自己。在丑人面前她们得意讥笑，可却不知爱一个丑人是她一生的幸福。这幸福是明确的、清晰的，无任何复杂的过程，但刻骨铭心。所有丑人的爱人都是懂得爱的女孩。她们一生漂亮、幸福、相伴终生，只是因为丈夫的丑和心的美。而这，难道不是上天对丑人的厚爱？"话语至此，单一海感觉很久没这样宣泄过了。没想到，这样的宣泄就像洗澡，真精彩、真舒坦、真过瘾。

"谬论，精彩的谬论！"女真带头鼓掌。她的眼睛里藏了许多难以言述的东西，像雾像雨，更像一种情绪。单一海使劲看，却什么也没读出来，"很久没听过这样精彩的话了。我发现，单一海深刻起来也与其他人的深刻不一样。他的深刻不刺伤人，可并不让人舒服，像怪味豆。"

艳芳着迷地看他，好半天忘了鼓掌。只有梅森稍怔了怔，喃喃地说："唉，可做丑人又是多么不易呀！"

"当然，做一个自以为是的丑人也不容易。"单一海笑了笑，把兔子翻了一下。女士们的赞许和认同才是激发一个人才华的最好激素。单一海是个一旦抓住机会，就不会放过的家伙。他想，我今天非让你们自己也想变成个丑人！

"可那是表面的硬撑啊！内心的苦又有谁可以理解？"梅森已经彻底被他征服了。他看到艳芳轻轻搗了女真一拳，女真会意地笑了一下。

"第一，可以拒绝镜子。然后失去顾影自怜的机会。打击自己的不是别人，是失去自信。

"第二，有许多机会面对失败。在所有的厄运中，都要自己把自己扶起来，这是明智的锻炼。许多比我有名气的伟人们都有相似的体验，但我与他们不同，我爱自己。"他觉得自己像在演讲，同时暗佩自己今天居然口若悬河，滔滔不绝，妙语连珠。

忽然，他发现自己今天这样冲动其实只为一个人。

"自己把自己扶起来？"女真盯住单一海，似在沉吟，又像在思考。

"做丑人还真这么好？"梅森脸上堆满薄云，其实也挺好看的，"照你这么说，丑陋简直是一种美德了吧？"

"丑人的美德，就是忧虑地盯着那些美人看他时的神情，感觉是相同的。"单一海脱口而出。

艳芳带头鼓掌。她已被这个丑小子讲的丑理论，给迷住了。

"丑陋是无法遗弃的美德。珍视父母大人赠给你的这一美德吧！"单一海振臂一呼，把烤好的兔子放在盘子里，"关于丑的演讲今天到此结束。谢谢各位倾听。下面，我隆重宣布，兔子肉野餐会正式开幕。"

"哇！"梅森带头鼓掌，"单一海，如果不是我已有了对象，我都差一点爱上你了。"

"咱们下辈子再会也不迟。"单一海脸稍红。看到女真仍沉浸在刚才的情绪中，心想保持沉默其实才是对某一类东西的重视呢。他暗自高兴，女真至少有一半思维被自己的胡言乱语给撞乱了。同时他还觉出，她总是把自己缩在别人的后面，似乎不露声色，却在沉默中显露着深刻的迎合。单一海突然感悟，今天的演讲者和听众只有两人。一个是他，一个是女真，其他两个人不过是陪衬而已。

想到这里，他胃口大开，撕嚼着肉，闭上嘴，默不吭声。只听三人零碎讲些闲话，再不插话，仿佛突然消失了似的，内心感到有些强烈的累，甚至伤感。一个小时后，单一海提出告辞。女真仿佛不经意地站起来，陪他慢慢地走。单一海并不拒绝，两人就那样慢慢地走着，谁也不说一句话。远看倒像是一对情侣在散步。

山坡上青草油油的绿。两人什么也不看，各自在沉默中打量对方。行至小河旁，单一海站定。看女真，那意思很明确，请回吧！

女真迎着他的目光，有些无意地说："其实，你挺孤独的是吧！你不要解释，我是说，你的心里空荡荡的，即使与我们几个在一起时也是这样的。因为对于一个内心空荡的人来说，在哪儿都一样……不过，我也有一语相劝，我多么希望你像你的尖刻一样优秀。"她说这话时，几乎是喃喃自语了。说完，她悄悄地转身走去，又把背影扔给了单一海。

单一海远远地看定她，忽然觉出一片深深的感动，正从内心泛起。

4. 羊皮地图

单一海趁着阳光浓郁的片刻，终于把古城西北的残角画毕。他掷笔在地，拍拍双手，站起来，退后几步，微醉般看那被他挪到纸上的残迹。他稍斜右眼，仿佛瞄准似的，一块块核对图上与实地的差异。口里喃喃地念叨着自己随手加上的名称……古炮台……后防战壕……瞭望塔……独立房……远远听去，如同呻吟。核对完毕，他有些满意地从兜儿里摸出一小瓶当地出产的青稞酒。这酒真好，粗粗粝粝地在喉咙间滑过，像一条清凉的火焰辣烧着腹腔。他太喜欢这种酒的烈劲儿了。从一来到这个乙种团，他就改掉了喝其他酒的习惯。专门买了个大塑料桶，盛了一大桶，就放在床下面，连解渴都用它，而更重要的是助兴。他觉得酒这东西，一像尤物，二像灵感。寂寞时喝它，仿佛有个女人与你窃窃私语似的，心里、眼里全是柔情。而一旦思维枯竭，面临重大难题时，它又像个小小的妖怪，一个个的精妙点子蹦跳而出。所以，单一海天然地私下里保存着这一爱好。而现在喝酒，则纯粹是对自己的奖赏了。

酒毕，那朵大乌云已经哗地遮没了搁在头顶的那轮太阳。天地唰地像被谁拉上了大窗帘，暗幽中透着种焦急的凉寒。一股风啪啪地响着，开始吹刮，那块绘图板哗地倒地，接着翻滚起来。单一海急了，转身去追。风仿佛一只手，一下一下地推着那块板子滚。纸在风中发出脆弱的呻吟。单一海一急，脚下不稳，啪地摔在了地上。是头朝下，脚在上，类似狗啃屎的通俗动作。单一海沮丧地把脸贴在地上，不知该生气还是恼怒地用拳头砸了一下杂乱如针的绿草。风忽地又吹走了他的军帽。他刚要从地上爬起来，却听到一阵恶作剧般的尖笑，这笑声在此时真像嘲笑。不过这嘲笑也太熟悉了。单一海抬起头，却远远地看见女真捧着那块绘图板站在风中，正在欣赏着他的狼狈。妈的，真绝了，每次都是在我倒霉或者露怯的时候遇到她，真霉气。简直像个巫婆嘛，似乎她一出现我就要倒霉，单一海有些愤愤地想。

"哎，那图看吹坏了没有？这风太大了。"单一海急急地跑过去。风几乎把女真的衣服都吹得飘了起来。鼓胀得全身又臃肿又富有"气质"，几乎使她站不稳，这点倒让单一海心中怒气稍消。

山上的天气如同孩子的脸孔。刚才看着还好好的，突然间就像谁揍了他一顿似的，随手从哪儿扯过一片云，哗哗地就四处下起雨来。单一海待了很长时间，也没习惯这种天气。相反，倒是多了许多惊异。

"图纸好着哪，没坏。你画完了……"女真迎风讲着话，有一半儿的话音仿佛被撕去了似的，到单一海耳中时，几乎听不清她说什么。单一海顾不上自己的帽子了，扯着她的手，向残城中跑。还没跑出几步，玉米粒儿大小的雨珠子夹着冰雹扑地而下。两人转眼湿透。单一海边跑边脱下自己的上衣，披在女真的身上。女真此时已顾不上太多了，把头躲在单一海的身边，听任他把自己半抱半挟着跑进残城。城边儿上有一间猫耳洞似的小屋子。单一海侧身而入，又嗷地跳了出来。洞里吱吱叫着奔跑出两只小兔子似的老鼠。冲到洞口，一看大雨，又奔了回来，显然这才是它们的家。单一海看它们不出来，转身拿了两块石头，砸了进去。又是吱吱几声尖叫，两只老鼠夺洞而出，消失在雨中。女真有些惧怕地向后躲。女孩也许不怕死亡，可却天生地惧怕那些莫名其妙的小老鼠、蟑螂、蛇什么的。令人不可思议。

单一海侧身而入，很舒服地喘了口气，却发现女真还站在外面，瑟瑟着如同一只颤抖的小猫。单一海顿生哀怜，一把扯住她，说："怎么，想给本连长站岗呀，我的大小姐。快进来吧！"

"谁给你站岗了？那洞……"女真缩缩肩，来不及说出口，已开始打起了喷嚏。

单一海明白了她的意思，一把把她扯了进来："都啥时候了，还怕老鼠。它们都怕我们淋雨，把洞让了出来，你还忸怩什么呀！"

女真虽进来了，但只是靠在洞口附近的地方。她的身上已被雨淋透了，蹲在那儿，身上的雨水啪哒啪哒直往下滴。可她却仿佛要护住什么似的，紧紧地抱着那只图板。雨水拍打地面传进来的风，又寒又凉。她浑身战栗着，像一只又可怜又害羞的小猫，简直与那天向自己开枪的女真判若两人。单一海摸出打火机，把身边的枯枝、鼠粪用手聚拢、点燃。洞中立时明亮起来，淡淡的火苗烧着洞内的寒气，两人感觉身上更冷了。

单一海从兜里掏出青稞酒，自己先喝了一口，又递给女真："来，喝一口，正宗青稞酒。喝了暖身子。"

女真犹豫地看他一眼，接过来，一仰脖，剩下的小半瓶竟被她一饮而尽。单一海吃惊地瞪大眼睛。

"哎，你剩点儿好不好？再好喝也不能这样啊！"他把瓶子摇摇，无奈地一笑，"我还以为你不会喝哪。本来客气一下，你倒好，动真格的了。"

女真噗地笑了。她一笑脸上的青紫褪去，有了些红晕："本小姐对酒精天生有溶解作用，再喝一瓶也没啥。怎么样？下一步你就该说'你把衣服拧拧吧，我转过身去'这样的俗套吧！"

"天哪，电影上的情节你记得这样熟。不过，也真该轮到这个细节了。可本中尉拒绝模仿，而且，这洞转过身，也令人困难，把我那绘图板拿来，我想看看它被淋坏没有。"

"天下男人怎么都你这德行。要不就是怜香惜玉如贾宝玉一般，再不就是你这种无一点儿绅士风度只关心个人私利的自私男人。唉，我真算倒霉。碰上了这破天气，又凑巧碰上了你。真是今天两大不幸中的最大不幸。"女真边说边打喷嚏，同时把一直抱在怀中的画板拿出来，一看竟有些沉默起来，半晌不语。

"怎么，是不是淋坏了？你怎么不说话呀？"单一海焦急起来。

"天哪，我觉得所有的地图草图画好后，都该用水淋一下……简直有种令人惊异的美感，毛茸茸的简直像是天笔。"女真顾自看着地图，低语。

单一海吃惊地挪过身子，蹲在女真的边儿上，定神看那幅图。这一看，连他也有些吃惊。图上浸着一些深深的水迹，铅笔画的线被冲没，那些淡淡的墨水在水中悄悄浸润。本来很单调的细线此时像是饱蘸着的毛笔，不规则却又神秘地丰实起来。有几处本来画得很薄弱的地方，被雨水一泡，线条都茸茸地鼓满着，向前曲折延长。许多条毛毛的绒线交织成了这幅有些过于细致的图，竟呈现着一种粗涩的美感。天，单一海在内心低呼。现在这图只适合于远远的审视，细节都被线条给淹没了，反倒衬托出全图的质感。似乎这残迹只配用这样的感觉才可能绘出来，也简直只属于这种感觉。单一海在画此图时，先用铅笔勾的底，再用圆珠笔直描。描到一半时，圆珠笔坏了，他只好用钢笔。现在，圆珠笔的部分如同旧迹，而钢笔的线描则似乎散发着另外的鲜冽。

他动容地从女真手中捧过那张图，眼中竟几乎流下泪来。他似乎到现在才发现，图还可以这样画，简直像一幅画，可又不是，因为它只是图呀！

"此图之后，也许不会再有一幅能超出此幅。简直像我梦中所看到的。"单一海有些痴痴地看着洞外。左眼被女真的脸孔遮住了。他才发现，女真也与他一样，深陷其中。他收回目光时，竟被她的侧影给吸引住了。她低垂的眉毛真浓呀！睫毛长长的，闪烁着。他蓦地想起邹辛来，她的睫毛也一样的又弯又长呀！他低低地叹息了一声。

女真似乎觉察到了他在看她。她的眼睛转过来，不经意地触到了单一海的眼光。他们还是头一回这样近地直视对方。单一海的内心唰地惊栗，触电般地全身抽搐。这女孩子的眼睛简直太可怕了，居然带着电。他有些不可抑制地又回过头，看到女真的眼睛也蒙着一层雾似的又清亮又忧郁，带着一种他熟悉又陌生的东西，来回飘闪。忧郁的眼睛永远都如一首宋词呀，他有些心动地想。

同时迅速收束住自己的目光，努力盯住画板，仿佛紧紧逼视着刚才内心不经意闪摇出的一些欲望。渐渐地，它们在自己的逼视中，迅速地模糊了。他的内心才稍许平静了下来，眼睛抬起来时，已多了几分自信与平静。

他掩饰地干笑："你知道你的眼睛让我想到了什么吗？"

"什么？"她似乎也才从刚才瞬间的迷离中挣脱。洞外的雨水已渐渐稀少，间或出现了阳光，先是暗暗的光线，接着是夏日中午暴烈的白光，仿佛雨水飘飞仅仅是别人洒的水滴，与它无关似的。同时她有些愤然，这雨简直不像雨，而更像是一种恶作剧！

"一首宋词。词忘了，感觉像这种词的意境。不过，现在这感觉变了，感到像刚才的天气，说不清的一种气氛。"单一海怔怔地看外面骤现的阳光，内心有些隐隐的失望，心理上仿佛做了一次小偷似的。

"比喻的前半部分太暧昧了吧。"女真站起来，确切地说，是半弯腰半站着，洞顶太低了，"后半部分更是让人失望。不过，你的想象力不错。相比之下，我宁肯相信你前半部分的感觉，我很喜欢宋词的，难道宋词终于溶进了我的眼睛里？"她夸张地伸伸臂。

"不但在眼睛里，也在身体里呀！"单一海坏坏地笑着看她。她的身上此时真的凹凸有致，湿布已经半干，紧紧地贴在她的身上，还淡淡地泛着热气。

女真察觉出了他的笑，脸上倏地红润了。她一跺脚，头不小心触到了洞壁，不由得哎哟一声，抱紧头，低声呼疼。单一海急忙走过去，扒开她的手要看看碰在什么地方。女真却一伸手，拦住了他。

"你真够坏的了，死家伙，现在又到了第二个细节了吧。你给我先退出去，本小姐要拧衣服了。"女真微怒，杏眼圆睁，感觉她真的生气了。

单一海略略尴尬，伸出的手慢慢地收回，放在了头发上，仿佛他本来只是要搔头发似的："那我当然愿意用倒叙的手法,讲第二个细节了。"他干巴巴地说，脸上涌出可怜相，慢慢地在女真的逼视中退出。

单一海走出洞口，太阳热烈灿烂。他边走边有些淡淡的失意，同时发现，也许女真只是把自己当成了一个一般的战友，甚至不是朋友。有些落寞地仰卧在一堵残墙前晒太阳，或者是让太阳把自己晒干。阳光真暖和，仿佛有成千上万只毛毛的小手在自己身上来回动，身上竟有些沉沉的睡意，但心里乱乱的却无法有片刻的安宁。这时，他听到一阵脚步声轻微而来，感觉是女真已换好衣

26

服向他这边走来。他侧起耳朵，认真地听，故意闭上眼装睡，似乎自己真的对她并不在意。他暗暗吃惊，这个女真把自己弄得如此不舒服，可心里却很难去掉她的影子，难道她对自己真的很重要？

那阵脚步声的主人走到他跟前，似乎很深地看了他一会儿。因为眼前的阳光显然被遮没了，他有些深深的不自在，在那双如电般的眼睛中，他不知道自己的睡态是否令人好笑。过了一会儿，那个影子才挪开了，接着是重重地坐在了他右边不远的地方。她也一样需要太阳啊！他想。难道她也会像他一样躺在干土中？这种想法令他吃惊。渐渐地，他感觉到她又拿起了那张草图，她似乎看了许久。但接着，他又听到一阵唰唰的书写声。天哪，难道她想在那图上勾画些什么？

他吃惊地睁开眼睛，看到女真正在疾书，不由得有些生气地喊："你真的又想画一座不一样的旧城图吗？"

"果然你没睡着，我就知道你在假装。不过你的伪装正好说明你内心里惧怕。可你怕什么呢？怕我？"她有些戏谑地看定他。

"我怕你？当然我怕你了，我上次已经承认过了。可这一回我怕你把我的图纸给毁了呀，我的中尉！"单一海有种被人识破了什么似的尴尬，一把从女真手中抢过图板，却见在图板上放着一只怪异的略显陈旧的破羊皮囊。那囊呈长圆形，扁软着，上边不可思议地刻着些乱七八糟的线条和花纹，在污垢中，若隐若现。原来她只是在玩这样一只囊。不过这囊是从哪儿来的呢？他记得刚才可没看见她有这宝贝。

"恼羞成怒了吧！单连长。把那只囊给我。一点儿风度也没有。"她开始笑吟吟地看他，太阳已很快晒干了她的衣服，但晒不干的却是留在迷彩服上用力拧过的皱褶。

"哦，对不起，我还以为你在折磨我的图呢……你这壶从哪儿来的呢？这好像是只老羊皮酒囊吧！"

"我先不讲从何得来的。你先看看这是只囊吗？"

"那是什么？"单一海有些不屑地又捞起那只囊。那只囊的污垢也许有很多年了，沾附在上面，似乎已成了壶的一部分，又滑润又腻湿，还有股明显的羊腥味。他本想说这壶不过只是一只囊而已，可一看到女真有些期待和神秘的目光，他又咽回了刚要说的话语。他把那羊皮囊在身上蹭蹭，仿佛奇迹似的，

27

那些隐在羊皮上的线条开始逼真了，一条条的很是显眼。他有些兴奋了，也许是一个罕见的花纹图案吧！他又蹭蹭，竟看到了那用线条勾勒的山脉和河流。他吃惊了。

"这上面怎么会是地图？"

"为什么不可以是地图呢？"女真有些卖弄地说，"而且恰好是地图！"

单一海被一种好奇撩拨着，他兴奋地凝视着那些用线条勾勒的地物地貌，在一张纸上迅速地复描着，每复描一块地儿他就有些淡淡的吃惊，他竟然不太熟识。这仿佛是世界上其他地域的一些线描提要。比如那块长直的地带，多么像古波斯平原。而那块圆丘形的地物，又多么像古代罗马的岸防线，还有地中海。只有后面的那块地物，很陌生又很熟悉，似乎像极了一块什么地方，但却又一时想不起来。他又使劲地擦擦那只酒囊，他竟看到线条的中间交叉地，都标着针尖儿大小的古怪文字。他认了半天，居然没认清一个。

单一海抬头凝视女真："这似乎是一张地形图，好像是一个标绘着什么人的行踪或者概略的提要。总之，这图太神秘了，可我看不懂它，你看得懂吗？"

"终于有看不懂的时候了吧？"女真兴奋起来，同时展开那张单一海复描出的概图，用手指定下部那个表示山脉和河流的凹面说，"你看看这块地方像什么？"

"像一面山还有两条河，中间有个小小的凹皱，后面是广阔的沙漠……我想不起来了，但我觉得这块地儿真熟，我已经感觉出我见过它了，可它是……"

女真微笑不语，把那草图下半部压住，放在他的那张草图上面："你再看看？"

"妈的！这不是焉支山脉吗？著名的河西走廊、黑河、无名冰河、腾格里沙漠、无名戈壁，天哪！怎么会是这儿！"单一海恍然惊悟，同时大为惊异，"真是种奇妙的巧合，可这图上另外的部分是什么呢？"

"我也不知道，我是看了两天后，才认出这么一小块地儿，是表示这里的。我查过新疆区域图，也不像。甚至不像全国区域图中的任何地方。那么它就是世界某一区域中的概图了，除了后部这块，我也是直到刚才，看了你标示的这张残迹方位图，才发觉这两块地方真的像极了。"

"所以你想告诉我或者来向我请教？可今天似乎不是周末，好像你也不该整天到处闲逛呵！"单一海接过话茬。

"谁闲逛了？我们那儿整天没一个病人。我就请了假，到连队找你，没见到，我就猜你在这儿，可没想到遇上了这场大雨。"女真又打了个响亮的喷嚏，"你奇怪不，这图似乎是一种象征，可又能象征什么呢？"

"不知道。不过我觉得当初绘制这张图的人，也许知道这个秘密。感觉上这是一个人一生走过的地方。这上面没有国界，有的只是某一区域的主要物证。这人的直觉很好，他是靠直觉来描绘这些地貌的。所以，只能从感性上去看这张图。上面还有些奇怪的文字，也许可以帮助我们找到答案。你认识它们吗？"

"不认识。认识的话我还会来问你！"

"哦，对了，这只酒囊从哪儿来的呢？也许他可以告诉我们这只囊的由来？"

"三天前，山前一个小村子里，一位老牧人送给我的。"

5. 牧人传说

女真说："我从来没见过那样一个村庄，如果那也能叫作村庄的话。只有稀稀落落的七八间房子，那些房子前都拥着灿烂的刺玫瑰，到处散发着一股苦苦的深香。你知道，没事时我喜欢一个人乱走。那天我背着猎枪，越过残迹。我觉得残迹的前边肯定有人。但没想到，一走竟走了十多公里。我以为自己的判断错了，后来我就嗅到了那片浓烈的玫瑰香。我当时几乎都傻了。我第一次见到这么广阔的地方，长着这么广阔的玫瑰。那些玫瑰真多呀！多得让我几乎快醉了。这时，我就看到了一个牧人。他那样无声无息地赶着一群脏羊，飘着似的经过了我的身边。他身后跟着个孤独的女孩。那小女孩长得真漂亮。那种漂亮怎么说呢？令我惊异了，我至今未见过那种类似天使般的面孔。更让我吃惊的是，她头发金黄，一双眼睛深蓝，头上是一个玫瑰花环。她穿着土布织的一种小衣服，简直就像天使。"

"简直像在述说梦境！"

"可我觉得比梦境还让人难以置信。我听到她用土话问我话，才觉出她居然是这儿的人。这时，那个远远地看我的老牧人走了过来。他似乎对我的出现并不过分意外。但我还是意外了，我看到他居然也蓬着一头褐发，他的装束很奇异。知道我当时的感觉吗？仿佛是到了国外，仿佛是见到了两个外国的游人，可他们却千真万确的是当地人。他们都用当地的土语说话，连举动也是当地人的风范。"

"你真的见到了两个异族的人？这儿的民族较多，仅沿祁连山脉两侧就混居着十四个民族，也许是一个什么族的人吧！"单一海疑惑地问。

"如果真是这样也好，问题是他们恰好不是。村里还有十来个男女，也与他们一样。我仔细看过他们的装束，他们与当地的十几个族的装束不太一样。尤其我还发现，他竟然在吃饭时，只给我用筷子。而他们，似乎很熟练地用刀，一种镀银的小刀，切肉和饼吃。那些习惯呀，总是不伦不类得让我别扭而又陌生。我再次感觉到他们与我的区别。我指的是本质上的区别。"

"呵，你这么快就坐到他们的饭桌上去了？"

"当时已近中午。炊烟四起。老人与小孩正走在回家的路上。那个小女孩扯住我的手，让我跟她一起回去。那老牧人倒是很独特，他几乎很少说话。只是用一双眼睛认真地看我，也没说邀请。但我那一刻对他们太好奇了，我真的想看看他们的生活，便装糊涂随那小女孩到他们家里。那天我打猎的机会不多，只有一只兔子撞到了我的枪上，我便把那只兔子送给了老牧人，那个牧人很高兴的样子，显得热情了些，从地窖里拖出一只羊腿来。奇怪的是，这么热的天儿，那羊腿上竟结着厚厚一层冰碴。他熬的羊汤真好喝，可以说，我很少喝到那样鲜美的羊汤。知道吗？我一连喝了四碗，肚子胀得不行了，才把碗放下。"

"可那个牧人为啥会把这样一只酒囊送给你？"单一海来回摆弄着那只囊，"尤其是上面还刻绘着这样一些奇怪的东西，可以说，这个牧人肯定知道这是什么！"

"我连声赞叹羊汤，老牧人的脸色也和润起来。他便拿出了这只酒囊，那囊当时满满的，盛满了酒。老人给我倒了三碗，我全部一饮而尽。那酒的度数似乎不太高，大概是自酿的，里面满是玫瑰的苦味。当时我就注意到了那上面刻的这些条纹，只是没太在意。他似乎觉得我挺豪爽，不太像个女孩子，或者说有某些地方使他喜欢上了我。总之，老人突然间兴奋起来了。他拿起一把挺奇怪的乐器。那乐器是面圆鼓，上面绷着三根弦。他用老手指拨动时，那乐器发出一阵新鲜的不一样的音鸣。

"那天我真的挺激动，老人的手指真灵活呀，像两只柔软的腰肢，让我眼花缭乱。那个小女孩早已随着节奏在地上舞蹈，她边跳边要我与她一起共舞。我模仿着她的动作，笨笨地跳着，直到累了。我就从身上摸出一把口琴，与老人合奏。我感觉他在弹一支忧郁的曲子，也就和着他的节奏吹起来。老人弹着弹着，就停下来，呆呆地看我吹那把口琴。我小时候特爱吹它，可以说，我吹口琴的技术还是有相当水准的。但我后来才知道老人发呆，是因为他从未听过口琴发出的声音，如同我未听过他那只奇怪乐器的声音一样。一曲罢了，我把口琴交给他，老人摇摇头。我就又递给了那个小女孩。那女孩儿真聪明，含上便可以吹几声简单的乐声。她是凭自己的感觉随便吹的，但那声音可真好听。我便说把这只口琴给你好吗，那牧人立即站起来，一个深鞠躬，表示谢意。然后他就出去了。我还以为他要干什么，谁知过了许久还不见回来，我就与那小女孩儿说话。

"后来想起那挺香醇的酒，我便又给自己倒上。也许是好奇吧！我对那只奇怪的酒囊产生了浓厚的兴趣。我想不管是谁，都会对这只囊感兴趣的。我感兴趣的却是那上面的花纹与线条，我觉得它挺有意思的。正在这时，那老牧人回来了。他拿着一个也许刚编织的玫瑰花环吧，就跟那个小女孩头上戴的花环一样，要给我戴上。我当时受宠若惊，有种……你猜什么感觉，有种做新娘的感觉。我真的很兴奋。一切真的如同梦境……这时，太阳西斜了。我觉得真的不可以逗留了，就要告辞。这时那个老人，他说话了，从身上摸出几张钱，要给我。很显然，他以为那只口琴很贵，我有些不知所措地拒绝着。后来，我看推辞不掉，就提了个小小的要求，要老人送给我些玫瑰酒喝，并且要把这只酒囊带走。不过，我并没意识到会引起老人的震惊与伤感。我看到他在听到我要把这只囊带走时，脸上竟忽然呈现出了惊愕的表情。我以为老人舍不得，忙摆手说算了。可我却莫名其妙地对那些神秘的条纹感兴趣。我捧着那囊，说了一句让我到现在都很后悔的话。你知道我说的是什么吗？我说这些花纹真是太让人喜欢了。"

"你再次表达了你喜欢这只囊？"

"是的。老人沉默地坐下了，我不知自己做错了什么。我想说点什么，但却一句也无法表达。我觉得该走了，就默默地看他一眼，推开柴门，往回走。

我走得很慢，心里乱乱的。那只囊的影子一直在我心里晃荡。我忽然想，也许这囊是老人的宝贝吧！

"这样想时，我忽然听见身后一阵马蹄声，跳下马来的正是老牧人。他手里捧着那只囊，囊里盛着满满的玫瑰酒。我不知所措地看着牧人的脸。老牧人无言地把那囊递给我。我知道如果再拒绝，肯定会伤他的心的，就默默地接过来，把它捧在胸前，像捧着一个怪怪的婴儿。当时我心里的疑问真是太多了，我竟又说错了一句话，我说老阿爸这酒喝完我就把囊还了。那个老牧人无言地笑了一下，看看身后的斜阳，淡淡地说：'不用了，我今生再也不用了，这只囊太沉了，我背了六十多年了。现在终于有人要把它背走了，我觉得全身都轻了。'我忽然感觉原来他其实已经很老了，只是精气神儿撑着他，年轻的是那些溢出来的气质。他接着说：'你是除我以外，头一个看重这些条纹的人，还是个女人。我知道我老了，我陪不了它多久啦。我把它给你，我就告诉你一句话，别把它当成一只囊好吗？'我疑惑了，那把它当成什么呢？他说：'当成一个人的脚印，或者一群人的脚印。'"

"一个人或者一群人的脚印？原来这只酒囊竟有这么多的传奇。我觉得好像是一个藏宝图似的。女真哇，你简直像在讲一个传奇。我都快入迷了。"

"连我也觉得像是个传奇。晚上回来，觉得像做梦。半夜醒来，我又摸了摸这只皮囊，才信这是真的。"

"可那些酒呢？真的有你说的那么香吗？"单一海向往地用鼻子吸了吸，"我都快被你说得流口水了。"

"可惜那酒我已经喝完了。那几天我边喝酒边琢磨那些线条，越想越糊涂。酒喝完了，也没想出个头绪。后来想起你对地图挺有研究的，也许你可以看透些什么。"

"所以你才来。有事才想起我，我也真够惨的了。"单一海故意叹息，"我真的想见见那个老牧人。"他摸出随身携带的周围地域军事地图，摊开："你先给我讲讲那个方位好吗？"边听边在图上推测。根据女真所说的一些方位，他很快找准了图上的位置。而那里没有村庄，只有一块小小的草原。后面便是高耸的焉支山脉。再右边，则是与某国接壤的广阔的戈壁。

单一海用手按住那块地方。从图上判断距此处也仅十余里。他有些按捺不住地说："现在是下午1时10分。用急行军的方式，一小时后可以赶到那儿。

女真，我被你感染了，我也想去经历一次那种梦境式的玫瑰林，你愿意陪我一起去吗？"

"当然去，"女真脸上泛着一种向往，"我真想再去看看那个小女孩。"

6. 玫瑰老人

路上，哦，根本就没有路。他们凭感觉在山的斜坡上行走，感觉是在绿草之间做一次漫长的旅行。有很多次，两人感慨那太阳的高远。太阳只是很清晰的一团红火，但不太灼人。远处山顶上的雪反射着刺目的光，可却被绿草悄悄地过滤干净了。他们都不说话，偶尔注视对方，似乎很默契的样子。有好几次，望着那个在绿草间的女真，他都有种宁静的幸福感。仿佛是一种意境，一种纯净的意境。他被这种心境淡淡地溶化了。所以，他的目光开始溢满莫名的温柔。

前面出现一条河，那河汩汩有声，又清又刺骨。他判断水是从山上淌下的，是雪水。因为那水迎面扑来一股寒凉，冰冰的清晰的一种感觉，让他诧异。女真站在河边，远远地望一会儿对面，伸出手，向偏西的地儿一指："我看到那片玫瑰了，呀，那香味已扑过来了。"

单一海也看到了那片低矮成一片花海的玫瑰，那些苦苦的沉香早已淹没了他。他觉得内心中仿佛被什么擦洗了一遍似的，又清又亮，如同眼前这条雪河。他抑制不住地深吸了几口香气，从河中间的踏石上越过，那片玫瑰林便挡住了他的去路。

他站在这片玫瑰前，呆掉了。阵阵芬芳向他扑来，一种浓烈的斑斓轻轻地摇晃着，像晃着一种巨大的热情。这片玫瑰，哦，足足有上百亩吧！它们相互盘缠着，根连着根，绿叶触着绿叶。无尽的花朵挤拥着，仿佛这些无数的嫩红色花只是一种颜色，透着那么一股子热情。他动容了，看着广阔的花儿就像面临着广阔的爱情。它们相互保持着爱情的姿容，互相渗透，又互相远离，既热烈，又透着股深切的宁静。他不由得伸手去折它们，这些玫瑰上布满了热烈的刺，每采一朵，那些隐蔽着的刺便会划伤他的手指。他听任着这些刺的触痛，同时内心里涌出许多的感伤，这些花越来越像爱情了。

女真已经采集了一大束，坐在地上专心地编着花环。他们似乎都忘了自己来的目的，他们都被玫瑰给吸引了，仿佛他们只是两个看玫瑰的人。单一海想，如果真是这样又该是多么地让人神往呀！眼中竟呆呆地看着已戴上花环的女真，有些深深的震惊。她真美啊！拥有玫瑰的女孩子都是世上最美的人儿吗？

"真美。"单一海笨拙地赞叹，他实在无法找出更好的词，"人比花儿更美。"

"是吗？"

"嗯。我都有些感动了，我发现，花儿与少女，其实才是同一概念哪！应该改变世上对女人的叫法，该叫花儿。"

"这话我爱听。我发现你奉承女孩子挺有一套的，像你这个人一样，有点怪。不过我喜欢。"女真热情地看着他。

"我其实真是这样以为的。我以前听别人说要给女孩子送玫瑰，觉得真俗，可今儿个，我发现只有送玫瑰，才是一件真正美的事，或者与美相称。"单一海真诚叹息，竟有些痴迷地注视着女真，有好久未觉出花的刺痛。

"我也想体验一下送玫瑰的感觉了，我能送给你这几朵玫瑰吗？"

"呵，我真高兴，有人送我玫瑰，尽管这儿这么多的玫瑰，可只有这几朵，好像才属于我。"女真把头低在那丛花中，眼神迷离，"你知道玫瑰象征什么吗？"

"爱情。"

"一个男人送玫瑰给女人呢？"

"那就是送爱……情给她！"单一海有些口吃地呢喃。他提出送她玫瑰时，可从没想过这些啊！那时他觉得送玫瑰也许只是这种意境中的一点儿点缀，他没想到女真会这么敏感。他不知所措了，我真的对她有这种情感吗？他不敢再想。

女真不再言语，把身子转过去，望着玫瑰丛中那童话般的几间木屋子，悄声说："就在那里，我遇到了他们。"

那几间屋子真宁静，静得到处都是芬芳的声音。那些蜜蜂轻盈地飞舞着，他们站在那片房子前，有种忽然的失落，这几间屋子是空的，这儿没有人。

单一海诧异地望一眼女真。女真没说话，她有些不相信地凑到门前。门虚

34

掩着，稍一用力，门就开了。房子里宁静又空旷，低矮的木屋里响着门碰在壁上空洞的回声。她又出去推另外几间屋子的门，房子里都异样的空旷。很显然，主人搬走了，并且不愿意锁上它们，他是把这些屋子遗弃了。老人遗弃了这么大一片空阔的玫瑰丛林和房屋。他会去哪里呢？她有些迷茫地坐在地上，无助地望着单一海。

单一海无言地在几个房间里穿行。走到一间类似于客厅的房子里，他看到了一片纸。那上面不规则地写着几行小字：我们走了，我们到我们该去的地方去了。那里只有我们，只有山，只有丛林，再没有其他任何人类……单一海把纸条交给女真，待她看完。"我信了你说的这个传说般的老人，他好像不愿意我们打扰他的平静。"

"你是说他早就料到我们会来？他是在躲我们？"女真不解地问。

单一海一脸的遗憾："我感觉头一次被一个未见过面的老人的纯洁给伤害了。他太令人……哦……让我的情感难以接受。他拒绝人类，甚至拒绝传说。他轻易地背负着一个类似神秘的东西，又轻易地掷给了我们。他简直是在开一个非常可怕的玩笑，敢抛弃秘密比保护一个秘密更让人震惊啊！知道吗？也许老人也一直想知道它，但他永远不能破译它。也许他累了，觉得厌倦了，他干脆把这抛给了我们。我感觉他并没走远，他也许就在周围某处看着我们嗤笑呢！看一个他自己背不下去的包袱压在别人身上的样子，他比我们智慧……"

女真吃惊地道："我觉出他并没走远，我不信他会舍下这么一大片玫瑰，这么一片草原，我们也许可以找到他！"

"不，他会舍弃的。他连这样一个秘密都敢舍弃，还在乎这么一片玫瑰？"单一海叹息着，"该回去了，我们估计什么也不会得到。他的回避本身就反映了他与我们一样，并不会知道得太多。知道吗？这个老人我在心里已见过他了，我将永远在自己内心保存一个臆想中的老人，这个老人只属于我。"

女真奇怪地瞥他一眼，再不言语。这时阳光在西斜中变得柔美多姿，玫瑰在柔光中令人惊心地跳跃着。她有种无言的感伤，不知是为自己，还是为玫瑰。

单一海低眉，柔声说："回去吧！天马上就要黑了，我们已出来一天了。"两人都低着头，默默地在玫瑰林中穿行，感觉像行走在芬芳的气氛中。这种气氛真像忧郁。单一海站在玫瑰林的边缘，有些痴迷地低语："真舍不得这片玫瑰。今生也许再也不会有任何花，会像今天的这片玫瑰这样让我激动了。"他回首看看女真："我虽然没见过那个老人，但感谢你，让我遇到了这片玫瑰。"

女真奇怪地看他一眼："你似乎对玫瑰挺感兴趣，玫瑰让你伤感了，哦，我知道了，一个伤感的男人遇到了玫瑰总是件浪漫的事。可我却觉得你挺忧伤的，我是说，你想起了一个人？"

"是的。一个女人。她的眼睛与你的一样亮……这只是以前的一个故事了，知道吗？那女孩子远得只像一个念头，一直立在我心里。我觉得我被碰疼了，很可笑是吗？一个男人，讲自己的爱情，并且是失败的爱情。我以为我把她忘了，可我今天发现，她还在我心里某处，并且像一枚刺。爱情于我来说越来越像一枚刺了。"

女真含意不明地看定他："初恋吗？不过初恋似乎只是一种感觉上的东西，可以伤感但不至于刺伤人。而且你现在也不像在初恋。那么是一次成熟的恋爱吧！你很爱她？"

"爱一个人有时并不是爱情呀！"他深深地摇头，"我真的不知道爱情是一种什么样的战争。复杂到了令人难以解释，清澈到了令人不屑一顾，可惜到了让人心灵疲惫蒙尘的地步，却只能用叹息来掩饰，而我选择了逃避，可我却真的能脱逃吗？哦，你经历过爱情吗？"

"经历过，不过，我没你那样复杂的感受。追我的人都是我不感兴趣的人。而我渴盼的人呢,总是躲得远远的,不知在哪个角落。"她把那束花捧起来，嗅嗅，眼神恍惚着，"其实，我发现男人也挺脆弱的。我还以为你就是个顽固的孤傲的家伙哪，居然也有伤感，如果那个女孩子今天听到你这样表白，不感动个半死才怪呢！"

"她一直都挺感动，可却不会与我结婚。"单一海重重地叹口气。

"那为什么，她爱你吗？"

"她一直在爱我，可我们彼此都太爱自己了。"单一海猛抽一口烟，"许多事情你不会太懂，其实，连我有时也不懂。"

女真眼波闪烁着，向夕阳的前方走去。背影斜斜地贴在大地上，拖得很长。单一海呆呆地看了很久，转身去追她的背影。

7. 沙 海

邹辛来到海边。

冬天的海滩上游人真少，少得让人惊讶于这片海滩上居然还会有人。她沉静地望着一只海鸥在海面上来回飞，它飞了很久了，也不累。这时候，她发现，这里只有她和它是呼吸的。有一瞬间，她感动了。她在心间向这只孤鸟致意，感谢它在自己面前来回飞巡，像个远远地注视她内心的老朋友似的，轻轻地向她鸣叫。后来，也许它累了。邹辛看到它就落在岸滩边缘的一只翻扣的船上。两只纤细的三丫脚撑着它的孤独。她看到这只鸟再不望她，只是望着海面，她深深地有种觉察到对方孤独的忧伤。

夕阳已坠在海面上。冬天的夕阳多么的苍老啊，弥漫着老旧的光晕，在海尖上来回闪。

她从衣袋里抽出那封信。那信可能因被多次注视和翻阅而显出了老旧。有的地方因折痕太重，已经撕裂。邹辛小心地把它们铺平，微弱的风透过她的手指，轻轻地抖晃着那些弱小的字迹，一颗颗的像在跳舞。

这封信她已读过几十遍了。一周来，她几乎天天都要看一遍，那仅有的几百字她几乎都可以一字不差地背述下来。可她却似乎永远看不够似的，深陷其中。今天是周末，她把自己一个人关在房子里，打开音乐，试图在音乐中把自己打发过去。她太累了，从收到那封信的第一天，她就陷入了一种遥远的无奈之中。她也不知为何，总觉得心中某处乱糟糟的，像一个巨大的集市，整天乱哄哄的，让她无法安静下来。天色快晚的时候，她终于在房间暗黑的气氛中待不住了。她鬼使神差地揣上那封信，漫无目的地走着。后来，她也不知为何，就又站到了这片海滩上。

站在那只翻扣的老船边，她不由得有些短暂的心惊。每次遇到什么不安和兴奋的事，她都似乎会下意识地来到这片海边，这使她暗自惊讶。也许每个人都有一个自己心灵的"家"，也许这片偏僻的海滩，就是自己心灵的墓地或者彼岸吧！可也只有她自己知道，这片海滩其实是属于两个人的，至少还应该属于单一海。这片海滩上写着他们的恩怨！她一想起来，就不由得有些伤感。她奇怪他们的一切，竟都与这片无名海滩相关。

　　也许只有它目睹了一切。她叹息着，风声哗地把她捧在手中的信纸给撕开了，仿佛一只看不见的手。她有些吃力地把那半页信纸捡起来，内心涌满许多无言的苦意。

　　她早该料到有今天这样一个结局。可当她明确地收到单一海写来的这封信时，她还是有种深深的震惊。尽管她知道，即使单一海不说出来，她自己也会写这样一封信的。但她确实没想到一切发展得这样快。快得让她有种提前预支了某种储存的感情一样，心中总是蒙着一层失意和莫名的缺憾，可已经无法填补了。

　　她再次读那封信。那信短得像匆匆忙忙写在便笺上的留言，短促而又理智，这让她有些深深的难过。他也许真的太高傲了、太好强了，连这样最后一封信也写得如此匆忙、如此潦草。

　　邹辛注视着那只鸟，暗暗对自己的失意表示怀疑。你不是早就预知到这一天了吗？不是早已经明白，为了自己，你们不会走到一起吗？她承认自己在这一点上，不如单一海彻底。单一海承认了自己永远爱她，可他说："我永远都不会要一个精神恋人，很不幸，你起初不是，可你现在是了。"他说得可真是一针见血啊！仿佛从她心中涌出的话。在这一点上，她深深地迷恋着他，也正是这些东西，像一朵遥远而又若隐若现的花朵一样，不可触摸，但却喷着诱人的香气，远远地让她着迷。她明白了，自己为什么总是一次次地在分手之际，又开始犹豫。她远远地把自己抖开，像看一个陌生人一样，深深地审视自己。她总是悲哀地发现她如此地对单一海割舍不下，其实只是怕自己失去一个对手。要找一个精神上的对手真是太难了，邹辛在这一点上，永远看不起在她周围的男人。即使跟他们在一起时，她的内心里也一直充满着另外一个人的影子，一看到那个人，她的心里立即会有种被充满的感觉。她悲哀地觉出，永远都不会有人可以将她占据。后来她想，找一个爱人，很大成分上，其实只是找一个对手。

因为有时，在生活中找一个说话的对手也太难了。

　　每次把信写好，她都会长久地一遍遍看它们，舍不得寄走。信寄走后，她的内心就会抽空般地无依无靠。后来她才相信，她需要的并不仅仅是一个精神上的恋人。好不容易盼到他出现了，她却总有种深深的失望，每次见面，对他们都是一种损伤。在这种损伤中，她觉得他越来越远，似乎只有在遥远的西北她才可以在心中找到他的位置。那时候，单一海只是走进了她的心，却没有出现在她的生活中。这时她的内心闪过一个英俊的身影，他倒是出现在她的生活中了，可他真的可以替代他吗？她在内心逼视着那个面孔，像审视着一种心情。她多么希望那种心情会说话啊！可那种心情在她的逼视中消失了。她叹口气，正是在这一点上，她永远看不起他，也许我们会生活在一起（她被这念头吓了一跳），可我的精神已嫁给了另外一个人，所以我是不完整的。邹辛慢慢地向前踱着，那只鸟在她的前边慢慢地飞。夕阳哗地落进海里时，她已经决定了，去看看他，去为奶奶过一次生日。同时看看那个她不知名的女人，然后离开他。即使这种离开是一种错误，她也要让它变得像一次真正的错误一样灿烂。

　　她把那张信纸轻轻撕碎，像撕一块小小的心情，凌空撒向海面。风迅速把它们扫进了海里，似乎不愿意让它们留在地上。海滩上只有一行脚印，向前延伸着。

　　那天上午，哦，是哪个上午呢？邹辛记不清了，后来她回忆，也许是她回来的第三天吧，她在范村待得已经实在是无聊了。可她的爷爷却像找到了自己的老家一样，整日里在那些乡间四处乱走。到处打听他当年在这一带打游击时的遗址。有时还惊人地记起某个妇救会员的名字，找到人一看，已经老得像一段回忆。人家早就把那一切忘了，可他却与人家不断地拉呱……这种怀旧刚开始还吸引着邹辛，她很愿意加入到爷爷的回忆中去。她是爷爷最小的孙女儿，爷爷很想让她知道许多以前的事情。当然这是个无聊的暑假，她便扛着一大堆各种新奇的愿望来到了范村。到这里来，倒不是因为她对爷爷的故事感兴趣，那些故事已经被爷爷重复了几十次了。到这儿来，最多不过是给那些故事对上号儿，让老头儿指着那些秃山荒岭，讲述某段战斗细节。对这一切，邹辛早就有些莫名的厌倦。爷爷上午到另外一个村子去了，他奇怪地不再让她去陪，执意要她在家等他。邹辛一个人躺在大槐树下的树荫中，真没多大乐趣。这时，她想起了自己内心的那点秘密：苏三的监狱就在洪洞县的城西，并且还有许多她的遗物，何不趁机去看看苏三？她被这个念头给戳着，浑身不宁，可她却不知如何去。这时她看到了那个很少说话、一见自己便满脸笑容的小伙子，哦，叫什么一海的，从门外进来。他的额上全是汗，身上套一条旧军用裤子，穿双旧胶鞋，完全一个复员军人的感觉。邹辛自小儿在军人窝儿里长大，看到这身打扮，这会儿竟有种莫名的亲切感。她注视着他，忽然想起那天在奶奶房子里看见过他，当时他还笑着伸出手来。那会儿，她记得他穿着身军校学员服，头发板寸，迸射着一股劲道。听说他也是回来度假的，可这两天不知为什么，竟再没见到他。

"嗨，"她向他招着手，"你干吗呢？"

他把身子扭过来，向她点点头，仍是满脸的笑容。她发现这男孩子笑的时候真好看，邹辛看着他，发现其实他长得挺独特，身上散着种干爽的味道，说不清有哪一点吸引着她。

那男孩子似乎并没有在意她的存在，点了下头，仿佛只是习惯性地点点头，又继续搬着他的那个破木头箱子，向院子里挪。

邹辛有种被轻视的感觉，内心涌起浅浅的不快。她在家里时，见多了那些围在她周围的油腻腻的媚笑和殷勤，反而不太习惯于别人偶然对她的轻慢。她有些莫名的烦，冲着他的背影喊道："你不会讲话吗，我的大兵哥？"

"我会讲话，但不是这会儿。你没看我需要有人帮忙吗？我的大小姐。"那个男孩子不回头，冷冷地抛回两句话。

邹辛一怔。她没想到这小伙子，哎，叫什么来着，对，单一海，会这样对她。她愣了一下，走过去帮他抬住那个大箱子。那箱子真沉，她刚一抬，就被坠得身子一歪，差点儿倒下。那个箱子哗的一声掉到地上，差点儿压住自己的脚。

单一海看着邹辛的狼狈样儿，忍不住哈哈大笑。他可真敢笑，露出一口雪白的大板牙，声音又尖厉又刺耳。邹辛恼怒了，用脚使劲踢了一下那口箱子，右脚立即反弹回来，她不由得捂住脚，大声呼痛。正在大笑的单一海见状，立即把笑收回，似乎吃惊地蹲下，揽住邹辛的右脚，手足无措地请她坐在箱子上，急切地问："疼不，是不是这儿？"说着用手轻轻按着。

邹辛在他急切的按摩中，有节奏地呼着痛。似乎她的疼在单一海的揉捏中越发加重。单一海捺着性子帮她捏着，刚要罢手，她又呼天抢地地呼痛。单一海无计可施，无奈只好一点点地捏着，她的脚散发着微微的汗臭。女孩子的脚也这么臭呀！他一边低嚷着，一边扭过鼻子。邹辛被他的怪相逗笑了，忍不住咯咯地笑，继而是捧腹大笑，笑得浑身上下左右乱颤。

邹辛报复地喊："哼，再让你对我这样，我最看不惯男人对我这样了，知道我的厉害了吧！"

"好像是男人都不该对你这样了，好像你比别人多一种特权。哦，我明白了，漂亮女人天生的缺陷，就是天天渴盼人们向她献殷勤，你怎么也恰好是。"

"谁盼你献殷勤了？我是说人家向你打招呼了，你还强装什么清高呀！"邹辛有些娇嗔地掸掸裙子上的沙粒，"什么宝贝东西这么让你如痴如醉，太沉了，压得人家手都疼了，你还笑。"邹辛娇嗔地嘟起嘴。

"是真正的宝贝！我从十里地外的汾河边上驮回来的。"单一海卖弄地拍拍那个大箱子。

"啊，打开看看行不？"邹辛的好奇心给勾了出来。

单一海沉吟片刻："看看可以，可有一个条件，不准你作失望状，不准你再这样娇气，不准你故作娇气状。"

"先打开那箱子吧！我都快被你说得忍不住了。"邹辛急道。

单一海慢条斯理地把箱子挪到阳光底下，轻轻撬开箱盖，掀开，竟是一堆黄沙。

邹辛有些受辱的感觉，脸儿阴了下来："这也配叫宝贝呀？我的准尉先生！"

"别急嘛，沙子就不是宝贝啦？谁说它们就不是啦。"单一海躲避着她的目光，"待会儿，我就把它们给你变成个宝贝看看，行不？"

行不，邹辛回味着那两个字。这个坏坏的军校生，说这两个字的时候，还总给人一种舒服的感觉。行不。她又咀嚼了一下这个字眼，低眉注视着单一海，看他会变出什么宝贝。

单一海扒去那件旧军装，只穿一件黑白两道的力士背心。他的肌肉真好，浑身上下立即鼓起一片精气神儿。脸孔白皙，身上棕黑发紧，仿佛是蒙上去的一层弹性肉布。这个单一海真健康哪！不知为何，邹辛的眼睛有些淡淡的迷蒙，她出神地盯视他，或者说只是盯着他的身体，长久地不松一下目光。依照她的性格，她真想上去用自己的小拳头，在他厚实的背上捶两拳。可她却忍住了，不是自己不敢干，而是她觉出这个小准尉，似乎天生透出股令人无法猜透的气质，让人又疏远又亲近，或者是尊严吧！她一时竟找不出恰当的词语来概括他，于是她就用一种心情去抚摸他。

单一海在她的注视中，似乎浑然不觉。他入神地把那堆沙子摊在地下，之后，摸出一幅地图。用红笔把一小块地儿给圈住，然后压在一块石头上。邹辛看出那是一幅 5：1000 万的地形图，民用的那种，上面只有密密麻麻的地名和各种线条。她仔细审视他圈出的那块地儿，韩略村，这个名字好熟悉啊！邹辛在心里来回咀嚼，试图找出出处，佢就是奇怪，似乎这个地名就在心里某处，就是无法对上号。邹辛沮丧地放弃了这个念头，低眉看到单一海已经削好几根筷子，还似乎量了一下，插在地上，仿佛几个不同的标高似的。从那种错落的位置上，邹辛看出那像是一些什么不同的地物。可在单一海没有说出来这是个什么宝贝之前，她坚持不把自己的猜测告诉他。任何猜测在未被证实之前，几乎全可被视为错误。何况是单一海这个坏坏的准尉。她温馨地想，脸上露出莞尔一笑。

单一海似乎没注意到她的思绪。他把那张图拿起，认真审视。足足有十分钟之久，他才像发现什么似的，掷图在地，双腿跪下，双手如同蒲扇般地飞快摇闪。转瞬间，只见他已一掬掬地把黄沙捧起，又堆散在那几个标高的周围。那种神情既疾速又准确，不到三分钟，邹辛看到他已经把那堆黄沙挪移到了那几根标高周围。沙堆起伏在平地上，高矮平缓，极是生动。仿佛这不是沙堆，而是一片随手移来的域外风景。邹辛有些吃惊地发现，这些山堆和沟壑中间还有一条平缓的河。这些地形像从回忆中刚出现一样，闪着另外的光，向她逼来，她觉得真熟悉，又有种陌生。

"呀，你堆的沙盘，可真传神。"她克制住自己没用"真像"这个词。她在军队上见过那些军人堆的沙盘，那些沙盘堆得可"真像"他们要堆的地方，可邹辛总觉得缺了些什么。后来她在沙滩上玩时，哦，她想起来了，爷爷那天在沙滩上，也堆过这么一片地方。当时他似乎是讲一个记忆中的战役，他边讲边用沙在地上掷着，故事讲完了，老头儿也指着那个沙盘说："就是这个山头，我们失败了，是我一生中唯一的一次败仗。"当时她看着那个沙盘，几乎要流泪了。只有那次，她才深深地体会到，一个人对于一个地方的感情，只看他堆的那个沙盘，就可以检测出来。尽管这是爷爷失败的地方，可她却只看了一眼，就记住了这块地方。

她不等单一海开口，又喃喃道："这是韩略村外的那片高山和汾河吗？爷爷今天就去看它们了。唉，他今天真不该去，真该只看看你堆的这片沙盘，就够他伤感的了。"

单一海似乎才从刚才的气氛中醒过来。他把手中的沙子抖落掉，仿佛抖落着一个个的心情："我等他回来，一个老兵一个人面对败地，也真够勇敢的，就冲这一点，他也是胜者。试想，谁敢再在暮年去凭吊自己的麦城？感觉上你爷爷心还保持着旺盛活力，精神上还有年轻激素。"

"你也知道这回事？"

"当然知道。此役中我爷爷任政委，在另一个团。可你爷爷任团长，是他指挥的这次伏击，结果一场必赢的战斗，却在付出三分之二的代价后，胜了。可胜不如输，所以你爷爷以为是败仗，我也这样认为。尽管县志上载，此役伤敌×××名。可我军呢？损失超过他们一半还多，我爷爷在此役中牺牲。"单一海低眉垂首，面部严肃。左手指着沙盘右边的一小块地儿："他死在冲锋的位置。"

邹辛肃然："所以你一直在研究这次战斗？这几天你干啥去了，哦，对了，是到韩略村去了吗？"

"是的。我一直对这次战斗有着浓厚的兴趣。为什么我方占据天时、地利、人和，却仍然在实际上负于敌人？你爷爷来了，他是当时的指挥者，他应该比我清楚！"

"你认为爷爷是那次战斗失误的主要责任者？"

单一海注视她片刻，低低地说："胜负已是过去的事了，谁是责任者已不重要。重要的是这次战斗为什么会是这样的结果？"

"你是为了你爷爷？"

"我是为了自己。我在想，假如以后我面临这样的处境，我将会如何？"

邹辛愕然，这么狂妄的家伙她还是头一回见到。尽管他的狂傲显得有些可笑和幼稚，可也已经让邹辛觉出一些不一样的感受了。她发现自己居然很久都被裹在他的意识里。她有些欣赏地看着他，发现他也在直视着自己。她少有地羞赧了，脸上红晕泛起，同时掩饰般拂了下头发。

"你摆这个沙盘，只是为了说服爷爷吗？"

"哦，不，我想这块沙盘也是块阵地，我想再跟他打一仗。他用四十年前的方式打我，我用自己的方式攻击。如果我输了，证明我的学识太浅薄，我将毅然退学，永不沾军事。"他悲壮地说，"要是我赢了，我将终生热爱这身军装。"

邹辛被他的思想刺激着,浑身都有种舒畅感。她只是惊讶,这样狂妄的家伙,竟不让她反感。她后来想起自己也是挺狂妄的,可在真正的狂妄面前,她觉得自己的狂妄简直不值一提。

"你会胜利的。"邹辛莫名地说。

"为什么?"

"直觉吧!哦,我们不提什么战争、胜利了。你刚才堆的沙盘,我拒绝承认它是什么宝贝,你忘了,你还答应我一件事呢。"

"是吗?我甘愿奉陪。"

"去看看苏三。"

"你是说那个妓女……哦,原谅我直率,苏三吗?"单一海有些吃惊地看看她,"是去看爱情吧?我的天,爱情真的有这么大的吸引力?何况是个几百年前的旧时代的故事了。"

"爱情可不会像你的年代一样会变。我欣赏这样的爱情,你可无权干涉呀!要知道,你只是我的陪同者,而不是爱情的欣赏者!"邹辛有些淡淡的不快。

"我答应陪你到那个爱情遗址看看。"单一海躲过她的目光,"我也是头一回去看她,我也真想去看看她。"

范村就在城边儿上,邹辛坐在单车上,单一海一气骑行了十余里地,居然一言未发。他似乎很熟悉这儿,灵巧地在各种巷子里穿越,并不经过大街。邹辛坐在车后,嗅着他身上淡淡的飘拂而来的汗香,有种莫名的快意。她一路上看着周围,胡说着些什么。单一海仿佛被束紧了嘴巴一样,闭口不言,也不答话。邹辛说着,竟觉出种无聊来。后来,她也就沉默了,不再说话。这样的沉默让她有种莫名的舒服。可凭直觉,她觉出了单一海的内心并不平静。坚持不说话,是因为内心的对话太多,顾不上,或者他在内心中已默默回答了自己。

邹辛第一次跟这样一个男孩子出来,她除了奇怪,便是有种巨大的安全感。仿佛他们早就认识似的,互相不说话,已经把对方读懂了。邹辛看到远处出现一个巨大的朱红大门,正想问单一海是什么,单一海却单脚支地,对她说:"下车吧!"

邹辛跳下车,有些吃惊地看着远处那门楣上的大字:苏三监狱。她竟觉出一些小小的不安。她看到周围聚了许多的人,仿佛庙会似的,人一个挨一个,令人连点儿想象的空间也没有。她忽然有些后悔了,苏三竟被挤在这么热闹的地方，她的爱情本来就是寂寞的呀！她的身影本应是绚丽的呀！缩在老旧的墙院里，旁边也该有艳丽的布匹和庞大的房屋，到处弥漫着旧旧的檀香味儿，而她该轻摇着一柄扇儿。

单一海支好自行车，回身向她走来。他似乎早就看透了邹辛的内心似的，冲她无奈地笑了笑。

"哎，这么多人都来看苏三吗？"邹辛小心地问他，"我真不习惯与他们一起来看苏三，感觉是把自己的感受给分成了若干块，或者一块面包，被这么多的人都嚼了一次，我的心情全坏了。"

"今儿是庙会，恰好人多些。"一直缄口不言的单一海眯着眼看着那个庞大的院子，"其实苏三只是个人想象的影子，人家找的是自己的影子，怎么可能分享你的感情呢？走吧！也许你会发现，在这么多的人中，看自个儿的苏三，也挺有意思的。"

邹辛奇怪地看他一眼，低首不语，感觉上已经被单一海说服了。她轻轻地随单一海在人流中行走，他们总是被不时穿过的人冲断。后来，邹辛索性一把扯住单一海的手，紧抓着他。单一海似乎没料到这一点，他的手一下子僵直了，失去了生气似的，又木又硬，听任她不时扯动。看着他的这个样子，邹辛竟有些轻微的感动。这个狂妄的小男子汉，估计从未牵过别人的手。即使牵了，也许只是家人的，而异性，陌生的异性，他也许是第一次。邹辛被他的羞赧鼓舞着，竟放心地把自己交给他，她用手拽着他的胳膊，半个身子挨着他。单一海呼吸不畅地回避着她的目光，感觉半个身子都僵硬了。人流使他们一会儿挨紧了，一会儿又分开。短短的半条街，竟走了有半个小时。到了门前，他们往那门里一看，不由得哈哈大笑起来。

里面的游人竟寥寥无几。刚才那种人山人海的情况，竟是假象。邹辛舒口气，幽幽地自语："我说嘛，她的故居不应该有太多的人嘛！"感觉上，这儿似乎只该属于她一个人，让她一个人独游。

单一海装作不经意地把手臂极缓地从邹辛的臂弯中抽出，像抽出沼泽地似的，又费力又难受。一旦胳膊回到自己身上，单一海立即就自如了。他甩甩胳膊，跑到售票处，买了两张门票。临过来时，又拎了两只大雪糕。天气是太热了，单一海感叹地望望太阳，又揪揪已经汗湿的衣衫，不由得长舒一口气。

他不太习惯这样。尽管他在梦中已一万次地看到自己被一个姑娘挽着四处走的样儿，可真的这样了，他竟有种被侵犯的感觉。

邹辛的情绪已回复到位，脸上有了淡淡的忧郁，这时候，单一海有种不明的意图涌上来，他直觉邹辛还没有朋友，没有那种真正的心灵上的朋友。因为如果她拥有了爱情，那么她就不会来找别人的爱情来补充。或者她有，他看她一眼，她应该有，但却对他不太满意。他想到此，脸上涌出一丝笑意。大步跨进朱门，看到一个远远的白白的塑像立在门前，很孤独地低垂着眉眼。这个像塑得真不错，邹辛站在像前，看到苏三轻摆罗裙，眼睛里荡出一丝忧伤，那种忧伤弥漫在她的全身。她深深沉浸在她的表情里，感到自己也被忧伤覆盖了。

单一海听任她忧伤，远远退出她的感觉。过了片刻，单一海又不动声色地出现了，不经意地说："她真孤独啊！"

"她的旁边应该再有一个人，也许就好了。"邹辛耸耸肩。

"绝对不是个好主意，我想也不是你的本意吧？你知道吗？也许正因为她太孤独了，所以才会引来这么多共同的伤感。唉，人哪，没有伤感就找到一份伤感替代。没有痛苦，也要找到一份相同的痛苦。似乎这样，才是真正的爱情。可说实话，我一点儿也不喜欢苏三，我来这儿，其实更想找到那个我们洪洞县的马贩子沈洪的影子！"

"沈洪？就是那个把苏三买回来的马贩子？"邹辛从忧伤中愕然退出。

"是的。"单一海点上一支烟。

邹辛有些奇怪地看定他："可他才是造成苏三悲剧的根源哪！"同时奇怪他的异想不知从何而来。她也不知为何，竟如此快地与他讨论什么爱情。后来，她在恍惚中承认，自己不过是以朋友的身份与他去争论。她发觉自己并不会爱上他，意识到这一点，她的内心竟空空地疼了一下。

"可难道不是因为他，才使苏三名扬名海内外吗？一次小小的个人式的爱情，如果没有了沈洪这个人，又怎么会让我们知道并且为她的真挚而感动呢？"单一海带邹辛离开那尊玉像，向前边走边谈。

"那你倒挺欣赏沈洪这样的人了？"她反唇相讥。

"不，是感谢沈洪，我们都该感谢沈洪式的人。"单一海满脸真诚。

"什么呀，"邹辛越发不可思议地看定单一海，仿佛看着一个怪物，"你是不是有病？"

"我很健康，只是我认识到了我认识的东西，请别打断我，"单一海一脸严肃，

"我问你，中国最有名的爱情故事你都知道什么？"

"《西厢记》、《白蛇传》、《孔雀东南飞》、《梁祝》，再有就是苏三，你问这干什么呀？"

"这不就对了，你看这些故事什么的，肯定非常让你感动，是不？"看到邹辛点头，单一海坏坏一笑，"可他们的爱情是什么呀？是苦难和狂热的结果。这些人都有着各自不同的爱情结局，他们都历经了许多沧桑而终获成功。可你知道是什么让你感动吗？是那些苦难。而造成故事魅力的焦点人物其实是法海、崔老太太之类的阻挠者，你不觉得，正是因为有了他们，那些爱恨才令人震撼吗？"

邹辛有些目瞪口呆地怔住了，这小子满脑子乱七八糟的奇谈怪论，可这些怪论又真的是怪论吗？她愕然了，木木地盯住他，半晌才喃喃地说："你太残酷了。"

"不，是生活太残酷了，其实呀，"他叹口气，眼光中闪烁着稀薄的忧伤，"这些历经苦难终成大团圆的结局，都是人们各自心目中的一种理想。历经苦难而终于抚摸到爱情的苏三，成了古今多少男女心目中了不起的神。因为苦难，苏三的故事才得以千年流传。因为苦尽甘来，人们才觉出爱的可贵与美好。多少人不能达到的结局，均在苏三的演变中，在精神上进入了最后的幸福。"

邹辛开始被他的忧伤打动了。那种忧伤像一层薄片儿，挂在他的身上，闪烁着另外的神色。她深深地被感染了。为自己、为苏三，也为他。她轻轻地拽拽仍处在忧伤中的单一海，示意他向前。单一海的眼睛奇怪地明亮了，仿佛经过刚才的忧伤，他反而更加含蓄了。似乎刚才只是蓄满洪水的水库，一旦发泄完毕，肚腹内反而更加深邃了。邹辛感觉他又沉入到以前的沉默中去了。他的沉默也像他的言词一样，暴露着钝钝的锋芒。似乎隐蔽在玫瑰中的刺，表面上是一朵花，内心里早已尖锐成了一枚锋芒。

转过屋前，他们停在了一口古井边。那上面标示着苏三当年在此洗衣。邹辛用手摸摸那个石槽，幽幽地说："可是爱情是苦难，是弱点，是一种病，但却终究不是戏呀！"

"可我们身边又有多少人在演戏呢？"单一海接过此话，转身注视她，片刻，才低下眉头，"我们今天怎么了，该高兴才对呀，怎么一进这个院儿里，倒变得压抑起来，呀，真累，真累。"他大声夸张地喊着，右手象征性地来回摆。

他的表情变换得真快！仿佛他从未忧伤过似的。忧伤转瞬即逝，变得很像一种回忆，脸上现在挂着的又是那一脸迷人的微笑。邹辛禁不住也笑了，她再次发现，他的笑竟然可以传染人。

"都是你！是你扯的那些怪异的话题，让人家沉重了嘛！"邹辛不自觉地娇嗔。等到她意识到自己在撒娇时，她竟有种暗暗的吃惊。这还是她第一次在一个陌生的男孩子面前撒娇。撒娇有时就像叹息，让人又舒服又惬意。意识到这一点，邹辛觉得，她可以不改，至少在这个男孩子面前。

这时太阳已经坠到了山后。县城里一片暮色。单一海邀请她去吃这儿挺有名的桂花汤圆。她听任单一海的安排，觉得有种莫名的舒服。其实她内心中是渴望有人约束她的。饭毕，两人推车步行，那条回家的公路就在汾河边上，月亮亮汪汪地触着柳梢。他们一路上很少说话，只是偶尔对视，感觉已把话用目光讲尽了。

他们沿着这条路静静地向前走，月光披在他们身上，感觉是在走向暮色的深处。邹辛品味着河边湿漉漉的蛙鸣，内心竟有些情不自禁地混乱起来。这时，单一海立足，停车，征询似的看她："还是骑上车走吧！这样会快些。"

邹辛没停脚步，她幽幽地说："陪我走一段好吗？这样走太舒服了，我很久没在乡村走过了，并且也没与一个男孩子一起走过这样远的路。"

单一海仿佛知道她的心思似的，不再坚持，只是把自己与她挨得近些。远远看去，就像是情侣，但又不太像情侣，情侣的浪漫并不需要走这么远的路啊！

邹辛轻舒一口气，看到远处的村落里亮起了一片灯。

灯火闪亮处，就是家啊！

8. 战士的青春

单一海转过坡前那片树林，远远地看到连队的炊烟，心中立时涌满温暖。他抬腕看看表，六时三十分，再有半个小时天就会黑了。

他快步向连队走。浓雾在他的穿越中隐去，一阵小风撞了他一下，他嗅到了一股浓烈的烟味。这味道真刺人，又老又辣。他吸住它，回味似的品尝着，是莫合烟的味道！直觉告诉他，前边有人。他凝住神，看到不远处有团模糊的雾状东西在来回晃动，仿佛满腹心事似的，好像是在等人。单一海脑子里忽然跳出个人影：此人应该是二班长冯冉！他相信自己的感觉，连队上百号人，他光看背影也能把他们从人群中拎出来。

　　他放缓脚步，不让自己惊动冯冉的等待。等到了近前，他才仿佛不经意地出现似的，淡淡地向他打着招呼："等谁呢！搞得像失恋似的。"

　　"等你！"冯冉似被惊吓一般地倏然回头，同时下意识地回答，待彻底看清是单一海后，他又有些慌乱地掩饰，"哦，是连长，吓我一大跳！被你一问，我还以为真的是在等你哪！"

　　冯冉故作害羞似的，把头低下。少顷，又抬起头。单一海看看周围，心下竟然有种淡淡的感动，冯冉看来一定是在等他。这方圆几十里连个人影儿也见不着，何况这么晚了，也不该有人来见他。被一个战士等待应该是一种幸福，至少在精神上给人以极大的满足。单一海暗想，战争时期是要能激发士兵们潜藏着的血性，并在战争中敢于为你、为他自己舍弃生命。而在和平时期呢？一个军官则应占领战士的精神，最少让他的精神永远被覆盖在你的思想之下。只有在精神上走在士兵的前列，你才可能赢得士兵，成为他们的偶像。

　　他满意地看着冯冉："我宁可相信你下意识时说的话，你的莫合烟真好闻，我是被它吸引过来的。我抽烟的欲望已经被你给勾引出来了。怎么样，给我也来一支？"

　　冯冉故作不满地低声喊道："我可记得你是在全连会上宣布自己不再抽烟的。这不是让我帮你违背诺言吗？"

　　"少贫嘴吧！"单一海抢过他手中的那半支烟卷，狠吸了两口。还是这种毛叶子烟过瘾，他吞吐了两口，转身向回走："说吧，什么事？"

　　冯冉凑了上来："连长，这回去那儿有什么新发现？也给咱们透点底儿呀？"

　　"什么新发现呀？"这小子原来是在关注那个古城堡的事！他想起去年他们一起打猎看到遗址时的情景。没想到这小子不仅没忘掉，并且还知道了它就在近前。他故意沉吟着："你是指那古城堡吗？我早忘了。"

　　"不，你不会。也许别人会忘记，可你不会。如果你忘了，你就只会是我的连长！而不是……"

单一海奇怪地看他："是什么？"

"是你了！"冯冉的脸涨得通红。他说出此话显然下了很大决心，"我知道你去过那片古遗址，还画了许多图。知道吗？你一离开连队，我感觉我也跟去了，今天上的课我几乎什么也没听进去。"

单一海有些吃惊地看他："你还没忘记那片古遗址。"

"是的。只要看它一眼，不管是谁，只要是一个战士，他就不该遗忘它。"冯冉平静地说，"我看过连里那张军用地图，那上面你用红笔勾画了出来，我凭记忆核对，竟发现它就在我的身边。知道我什么感觉吗？"

单一海期待地望定他。

"与你勾画出那片古城时的心情一样。"

"迫切地想去看看它。不过，你没有这种自由，所以你就等待着我回来，可你凭什么断定我非要去看它不可？"

"是的。我真想自己能够去看看它，我不像你理解的那么深，我只想站在那里感觉一下那种残碎的气氛和悲壮。"他似乎呻吟着道，"这种野营的生活让我越来越忘记自己是一个战士，倒像是来度假。我有时倒真的羡慕那些古代的士兵，那才叫士兵！"

单一海有些感动了，在暗中体味着冯冉的话，他发现自己在欣赏他，他很少欣赏自己的战士，冯冉是个例外。他觉得冯冉在某些时候很像自己，他常常奇怪地看着冯冉，像看着自己当年当兵时的样子，体味着那时自己的心情，竟发现了自己平时所没有注意或者是自己故意淡忘的优点与缺点。有时他常常感慨地想，自己的影子在另一个人身上出现时，自己其实已被对方复制了。在当战士时，他就把另外一个人的影子在自己身上强化了。那个人是自己的连长，单一海终生怀念他，因为他太优秀，以至这种怀念太深刻了，使自己身上全是他的影子和味道。这时他从冯冉身上看到了当年的自己，也看到了以前的那个老连长，让他心惊的是，这两种气味由于在他身上混合得太深，以至谁都不像，怎么看都好像只是他的中士班长冯冉的气质。当一个人把别人的东西融进自己内心太深时，这种东西其实也就成了他的一部分了！他长吐一口烟。这烟燃得快，抽着也蛮劲道。空气中全是干辣的烟香。"嗯。这种感觉类似于批判哪！怎么，你还嫌训练强度不够，你以为这次把你们拉到这海拔四千多米处，是来看风景哪？"

"关键是这儿其实真的是风景哪！感觉上在这儿训练，就像是一个人去到满是情人恋爱的公园里打架，别扭而又难受。内心中那点战斗欲给淹没了，到处温柔如草，叫人打心里怀念山下了。"冯冉浓重的南方口音，在夜色中回旋。单一海定住神，不让自己被他的话语击中。这小子在很多时候说的话，仿佛是从自己身上抖搂下来的，单一海与他对话时，常有种被偷窃的感觉。

"这种环境也才更磨炼人哪！战争又不是只在戈壁荒原进行。你这种想法该是个人看法吧！如果是你私人的欲望，可以说说，但不要当成问题提出来！"

"可人们精神中真正的古战场却在西北哪！西北是唯一可以让人马上想起战争和古战场的地方了。那些美丽的地方，即使发生过战争也与战争无关哪！人们只会说那是种与美丽相称的东西。而与西北相称的似乎只有古战场、兵士和战争。"冯冉激情饱满，他打心眼儿里渴望接近单一海。他内心中有许多东西，憋得太久了，几乎成了糨糊，后来又成了颗粒，可却找不到一双配倾听的耳朵，他知道单一海可以听懂这些并且欣赏它们。

"哦，"单一海停住脚，目光灼灼地盯住他，"你又有什么坏主意了？"

"坏主意倒谈不上，不过我挺羡慕你。可以常到那片古堡前自己陶醉一下，并且还有美女相伴。连长，我真的忌妒死你了。"冯冉嬉皮笑脸。

单一海瞥他一眼，很不舒服。他不愿意与一个战士谈论什么较亲密的话题。即使在心理上，他可以把他当成自己的朋友。可在实际的生活中，他决不允许自己越轨，与一个战士过分亲密。

即使在夜色中，冯冉也意识到自己过分了。他就有这种本事，可以从感觉上找准对方的表情。他稍微稳定一下自己，道："我只是无意中知道的，并不是有意关注你。今天上午，那个叫女真的军医来连队找你，我直觉上你去了那片残迹，就告诉了她，并且要指给她路时，她竟说不用。我就明白你们两人已去过那地儿好几次了。"

单一海心想，这个冯冉啊，就你聪明，嘴上却淡淡地说："你还没告诉我你又想出什么坏主意了呢？"

"我建议把全连拉到那片古城残迹前训练。即使不训练，只让大伙儿体会一下那种感觉也行。"

"为什么？"

"残迹首先是个古兵城堡,让大家找找古战争的感觉。同时我以为,应该让这些家伙枯萎一下,看看几百年前军人的气势,也许会让许多精神上失去战争的家伙们,发现点什么!"冯冉有些不连贯地讲着自己的思想,他以前只是潜意识地渴望去看看那个古兵城,可这理由讲出来时,倒像是在为自己寻找到的借口。

果然,单一海沉默了。片刻,他才闪烁着白牙:"是你自己的主意吧!不过,你这主意倒值得考虑。和平时期的兵们,总让人有种似乎缺失了什么似的感觉。也许少的就是你以为的那种铁胆热血、浪漫情怀、视死如归之类的气质。总让人有种虽是虎却缺乏生气的感觉!"

"你同意我的建议吗?"冯冉问。他很满意冯冉的问话。这小子只是在这一点上,才给人一种他不过是个战士的感觉。而在其他时候,单一海总恍惚他是在与指导员对话。指导员由副连长以副代正顶着,他的智慧就像他的以副代正一样,总让人隐隐有种深深的失望,而冯冉在某些程度上却又太像一个指导员了。他有时真渴望把冯冉的脑袋安到指导员身上,单一海坚信,一个连队如何,其实只该看看他的连长即可。他历来自信,只有狮子,才可带领绵羊前行。在绵羊中的狮子是孤独的,唯一的办法,就是把这些绵羊也改造成狮子。

"不,我不会同意的。作为建议我听过了,可却不会付诸行动。"单一海简洁地回答。

"连长,我真的……很失望。"冯冉似乎惊讶于他的答复,"我以前以为你是一个会对我这样的想法击节叫绝的好连长,可却没想到,你很自私。"

"我自私……"单一海一惊,愣愣地看他。

"是的,你视那片古城堡为个人精神上的私有品了。你以为那残迹就是自己的了吗?你有这样的野心。那天我陪你一起去时,就看出了你的这种欲望。你只想一个人拥有这样一片残迹,甚至到了不愿与他人分享的地步。"冯冉像只小兽一样,低声说,"我同时也敬佩你,你是我最好的连长,因为你还是原来的你。"说完,转身要走。

"哈哈哈,"单一海放声大笑,笑声牵动四周的空气,"我允许你今天顶撞我,被你顶撞真舒服。不过你说的自私有一半我同意,起初我并没发现自己的弱点,是你提醒了我。是的,我喜欢这片残迹,出于自私的喜欢,可却不想只一个人分享它,它是每个人的,包括你。"

"那你同意我们去看古城堡啦？"冯冉惊喜地注视着他。

"我可没全同意。只不过，去那里得有个时机。哦，好了，今天不谈了，我已很累了。与你说了这么半天话，差点把累忘了。"单一海打个响亮的哈欠，"你先回去吧！熄灯哨马上就要响了。"

冯冉还欲说什么，却见单一海挥挥手，制止了他。他只好转身走开。走出十多米后，他又转身冲单一海的背影抛过来句话："连长，我能不能请一天假？"

"去干什么？"

"去山下。明天给养车下山，我想去看看病。"

"你小子这么健康，看什么病哪？给我好好在班里待着，出点儿什么事我拿你是问。"

"这个班交给我，肯定是你最放心的班。不过我真的病了。"

"什么病？"

"我也不知道。只是想下山去！"

"是想女人了吧！"

"想，真想。不想就不是男人了，这不算病吧？"

"当然不算。"单一海不再跟他啰唆，看冯冉转身消失在夜色中。困意悄悄地漫了过来，感觉心头被什么东西压着，他把自己往累的境界里推推，感到全身筋骨都在吱吱地呻吟。人有时把自己累一累，其实真舒服。

单一海的心有些稍稍地乱了。已经有五个人申请下山去看病了，光二班的就已有两个。大家似乎都众口一词地要下山去看病，得的还全都是那些无法挑出毛病的病，感冒、发烧，还肚子疼。妈的，每次给养车一下山，都像传染病似的，引发一大片病人。而给养车一回来，连队就可以安稳十天半个月左右。他坐在那儿，静静地享受从帐篷窗框里斜射进来的阳光。早晨的阳光像一只只小手，搔抚着他的全身，又舒服又刺激。

他在那片女人般的阳光的注视下，有些片刻的微醉。他竭力让自己不去想工作，就让自己这么空空地坐一会儿，把脑子里各种念头全部赶出去，直到自己被这种空空的感觉给化掉，他再从容地把那些念头揽回来。每次那些念头和问题被他回忆起来，仿佛已经过深思似的，已全部成了一个个答案，贴在他的脑层深处或者已化成思想的颗粒。

他还没入定，就又被一声"报告"给惊醒了，凭感觉竟是二班的王小根，怎么今天全是二班的人哪？单一海并不看他，也不示意他坐。那个王小根就呆呆地站在他身后。他忽然有些生气，他最讨厌那些内心精明表面上偏做出副木讷样子的兵了，让人没一点儿脾气。似乎不像士兵，倒像个农民。他意识中的士兵该是什么样儿的呢？他让这个念头闪了一下，又把它按回去了，留待以后证实吧！现在连他也不想轻易去想什么答案了。他望定教案，半晌才想起似的，冲身后的王小根说："又是来请病假，又是感冒，又是要下山，又是卫生队不给看吧！"

"连长早就知道我病了！"那个王小根小心却透着份惊喜。

"我还知道你病得很重哪！"他站起身，踱到他跟前，直视着王小根。这小子头发剃得光光的，露出满头青色发楂，刺刺扎扎的，让人眼睛仁疼，"老实告诉我，下山去干什么？"

"就为看病哪！"王小根似乎委屈地扭扭身子，眉头跟着皱起来，似乎真病了似的，"我都两天没吃饭了，身子虚得连走路都发飘。"

"是吗？"单一海忍住笑。这种小把戏儿他以前也玩过，什么也不为，或者什么都为，就想到外面散散心。很多当年看不清的东西，到了现在才觉出可笑，甚至不可容忍。这时他已意识到这小子在装病。可他并不戳破他，至少要让他有个可以从这儿走出去的尊严。单一海装作不知似的，"听说你昨天晚饭时，与六班的小个子李比赛吃馒头。你吃了有八个哪，这么好的胃口，还会有病？没病的话你会吃掉我多少伙食费？"

"连长，俗话说病来如山倒，病去如抽丝哪！我哪儿管得了不生病？"王小根的脸觍了下来，红红的，头上已在冒汗。

"你的病我看先寄存在你那儿吧，你病得不是时候，也不该把自己的病提前取出来。记住，以后不可再犯类似的错误了，啊？"王小根还想再说什么，他挥挥手，制止了他，让他退出去。待他消失之后，他又有些恼火地喊："把你班长喊过来。"

三分钟后，单一海已经非常平静了，他把自己放在椅子上，冷静地等待冯冉的出现。他心中终于窝着了一团火，但他警告自己克制，如果连这点儿事都当成事来看的话，那他这个连长也当得太没质量了。他点燃支烟，深深地吸一口，把自己浸到烟雾中。

少顷，他听到身后帐篷的布帘闪了一下。从脚声上他已听出是冯冉，但他

54

故意装作并未察觉。仍把自己放松着，冯冉是唯一在进他房子时不打报告的人。他默许着他的这些小小的冒犯。有时他也渴望消除上下级之分，把自己彻底摆到与战士等同的地位——男人或者朋友的身份上去，然后把自己痛快淋漓地撕开。可他坚守着这种坚硬的渴望，同时把自己搞得更孤独了。

"连长，你找我。"冯冉垂首立在他的身后。

"知道我为什么找你来吗？"单一海睁开眼，但并不看他。

"知道！"

"你倒挺有办法，把他们一个个推到我这儿来，你自己却隐居幕后，用他们来表达你的意思！"单一海站起来，他的个子太高了，头一下子顶住了帐篷。他只好又一矮身坐了下来，表面上看倒像是坐久了，换了下身子。

"没你说得那么严重，我仅是个一班之长，大事上还得你拿主意。"

"是吗？"他稍稍沉吟，"你们班今天加上你，共有四人生病。也就是说，你们班已经丧失了战斗力。"

"我这个班长已名存实亡。"冯冉沉沉地坐到单一海的行军床上，递给单一海一支烟。他打燃火机，单一海却不点，一双眼逼视着他。

"你给我说实话。这几个小子的病你一定清楚。是你默许他们找我来的。所以，我怀疑你与他们一样，都是一种性质的病。"

冯冉垂眉低语："你让我说实话还是假话？"

"当然是他妈的实话啦，你知道我最讨厌什么。"

"没别的，就是想出去看看，天天见这么几个人都烦了。我现在都回忆不出来女人是啥样了。"他深深地抽一口烟，"大家最不能忍耐的就是寂寞了，每天必须忍耐的却都是寂寞。要知道，我手下的六个人，包括我在内平均年龄仅仅二十岁。"

"所以，你就默许他们装病？"

"我无法抵挡那些坚硬的渴望，也无法拒绝他们，拒绝他们等于拒绝我，我与他们一样！"

"你昨天曾对我说过另外一种渴望，去看那个古残迹？"

"这些都是我的真实想法，"他稍微沉吟，"我知道我必须拒绝他们，但却要与他们生活在一起。"

"所以，你也病了，并把他们推了过来，自己仍是他们心中的好班长，仗义，

55

哥们儿，却把你该说的话让我说了。"单一海又站起来。这回他稍微低着身子，转到冯冉跟前，一双眼睛死盯着他，"可我必须帮他们拒绝这种欲望。"

"可却不能让他们拒绝青春！我是他们中的一员，我了解他们。大家可以接受任何超强度的训练，却无法战胜那些实实在在的欲望。青春才是我们的敌人，才是大家生病的理由！"

单一海深深盯着冯冉。蓦地，他发现自己有种说不清的感觉，那就是不时地陷入怀旧，把别人的缺点当成自己的，再把当年的自己扯出来接上去。他时常在这种磨合中，被一些自己当年看不清的东西所感动。

"可这是在军队，军队只配有与战士相称的青春。他们必须扼杀掉自己的欲望。把自己杀死一次，然后再把以前的找回来。我理想中的军人只是一发上膛等待击发的子弹。青春也是一枚未发射的子弹哪！一粒金色的子弹。"

"我很感动。我早已把自己毁灭过无数次了，可每次毁灭都引起更大的冲动。其实，青春不需要扼杀，需要引导它向前。"冯冉敛起笑容，"我的病已经没有了。但我却没办法消除他们的。"说完，站起，向单一海立正，敬礼，转身向外走去，并不说告辞。

单一海有些恼怒地看着他的背影消失。他们越来越像军人，又越来越不像。个个心高气傲，又保留着可怜的自尊。他太熟悉手下这一群人了，熟悉得像把他们都化成了自己。可他又太不熟悉他们了，因为熟悉反而带来更大的陌生。他们是自己的战士，同时也是与自己相差十多岁的另外一代人。其实呀，年龄真是一道坎，一年至少一个沟壑，他惊叹自己也年轻过。可年轻与年轻越来越遥远了，遥远得让人彼此不敢相认，不敢确认。弄得自己最终像没年轻过一样，看着他们的年轻发呆。

他点燃一支烟，这样思考真舒服。烟雾成了最好的隐蔽，可以帮他挡住眼前的一切。他确信自己不但应该是父亲，也该是他们的……牧师。他忽然对这个称呼产生了莫名的亲切。我既是他们行动上的号令者，其实也该是他们精神上的引导者。一个高明的管理者至少该站在下属精神的喷泉口，即使不可以征服他们，也要覆盖他们。

他转身走出门外，冲值班员喊："下午二时，全连在松林边集合。"

9. 古堡的杀声

单一海站在队列后头，像一尊雕塑，笔直站立。他的帽檐压得很低，一双眼睛透过檐影，深深地凝住这 108 条汉子的背影，深深地呼吸着他们。

连队已集合十分钟，值班的排长已三次向他请示，他只是坚持着沉默。站在身后比站在眼睛的注视中舒坦啊！他常喜欢一个人静静地站在队列的最后，屏息立正，双手贴裤，与那些真正的战士们一样。每次他都获得了一种把自己溶过去的感受。再面对那些喷射着激情和纯洁的眼睛时，他会获得一种双倍的自信。

后来，他发现，当他站在战士们的注视中时，战士们的心总是可以稍微离开他一会儿，当他站到他们背后时，战士们反而一百倍地汇聚着精神。他们只能用一种方式，认真的方式，来防御躲在后面的眼睛。

果然，在他的沉默中，全连的呼吸都压抑着成为一体了，仿佛一个人，都屏住气。此时所有的人，该只有一个念头了吧！那就是猜测和在心里搜寻着单一海。因为猜测，队列中的气氛弥漫着不安。有个别人的呼吸打乱了大家的呼吸。大家的目光都竭力向后偏转。这支队列的向心力，其实在后头哪。一个真正的指挥者，不管站在前列还是背后，他都是人们依恋的一座大山。

单一海在这种沉默中收回自己的沉默。他只要一种情绪，或者一种气氛就够了。他大步转到队列前，威严地与每一束目光相遇，直到把他们的眼睛再逼开。

"刚才我站到背后，注视你们的背影长达十分钟。十分钟，我知道自己已在内心深处被你们给嚼烂了。你们可能都在想，我在想什么？"他低眉注视大家。随手一指前排的一个列兵，"请你回答，是或不是。"

"报告，不知道。"

"好，稍息。不知道才是最好的回答哪！可我却想知道大家在想什么？当然，我不需要回答。"他稍微沉吟，"我还是愿意告诉大家我的真实想法。我想下山去看看，坦率地说，去看看女人。"

他环视大家。队列中出现小小的骚动，那一群向他注视的眼里已闪射出许多兴奋的光。

"我们上山已近一个月，整天封闭在这里，连飞过只鸟也让人联想很多。我想问问大家，你们想不想女人？"

大家注视他的目光忽然停滞了，向下低视，不敢望他。单一海坚持地望着每个人，期待回答，良久，才有一声细微的声音蹦出来："想……"但立即就淹没在了大家故意笑出来的杂音中。

居然是冯冉！冯冉不笑，脸色平和地望他。

"为什么？"单一海平静地问。

"因为我是男人。"

"好，回答得好。我觉得今天最勇敢和最像男人的人只有两个，一个是我，还有一个就是冯冉。我也为此而羞耻，你们居然真的比我们优秀，原以为，想把大家带下山去看看，这回，只有我们俩做代表了。"

话音未毕，队列里一片骚乱。半晌，才有低低的声音从后面又响起来。

"我们也想呀。"低低的声音像波浪，一下比一下高而清晰，到最后竟成一片喧嚣。那声音竟都是"我们也想下山"。

单一海冷目注视大家，半晌，才把双手一压。大家立即恢复正常，队列又变得平静而威严。

"我现在改变主意了，我要带你们去一个比女人还更像女人的地方……"他环视大家，"但一次不能去那么多的人，今天先照顾病号，有病的请举手。"

唰，几乎像一个口令似的，队列里举起了一片手的森林。只有少数几个人没举。他看清冯冉一脸平静地站着，似乎与己无关似的，脸上不由泛出一点笑意。

"我很吃惊，居然有这么多的病号？我现在又一次改变主意了，让不生病的人，也跟我们一起去。今天我要让大家看个够。"话毕，他转向值班员下达命令："五分钟后，携带轻重武器，越野奔袭，我带队。"

大伙儿兴奋了，虽说越野奔袭太累了，但可以到山下，也是一件让人鼓舞的事儿呀。仅仅三分钟，全连就已齐装满员，个个披挂整齐，作训服紧紧地裹好，鼓凸着一群精神气儿，刺扎着每个人。单一海一直呆立不动，矜持着看每个人。因为他的矜持，他在士兵心目中越发显露着魅力。他们太喜欢有人情味儿的连长了，这种人情味儿有时比他的威严更能征服士兵。单一海享受着他们的尊重，内心却在拒斥着刚才的那些举动。刚才几乎不是他，他从不喜欢用那些小小的花招来耍弄自己的下属，这种特权和聪明有时可以用一下，用多了对谁都会是一种伤害。可他也不能允许自己的士兵与自己开这样的玩笑。既然大家都把自己的欲望当成了病，那么他也会用这样的小小的特权来处罚他们一下。

他从站在后排的矮个子战士身上取下他的八一式冲锋枪，扛在肩上。用目光扫了一下值班员，站到了队列的前头。

值班员下令出发。全连三列，像条彩龙一样徐徐地蠕动和延伸着。单一海压住步子，在心里回视着后面的每一双眼睛。他的节奏将是全连的节奏。他小心地计算着自己的步幅，此一去五公里，能保证大家到了那儿不瘫倒，就不容易了。

人的运动其实都是呼吸的运动哪，尤其是在海拔四千多米的地方。还没跑出一千米，他的心跳就开始加快了。头上热汗浸出，是高山反应。他把贴紧脖梗的内衣扯扯，把胸前扣子解开，胸口豁然开朗。有些舒服了，他轻松地跑几步，这才算正常嘛。他不信自己的体力连这点儿路也应付不了。在陆军大学时，他最擅长跑负重五公里了。他的个子高、腿长，一个步幅出去就是一米三。他知道了自己的优势后，每次长跑，他都坚持跟紧一个人，保持着匀速步幅，竟然每次都是前两名。

他保持着平常心，慢慢地找回自己的感觉了。一旦找准那种感觉，他的自信也就泛了上来，自己肯定会保持良好体力到最后。他现在终于有暇关注身后了，他退出前列，边跑边注视大家。队列里有的脚步已乱了，大家头顶上罩着一片热热的云气，每个人都顶着团雾。那几个叫喊看病的家伙，此时竟都健步如飞。他们跑得比那些不生病的人还好。他满意地微笑。看到一队人马在自己的口令中行进，那也是一种快感啊！他压制住自己的心情，大声唱喊起口令来。集体长跑，只有整齐的节律才会增强大家的自信，整齐的节律在队列里会慢慢地成为一种惯性。那时这支长跑的队列将会像一列被惯性拖动的列车，即使那些最不善跑的人，也会被裹挟着走，并且被不由自主的惯性拖到底。

口令像一块块硬物，随着单调的"一二一"，队列的声音也仿佛单调起来，渐渐地，又响成了一种节律。那节律铿锵着，隆隆着，在坡谷间回荡。队列里除了脚步声，再没有其他的杂音了。

单一海在这种节律中退却，重又站到前列，他的步子很舒缓。迎面又是一条小路。那小路正通向山下，单一海远远地盯视着它，感觉上身后十多双眼睛也盯住那条路。因为那条路是向下的，他不回头。在临近那路的边缘，侧身向右转去。右边是一条舒缓的草坡，中午阳光冰冷地直射着草地，那片坡的草闪着绿汪汪的深光，夺人眼目。

队列畸形地偏转了，大家似乎刹不住惯性似的，向那条小路深望一眼。单一海感觉到每个离开那条小路的战士，都把头偏转了一下。他可以猜度出这些战士目光里藏着的东西。他们肯定正在嘀咕，走错了。

坡越来越陡，身后的步子再次乱了，士兵们控制不住地窃窃小语。单一海退出前列，低吼道："喊什么，我们要去的就是这个方向，没有错。"

队列仿佛愣了一下似的，沉默了，之后又是慢慢地启动，仿佛列车减速后又加速了。单一海目送队列向前，胸中觉出许多舒畅。这时眼前晃过冯冉，他的眼睛奇怪地明亮着，他跑到单一海的身边，边跑边朝他暧昧地一笑。

"笑什么呢你？"他最讨厌冯冉这种笑了，这小子也许早就看透了他的内心，只是不说出来，却用笑表达出来。

"今天这路跑得真舒服，我猜测，我可以实现那个想法了。"

"什么？"

"连长，不说出来你也清楚呀！"冯冉边跑边均匀呼吸。感觉不出一点儿太累的感觉，"这儿的草还像那年一样绿呀！我都快心惊死了。"

单一海瞥他一眼："其实，有时你不再见它反而更好。"

"为什么？"

"有的东西其实该是感觉上的，也许太熟悉了，你会忘记它或者忽略它。"说完，又大步向前赶去，重新归位于前列。

队列面临一个大斜坡，路只是在斜坡上行走，大伙儿的呼吸再次不畅，有个战士跌倒了，另一个跑不动了，退在后面，大家的体力再次面临挑战。随着累困，多的便是牢骚。许多战士仿佛看清了不是要去山下。山上方圆几十里连个人毛儿也不见，连长带他们到这里来，怎么会是来看什么女人？

跑在冯冉身边的王小根有些抗不住了。他把自己的挎包扔给了冯冉："班长，都怪你那个傻主意。瞧瞧，这回可把我们坑苦了，你就给扶扶贫吧！"

冯冉看他一眼："活该！那会儿连长在那儿说什么看女人去，你抽什么疯？哪儿能啊，我的黑蛋兄弟。"黑蛋是他对王小根的昵称。

这小子嘟囔两句，想说什么又咽了下去。

单一海在身后小声的嘀咕中跑得安然而又舒坦，胸口此时罕见地开阔着，感觉呼吸像一种抚摸，他根本就不去留意那些议论。他觉得议论都是一种不自信的表现。听信议论的话，那么就只会一事无成。他在感觉上把自己从队列中抽出来。远远地看自己内心的那种感觉，越看越被它刺疼着。跑步有时极利于思考。思考把累都给赶跑了，倒仿佛思考是主要的，跑步是一种副业了。

这时，旁边的大山散开。右边的低凹处闪过一股大风，挟来难闻的土腥味。他已经在内心深处看到了那地方。

残迹在半山坡上越来越逼真地出现了，正在运动的队列出现了小小的骚动。一路上太平静了，这时出现任何东西都会引发大家的注目，何况这么大一个让人震惊的古城堡。

冯冉呆呆地站住了。一个人站住，大家也就慢下了步子。仿佛等待什么似的向单一海望去。单一海理解这目光的意思，他示意值班员停下脚步。立时队列里出现了一片吁叹，有的人已一屁股蹲到了地上。枪和装具卧在身旁，上面散发着腥腥的汗臭。几乎每个兵的作训帽都被当成了抹汗巾，上面湿湿地冒着热气。但他们的眼睛却都一直注视着那个古城堡。仅仅片刻的惊讶，大伙儿便胡乱地把猜测和惊奇全部抛向了它。

古城堡此时散落在山坡右侧，战士们都在它的上方。俯视一座突兀得有些怪异的残迹，除了惊讶还是惊讶。

冯冉的枪还一直靠在肩上，他深深地注视着那片古城堡。嘴里呢喃着，眼睛里迷蒙着另外一种光。王小根站在他的身旁，忍不住低声惊呼："狗日的城建在了这么高的山上。那样宽的地方，都是站着的土，简直让人佩服死了。"

冯冉似从梦中惊醒似的："这才是个真正兵城！你看到没有，那城里太空了，你知道有几百年没住过人了，可这城还真像那些士兵随便建的堑壕。"

"哎，班长，我觉得这座城像个墓。"

"什么墓？"单一海忍不住插嘴。刚才王小根的惊呼让他很舒服，这小子现在才像个真正的战士！他欣赏那些智慧的东西，哪怕是把刺刀，要真能让人流出点血也行！

"战士的墓。"

"哦，讲讲你的看法？"

"我也说不清，感觉上应该是，不是就怪了。"

冯再把头转向单一海："连长，你不可能让我们跑这么远，只是远远地看看它的背影吧！"

"当然不可能。我还没告诉你们那个比女人更好的东西是什么呢！我得实现承诺呀！"他回过头，低首看自己的连队，天，这种累过的残骸几乎让他不忍目睹。有的战士越发放肆起来，把自己放倒在草地上，只有少数人扶着枪盘坐。一支部队，有时仅从休息或静止时，就可以看出他的战斗力如何。他一直视此为耻辱。这时，有个士兵居然把枪枕到了头下。他倒是挺有气魄的，以枪作枕。可一个不喜欢枪的士兵会是个什么样子的士兵呢？

单一海感觉到一阵愤怒，他冲着这些休息的战士一声大喝："立正！"正在慵懒中的战士们，仿佛被捅了一刺刀似的。仅仅呆愣片刻，大家就哗地站好了。立正在越来越大的风中，伫立不动。都把不解的余光射向他，似乎对他的忽然发作并不理解似的。

单一海不说话，潜意识中似乎已把自己的感觉传达了过去，他觉得他们该懂自己的苦衷。他不喜欢解释，训斥只会增加他们的反感。他只是在必要的时候，站在他们背后大喝一声，就已足够。

少顷，他向值班员示意集合。士兵们默默地佩带装具，都把自己压在沉默中。这种沉默带着一种隐忍的反抗，向单一海扑来。单一海体会到了，这其实是一个个疑问。他知道士兵们此时在想什么，到这会儿才觉出是种欺骗甚至是一种恶作剧，也太低估了自己的想象力。单一海从本质上不喜欢没有想象力和幽默感的士兵。真正的士兵如果缺失了想象，几乎等于只是一支枪的支配者，而不是拥有者。而一个没有幽默感的士兵呢？更惨。他把今天的行动当成了一种大幽默。可参与行动者大都茫然无知。这等于使这个幽默更类似于欺骗，因为，他从士兵们眼里读到的仍是刚出发时的渴望。这些渴望此时似乎在他们的眼睛里更坚硬了。他有些短暂的灰心，抬眼看那些列成横队的战士。收束起自己精神的士兵，其实只是一种燃烧的气质。他被这种气质灼燃着，内心里又涌起强烈的亢奋。

他对着队列的背影，大吼一声："向后转！"108双眼睛唰地聚向他。他含住不动，仿佛要让每一双眼睛都适应他似的，直到士兵们把目光搁结实了，他才盯住大家："今天的越野长跑到此结束。大家用了55分钟，跑了5公里，成绩比平时在平原上差多了，可在高海拔山域，几乎可以作为本连本世纪的最高纪录。"大家唰地立正。他一颔首："稍息。我想提一个问题，也是大家的疑问。我们今天跑到这里来，干什么？"

单一海的目光凝住王小根："请你回答！"

"出发之前，连长许诺我们来看女……哦……看病。"

"是的，是看女人。可是经过那条路时，我的主意变了。我觉得大家内心中的渴望不应该仅仅只是女人，而是比女人更女人的一种精神。我想为大家找到一种真正精神意义上的女人，让你们的精神永远依附于她，永远。"单一海侧身，随手一指那个在他们目光下的古城堡："那就是这个用土堆成的古城堡！"

士兵们面面相觑，目光中的狐疑越发增多。

单一海继续讲："请大家凝神静思三分钟。用这样长的时间去覆盖一座古城后，我希望听到各位的感受。"说完，转身退向士兵们身后。他不看那城了，那城早已在他的心中。那儿的各条街道甚至风声已经成为他思想的一部分。他不看它，还因为想从士兵们的注视中，看到另外一种东西。

风声越来越大，狂风卷起沙石，形成一片黄色沙雾。那座城便被淹在迷蒙中。风声鸣响之处，仿佛两军正在交戈，偶尔传出极恐怖的尖哨声和厉啸。单一海从士兵们的背影中感受着这一切。他惊异了，这城今天竟如此鬼云惨淡，令人不由自主地浸入到那些过去之中。他看到战士们的眼睛已离开了他们的身体，他们在这种奇异的景象中呆了，甚至忘了自己也是一个战士。

自然与自然的交战，才是最惊心的战斗！

他叹息一声，重又走到战士们的注视中，同时觉得自己一下挡住了士兵们的目光。尽管城那么大，可他知道，战士们此时只会把目光放在他的身上。对于一座不知名的古城来说，知情者往往拥有比这座城更多的目光和关注。而他也许只是这里唯一一个知情的人吧。可我真的知道吗？他自问，脑际蓦地闪过子老的影子，也许他才是这座城的知情者。

单一海似乎怕打断大家的思维似的："我想请大家更近地看看这座城。听到没有，我听到了杀声，我们一起到那些杀声中去如何？"

显然这座古城堡已引起了大家莫名的兴奋。刚才的疲累被一种新的欲望代替了。没有人不被好奇所打倒，在这一点上，单一海深信不疑。因为他从战士们眼中读到的是新的欲望。

　　队列整齐地在山间向下走。坡很陡，可大家还竭力保持着队形，尽力不让枪在肩上移位。没有一个人说话，甚至连猜测也没有。单一海有些感动地把自己融到大家的情绪中去。

　　残迹出现在眼前时，天地间一片昏暗。尖利的小石子被风卷起，偶尔撞响哪个战士肩头的枪管，但那声回响并引不起大家的注意。队列走到城墙下，人的渺小一下子就显出来了。那墙很高，大家自动放慢脚步，没有喊口令，也没人说话，只是默默地绕城行走。长长的队列如同古代那些士兵绕城值更的情景。单一海现在有了另外一种感受。一个士兵其实该用不同的心境去经历各种战争。哪怕它是古代的战争，至少在心理上，一个战士也该拥有许多次战争。

　　队列在绕到西城时，不动了。单一海看到冯冉捡起了一枚箭镞。居然还有他们的遗物。这可是子老遍寻要找的东西啊！他飞奔过去，士兵们的脸上都闪着兴奋的光泽。捡到哪怕一点过去的遗物，都像是看到了那些过去的细节啊！冯冉用袖子擦擦那枚箭矢，它竟然清晰地闪着暗红的光泽。还是一枚铜矢哪！

　　单一海接过来看看，又还给冯冉："也许只有这枚铜箭头才是最重要的依据，保存好，不许丢掉，丢掉我处分你。"

　　冯冉点点头，脸上蒙着种莫名的兴奋："天爷，这狗日的城太怪了。我都被震了。连长，我明白你了。"接着，他又凑到他身边低语，"我羡慕死你了。"

　　单一海微笑不语，继续向前走。他知道，这声咒骂才是最好的奖赏！其实最好的奖赏应该是下级的赞赏！应该设这么个奖，可惜不会实现。

　　三十分钟后，队列已绕城一周。单一海也是第一次从城四周过。他边走边叹这城的气势。有的地方已残破了，被风给摧毁的印迹令人惊讶而又撼人心魄。他第一次看到风有这样巨大的韧性，它只用柔软的抚摸就让这些土一点点地剥离开了。那些粉状的土嵌在城的缝隙里，又一点点地被它扫走。有的地方还透着一两个巨大的洞。那洞镶在城上，根本就无法想象人可以穿透它，可风却穿过去了。风才叫伟大呢，它像个战士，它的敌人就是那些挡住它们去路的障碍物。他想到这里，再次佩服起那些呜呜着像群狗一样吹向城头的风了，同时感到一种战栗。

队列在风中停下了。单一海转过东城时，看到了一座高于城墙的巨型土台。这土台像个巨墓，四四方方的，与城相隔有千余米，似乎像个障碍物，又像个检阅台。也许是古代哪位将军的校阅之处吧！他在悲风的啸鸣中，被一种潜在的豪情给激发了。他转身向大家发出号令，向阅兵台爬去。

这座土台果真是阅兵之处，至少宽约六百多米，从山上看去时，似乎看到了它只是镶在城中的一部分。如果不转过来看，怎么也想象不出它们是分开的。站在土平台上，视野顿时开阔。风声尖啸般地掠过了。把每个人的衣服鼓满。单一海一边听值班员整队。一边有些感叹了，这土台原来是座独立山包吧！可那些士兵却削去了它的顶冠。这得多大的魄力和勇气啊？他看到脚下磁石一般的坚硬，同时使他再次涌起对那位不知名的将军的忌妒……与憎恨。这人简直太懂治军之道了，在高山上校阅、练兵，在风口上让大家磨炼各种欲望。他站在平台中央处的一块土包上，心下暗说声惭愧。自己站到了别人的位置上，却不知是谁。自己心中对他如此敬重，可却不知他的姓名。

这些士兵们此刻站在风中，他们真的更像兵了。他们可能早已从这座城中读到了自己，于是，他们沉默了。

单一海的目光凝住大家："……我们脚下的这座土台，是个阅兵台。站在这个阅兵台上，我相信大家早已感觉出来了。我们看到的这座城是个古城堡，它至少属于士兵。"他的嘴不时被风给堵住，那些语言在与风的碰撞中发出咝咝的撞击，传到大家耳朵里时，只是一种感觉上的东西了。

"报告。"单一海被打断，他示意那个战士讲话，又是冯冉，"可我们还不知道这座城的历史呢，连长，可以告诉我们吗？"

单一海看到士兵们的目光中都挤涌着相同的渴望，他故意沉吟了一下："这正是我带你们来的原因。这座城别看荒废了，可它却是一个荒废的传奇。这座城应该是西汉时期的。"

"这么长的时间啊！这城还保存到了现在。真结实。可这里驻的是谁的部队呢？匈奴人，还是汉朝的战士？"冯冉有些控制不住自己。

"如果得到证实的话，它应该是一队古罗马的战俘！"

"古罗马的战俘？"

"是的。"单一海此时不知为何，竟下意识地断定是子老寻找的那支军队，那支遥远的古罗马战俘，就曾驻在这座城里。

"你是说西汉政府竟把古罗马的战士给俘虏了？"冯冉呆了，"西汉真……他妈的伟大呀！连罗马人都敢俘虏，还建这么个大城堡。如果是传奇我可就信了，可这……"

单一海打断他，高声喊道："是的。西汉伟大，西汉的战士才叫伟大啊，也才真正配叫作战士！今天，我们就站在他们的脚印上面。刚才王小根说这像战士的墓，我看这个比喻不好，它该是战士的纪念碑！只有这些残迹才是对一个战士最好的铭记。也只有它，才配为一个战士作传。"

下面响起一阵掌声。单一海稍抑制住自己的激情，他知道战士们的激情已经给煽动起来了："我提议，让我们就在这块当年那些古罗马人阅兵的地方，也像他们一样，阅一次兵吧。让他们检阅一下两千年后的士兵。"

士兵们的情绪沸腾了，他们都用热烈的目光响应他。风更大地吹过来，像吹过一片雷声。单一海自觉归位到前列。值班员整队的口令像利刺，又尖又锐，刺着每个人的心。士兵们把八一式冲锋枪的刺刀装上，风声温柔地抚摸着那些寒光闪烁的刀锋。一片白晃晃的刺刀，搁在战士肩上，帽子已被风带固定在下颌上。战士们似乎首次接受阅兵，脸上神色庄严，认真地互整军容。那件连队最大的火器七九式重机枪和一门小型直瞄小炮，也被架在了四个战士的身上。腰带束着硬腰，每个战士都竭力挣出一股锋芒，浑身的劲道在风中被来回撞击。这些兵谁没经历过几次阅兵啊！那些阅兵只是对大家的一种消耗。他们受阅只是被一种职位检阅。而这回，没有那个高悬在云端的职位了，检阅他们的只是历史，是几千年前的一队士兵。甚至只是一束目光，只是一堆遗迹。他们将被历史检阅，并将永远被这次受阅记住。

……士兵的方阵过来了，每个班就是一个小的方块。在风声中，有力的步伐把大地踩得轰轰地响。他们一过那个假定的阅兵台前，就唰唰地劈枪，侧首致礼，一、二、三、四，这个简单的数字被他们喊出了一种气势。这种兵的气势在土台上来回翻滚，与风一起，被吹到遥远中去了。

单一海沉浸在这种气势中，内心因过于激动而出现短暂的痛楚。他几乎被这种气势感动了，确切地说，他被自己感动了。方队再次行进到阅兵台前。单一海大声喝喊："敬礼！"他的手触到帽檐。全部士兵向那座土城行注目礼。那个礼节真长啊，单一海憋住劲，不让自己落下泪来。他在这种隐忍中，让那个礼敬了足足有三分钟。他宣布礼毕时，看到那些战士的脸上，滑满了泪滴。

他无言地走到队前，内心中充满了许多的话语，他坚信面对这些士兵时已无须他再多言了。他只要看他们一眼，就明白他们来这儿之前的意识已被新的一种境界替代。也许他们早已忘了以前的什么欲望。同时他也明白，今天任何人经历这样的场面，即使是个不懂军队的人，他也会被这种场面唤醒，并把这种潜涌的感动，作为他内心中的铁血气质，永久珍藏。

单一海摆摆手，队列稍有些悲壮地向山下走。从疲劳到失望再到亢奋，单一海深深地为这支队伍庆幸，大家都没被伤害掉。他看到战士们的情绪还停留在刚才的氛围里。疲劳已从他们身上消失，这证明他们还保持刚来时的活力，足够再跑回去了。他想，至少有半个月，你们将被这种激动充满，并且会化成血液，溶进每个人的心里。

这时冯冉悄悄凑过来："连长，为啥不让我们进城？"

"不进去也许还有点儿想象的欲望，我只愿意让大家领略一种外表上的气势。明白吗？观赏一种东西，其实看看它的整体的气质，往往比局部更震撼人！"

冯冉似被他的话语打动，半晌才喃喃地说："我真想知道俘虏，那些古罗马战俘的将军是谁！"

"我也想。不过，这种神秘更让他伟大。"单一海同时在内心中自语，一下山就找子老去。他已被那些疑问把自己给搔得太乱了。他知道古城堡的东西越多，那些疑问就越像包袱一样压着他。

10. 不灭的战戈

女真被阳光扎醒，她竭力把自己从睡梦中抽出，睁开眼看看房内，清冷而又明亮。今天又是星期天，她在内心深处把星期天的滋味儿嚼嚼，像嚼着某种心境。半晌，又把身子滑进去，让自己躺得舒服些，同时摸过枕边的表，才早晨8点。这么早就醒过来，她有些遗憾地嗅嗅房中沉睡的味道，盯住挂在西墙上的一张挂历，那上面是个挺有名的法国男影星。他可真英俊，鼻子刚直高挺，有一种钝钝的锋芒，头发奇怪地后梳着。这人叫什么，她使劲儿地回忆，也没想出来。那本挂历上全是英俊得让人绝望的男影星。他们太有名，女真也太熟悉他们了。他们每月出现一次。一年 12 个月都睁着一双迷人的眼睛看她。她一直喜欢这种感觉，喜欢被一个自己心目中的男人注视的快感。可他们是自己心目中的男人吗？她忽然对那张英俊的面孔产生一种失望。他们太相似了，相似得只用"英俊"一个词就可以概括。他们其实只是在重复着一种男人。她有些无聊地从枕边拿起一支袖珍小箭，啪，一下钉在了男明星的眼睛里。她吱吱地笑了一下，又掷去一支钉在了他的唇上。

你们还英俊吗？她被自己逗笑了，不由低语。我要让你变丑，变得像……那个……单一海。对，她的脑中闪过一个影子。她凝神沉思片刻，那个影子丑丑地站住了。不知为什么，这几天她常常无由地想起单一海，她没觉出奇怪，倒感到一种亲切。

部队野营完毕已经十多天了，而她回来后几乎还未见到过他。他居然消失得如此干净，连个电话也不打。她沉思片刻，翻身起床，内心深处的那个念头始终涨满着她。洗漱完毕时，她已经决定了去找他。

笔直的公路掩没在树影中，地上有些令人遗憾地干净着。这条路一年四季都这样干净而空旷，她奇怪自己几乎从没在这地上见过一片落叶。叶子在还未落下时，就被那些战士扫走了，他们像认真地对付敌人似的对付它们。有一年秋天，她看到有一个连的士兵，每人占据一棵树，他们正认真地干着一种工作，使劲地敲打着那些还未来得及老去的树叶。他们不愿意这些叶子一次次地这样弄脏他们的路面，干脆就让它们提前落下来。她当时看着，有种难言的心惊。这是军营，在军营中，即使是一棵树，也得按规矩站成直线。即使一片叶子，也不允许你有自己的意志。仅仅一瞬间，她就对军队的本质有了彻底的认识。这里似乎到处都隐现着一种巨大的意志，那就是迫使你服从。在这种意志中，军队惊人地一致，营区和营区，彼此都相似着。甚至连士兵和士兵，将军和将军，都惊人地重复着，几乎无法分辨他们。而正是这些东西，才组成了军队。

女真越过公路，转身翻过那道冬青组成的绿墙后，又穿越过一片菜地，菜地尽头正是一片营区。二连在营区的左边，凭感觉应在第二幢。她故意老练地走出菜地，迎面踏入一片陌生目光的区域，她的眼睛立即羞涩了。营房与营房之间，来回行走着一堆堆的士兵。这些士兵也许正百无聊赖地干着什么事儿。

但却都像嗅觉极好的警犬一样，哗地把眼睛瞄向了她。每次一走进连队营区，她都会有些小小的慌乱。这才是真正的男人世界哪，清一色的短头发，眼睛里都寓意不明地深藏着某种渴望，都无一例外地要瞄她几眼。并不因为她是他们的军官。也许仅仅是他们认定她是一个女人。她习惯了这些目光，后来她也就学会用目光去追踪他们。每当这时，那些原来十分坚硬的目光，一触到她的眼睛，立即就犹如含着草一样，枯萎了。

她从目光的丛林中挣脱，转身踏上二连的门口。值班员是个还未成年的小伙子，一见她，就先慌乱地敬礼，之后有礼貌地问她找谁。

她瞟了他一眼："你们连长在吗？"同时觉得这孩子真像自己的弟弟，弟弟也十八岁了。

"他不在。"

"去哪儿了，难道去街上了？"她有些淡淡的失望。

"不是。是在家属房住，这几天，他好像病了。"

"病了？"女真有些吃惊。家属房就在自己住的那栋楼上。这小子病了，自己怎么不知道？她问了单一海的房间号，竟有些小小的意外，这小子就在自己楼下，而且刚好她就住在他头顶上。嘿，简直像开玩笑，而他竟然从未告诉过她，仿佛不知道她就住在他楼上似的。

她顾不上告别，转身而去。一路上，她暗自回味着，等走到单一海房间前时，她已经断定，这小子肯定知道自己住在那儿，并且有意不去说破，似乎想隐藏住什么。

那间标着 9 号的房门半闭着，里边传出极响亮的说话声，似在与谁讲电话。她轻轻叩门，那声音稍停了一下，对着门喊："进来。"接着又与对方讲话。女真推开门，单一海正背对着门口，床上、地上凌乱地放着各种东西，还有一种难闻的汗臭味。

她皱皱眉头：这家伙很健康嘛，一点儿也不像病了的样子，讲话中气十足，身上只套件背心，后背肌一看就是因为经常做某种动作而留下的痕迹，丰满而鼓胀着某种劲道。

她站在房中。这家伙只顾讲话了，话音嗡嗡地四处乱撞，他竟似乎没有发觉她来似的，并不回头，继续他的讲话："子老呀！我把你要我弄的东西已全部备好，图纸已经精确到了各种细节。对，我想今天去拜访您……"

女真已听出他在给谁讲话了，她内心一动，回转身在他的房间里踱步。迎面的西墙上，悬挂着那张古城堡的图纸。她看到居然有三张，大中小，一溜排开在墙壁上，显示着那座残迹各个角度的样子。她站住，把自己凝到那些图上，感觉又回到了那座残迹前。这家伙的地图手稿绘得有些惊人的奇效，看似充满各种拙笨的手工印迹，但却正因这些缺点，而显出此人的不凡。后来她看清了右边那张小图，居然是自己那只酒囊上的各种线条。那囊还在她身边，可他仅只是看过一遍，便凭记忆把它给绘了出来，并且逼真到了可以乱真的地步。她仔细审读，竟看到某些断裂的地带，他已用一条红色的虚线连接起来。而经过这些虚线的联通，它似乎成了一张真正的地图。那些红线使那种单纯的提要式的地理有了等高和坐标。简直太大胆了！这样的想象力几乎像一种暴力。

"这张提要只是一种假设，那天我画好它后，放到灯光下欣赏，奇怪地觉出那几条线在地理上应该是有所关联的。我仅仅想试一下，没想到，线连上后，连我也惊呆了。知道吗？上半部是伊朗高原，地中海，再中间是亚洲腹地，下部则竟是焉支山脉。"单一海的电话不知什么时候讲完，他站在女真身后，低声讲解。

"这种假设太大胆了，也太具有想象力了。知道吗？你的想象力简直有种暴力的美感。"女真转回头，触到单一海的眼睛，他们竟挨得如此近，近得连呼吸都触到了对方的皮肤。她竭力让自己镇静，"你这张图至少不是昨天完工的吧？为什么不可以告诉我呢？要知道，这张图也属于我，我最有权享受你的创造了。"

单一海后退两步，空间的拉开一下子减轻了两人的压力，他费力地擦了一把汗："我一直在等你来。"

"你不知道我住在你楼上？"

"知道。我每天都听到你在上面走动。有时夜已很深了，你还放开录音机。我甚至知道你许多的习惯……"

"那你怎么不上去找我？"

"我知道你会来！"

"是吗？"女真神情恍惚了。这家伙太高傲了，也太自信了，自信到让人愤怒的地步。她一咬牙："我看你是怕我吧？怕我吃了你！"

"我怕你？"单一海脸上唰地羞红，"我怎么会怕你呢？我怕你什么呢？"

女真被他突然的害羞打动了。她凝视他的脸，半晌才转开。这家伙害羞时竟让人有种莫名的爱怜。她竭力不让自己的情绪表露出来，只淡淡地说："怕我吃了你呀！"说完，竟有些吃惊自己会说这么一句话。可不说这又说什么呢？她看到单一海的眼睛莫名地闪烁着，脸上有一半是尴尬和不知所措。她忽然感觉出，单一海单独面对她时，话语自然褪去了那些强装的油滑和调侃。她发现这点后，竟有些无言了。她掩饰地在他的房子里四下乱走。这房子可真乱啊！她去过许多男孩子的房间，似乎都惊人的相似，充满着脏乱，同时也暴露着可怜。他的也不例外，被子永远地在床上乱放着，床两边扔满各种书籍。有几本摊开着，上面落满了烟灰。靠门边儿上，堆着十几本书和一堆报纸。她有些吃惊地捡起来，许多竟是精装的。她心疼了，捡起抱在胸前。

"你有胡乱扔书的嗜好吗？"

"这些书是我看完后扔掉的。我两个月清一次垃圾，一部分卖给废品收购站，一部分烧掉。"

"可这些书还全新的呀！有的似乎才看过一遍，怎么可以扔掉呢？"

"可对我来说已一无用处。我把该看的记住，不该看的忘掉，这本书的使命到此也就结束了。我不喜欢藏书。"

"为什么？"

"书读太多了，有时是一种累赘，甚至是伤害。我扔掉它们，是我太熟悉它们了。它们放在书架上，我一看到它们，就会受到影响。这个世界太拥挤了，彼此不受影响几乎不太可能。可影响太多了就会丢失自己，我扔掉它们是我有能力消化它们，并保证再不受它们影响！"

"精彩的谬论。我头一次见到你这样可以把一种不良习惯解释到近乎完美地步的家伙。我有个感觉，你在有意识地强化自己的缺点，不，甚至在偏爱它们，以致使这些缺点本身都有了种迷人的味道，我都快被你的缺点给说服了。"女真把那些书重新扔回去，"可我不喜欢你的缺点。"

"谢谢，可我知道你不会是知音，你只会是个欣赏者。我很高兴被你欣赏，你说出了许多我自己一直在做，但一直看不清的东西。所以你比我还让我佩服。"

女真忍不住开怀大笑："我真高兴听到你的奉承，你的奉承也比那些人高出一筹。很让人舒服，可又不像奉承。"

"与你讲话真是太累了，处处得绷着根弦。女真，我有个提议，以后不要再这样深沉，至少不要勾引我深沉。"单一海故作严肃状，从床底下摸出一瓶东西，竟是一听可口可乐，啪地打开，递给女真。

女真接过来，被他的神情逗乐了。她觉得单一海这小子幽默起来比谁都放松，冷峻起来犹如一座冰山，硬硬的，令人无法捉摸，又无法说清。她感慨着，发现白墙上到处被他涂着各种各样用油笔写上去的话。

他的字不好。可那些字却放肆地在墙上龙飞凤舞，倒像是书法。仔细看，却是一些偶尔写上去的感受或类似警句的话。

在台灯的右侧墙上，有一句话引起了她的注意。她辨认半天，竟是：一个人一生最大的失败，是说话的失败！她把那句话含住，半天不动。这肯定是他在某次受到损伤后，愤而自责写上去的。这话至少包含了他一半的心迹，因为有这一方面的失败，所以他希望能让自己记住。

"你用这种方式来总结自己吗？"

"不，这些话只代表我某一时刻的某种心境。我一看到它们，就可以想起自己。每次看完这些话，我都能看到一个完整的我。要知道自己永远无法看清自己。别人也不会提醒你，只能是我提醒自己。"

"所以，你是孤独的。"

"我孤独是因为思想的孤独。有的话无法讲给别人听，只好讲给自己。"

"你太狂了。你不觉得这样做太危险吗？"

"不是狂，是我走得太远。走在队列前头的人，都很茫然。我不幸走到了前边。"

女真有些怪异地看他："这种狂像标本一样稀少了。一海，我以后可以在你孤独时听你讲这些吗？我至少可以成为一双好的耳朵。"

"谢谢。"单一海眼中湿润了，但仅仅一瞬间，他就转过了头，"这些随便涂上去的东西，我每两个月就用灰粉刷掉一次。每次粉刷完，我都有种涂了层铠甲或者埋葬了自己的感觉。"

"是吗？这墙里裹了那么多你的气味儿。"女真喝水，忽然瞥见在靠门边儿上的墙上，悬着两个装裱极好的大字："换根！"正面墙壁雪白、明亮，衬着这两个极孤独的字，令人有种心惊的视觉。

"换根？"她禁不住低呼一声，"这两个字好怪，为什么写这么两个字呢？"

单一海似被触动，注视那两个字许久："那是我的名字。"看到女真满眼的

72

疑惑，他又补充道，"是我在乡村时，爷爷给我取的小名。"

"这么怪的名字。换根，根也可以换掉吗？"

"是的。我的根就给换掉了。"他略略压抑语气，"这是我一生中唯一被震惊的一件事。我父亲小时候被送给另外一个乡村姓师的一户人家，那家人只剩下了一个老人，我爷爷。我出生在那里。他像甩一顶帽子一样，把这姓扔给了我。就在我三岁那年，他去世了。我父亲又回到了老家，我又成了单家的子孙。我是在成年后，才理解了那个老人。是他把我当成了他的血脉。而我是到现在才体会出他的心境。所以，我永远怀念他。"

"可你还姓单呀！"

"我在心里永远姓师。我在自己所有的文章上都署名换根，以此来怀念他。"

"换根是你呀！"女真低呼，"我读了他许多文章，没想到是你写的。我被它们感动过！"

"文章吗？那已是过去的事了。我不愿意被过去所累，我只在乎明天。"说完，他抬腕看表，"现在已是上午 12 点钟，今天我做东，午饭由我来请。我已约好下午去看子老，你愿意陪我去吗？"

"当然愿意。"

凉州博物馆隐藏在市区的一片民房中间，像掩在一片房屋中不合时宜的某种风景，又老又旧，走近了再看，其实只是一片巨大的庙群。这些庙内的各种塑像都被倒腾或者挪走了，有的像干脆就一溜站在了庙旁边的松树下，雨水和风已开始剥落它们身上的油彩，偶尔露出各种泥洞或塞满的麦秸。倒像它们原本不是庙中的主宰，而成了一些临时拉来凑数的伙计。单一海和女真走在浓荫中。这里的宁静让人有种倏然的清朗。刚才在外面被阳光晒得乱哄哄的心，开始冷了下来，全身都莫名地舒适。

这片庙群的结构奇异地变化着。大庙套小庙，小庙后面又有庙，简直令人有些无所适从。单一海第一次到子老的单位来。他本来想去他的家中，可子老坚持非要让到他办公的地方来。他说："这些事该到那儿谈。在家中只适合做有关感情的事情，到博物馆去也许会让你与历史更近些。"还有一层意思子老没讲，他其实没有家。他只有这间办公室。

单一海竭力辨识那些门楣，不让自己走错。他的心里蕴藏着巨大的不快。刚才，他从那扇朱红大门走进时，那个守门的小姑娘，听说他们找子老，竟说不知道有这样一个人，坚持不让进去。单一海解释了半天，那个姑娘也不信。直到后来来了一个中年人，听他们说清了子老的容貌，他才哈哈大笑："是那个老疯子吗？你早说不就得了吗？这儿只有文疯子，哪儿有什么子老呀？"

单一海强抑住一股愤怒，盯住那个中年人："子老是个学者。你怎么能这样说他呢？"

那中年人和小姑娘笑得更尖锐了："还有人叫他学者，简直……"

女真一把把已经快动怒的单一海扯住，往院内走。她怕单一海控制不住自己，把事儿弄糟了，因为她看到单一海的眼里已喷射出了一股奇怪的光。

"知道吗？我真想一拳把那个男人揍倒！我从来未见过这样一个俗贱至极的家伙糟践一个老人，他让我恶心。"单一海走了许久才闷闷地说。

"我知道。不过我感觉出了，老人肯定是个极怪的人。他一定有着某种极为独特的怪癖，也许是性格上，也许是生活中的……我们这次见他，也许会有某种不快。"女真低头前行，"杰出的人都是寂寞和遭误解者，我直觉这位老人肯定了不起……"

他们绕过一间小屋，看到一片大殿。殿前种植着一大片如火的玫瑰。那些玫瑰一出现，单一海的内心就一阵战栗。他走到这片玫瑰前，轻轻地感觉着那些迷人的香气。女真已被打动，把脸放到玫瑰中去了。在一个陈旧到极致的地方，忽然出现这么一大片不合时宜的玫瑰，简直像一种奇迹或者有些荒诞。

良久，单一海叹息着说："知道我想起了谁吗？"

"那个传说般的牧人？"女真把脸抬起来。

"不，是子老，可以想象吗？这么大片有些怪异的玫瑰，怎么可能是一个可以超出这种气氛的人所种植的呢？"

"你说是子老栽的？"

"直觉是他。我感觉他就在这片大殿内！"

"是吗？"女真有些迷蒙地看那片大殿，"你觉得奇怪吗？我遇见了两个爱好玫瑰的老人。他们竟然都爱玫瑰，可又似乎都不应该，可却是真的……我有种被剥夺的感觉。这种爱好竟只发生在老人身上，而不是年轻人身上，我很惊异！"

单一海似乎被她的话打动，静默了一下，要说什么，又强咽回去。他大步走至殿前。大殿门虚掩着，里面寂静无声，虚掩的门扉里传出淡淡的香味。

他凝神，轻轻叩门。里面半天寂静无声。他又鼓足劲，使劲去敲。女真却捅捅他，指给他看拴在门扉靠后的一张小牌。那上面写着一行小字：推开此门穿过大殿，我在后面庙堂等候。署名：子某。

原来子老早就知道他到了，写了铭牌等候。他心内一热，推门而入。大殿内到处堆满各种泥塑的佛像，一个挤着一个。空间的拥挤使这些相互压挤着的各种怪异的佛像，更深地凝起一股神秘的恐怖。单一海第一次被这么多塑像的眼睛扫视，内心中充满极深的压抑。女真有些下意识地靠紧了单一海。大殿中有一条极狭小的甬道，刚好容一人侧身而过。穿越这样的甬道也是要勇气的啊！一瞬间，他明白了，那个中年人和小姑娘为什么不认识子老的原因了，或者是误解了。没有谁会不对这样一个把自己封闭起来的人产生误解的。

他侧身向前走，感觉右臂被女真给抓得好疼。她的紧张说明了她恐惧。女孩子的天性中都有所害怕啊！他的内心倏地涌起些许的温暖，听凭女真更紧地拥住他。这还是除了邹辛外，第一次有人这样拥着他。他在这种温暖的心境中，缓步向前，眼睛故意只注意着甬道的前进方向，对周围那些塑像似乎浑然不觉似的。女真紧步亦趋，忽然停住脚："哎，你听……"她侧耳凝神，仿佛倾听什么似的，望定了某个方向。

单一海也听到了那声音。那声音从刚进大殿时就有，可似乎并不在殿内，这会儿更清晰了。他有些吃惊地听着它们在殿内徘徊……那声音低低的，带着一种罕见的粗野铺排过来，在肃杀中隐藏着某种阔大的悲凉，似乎吹奏者本身正被某种东西逼着。他的内心再次被撞疼了。他奇怪这种声音自己居然无法辨析出是什么吹奏出来的，似乎像箫声又不像，倒似乎应该是一些传说般的声音。他看看女真。"这种声音像一种情绪，我的心乱了，我从没听过这样的声音。不像是音乐，但更接近于音乐……哎，走吧！我们就顺着这声音走，也许可以知道它是什么。"

女真奇怪地瞥他一眼："这声音是老人的声音……我明白了，这一定是子老在吹。"她有些莫名的兴奋，"我都被这个老人给吸引了。"

单一海笑笑，牵着女真的手，绕过中间那堆佛像，阳光唰地照亮。女真下意识地抽回自己的手，脸上显出短暂的羞红。单一海浑然不觉，他看到里面又是一座很古老的小庙，但估计给改建了，墙上奇怪地镶着两个玻璃窗子。音乐正从那间屋子里飘出来。

门虚掩着，单一海轻轻推开。那音乐声哗地迎面扑来。一位老人坐在一把很老的旧椅子上，面对着阳光吹奏一件挺古怪的乐器。那乐器类似于一把小小的长排箫，却不是箫。可那又会是什么呢？老人沉在音乐中，似并未察觉他们进来，阳光斜射在他的玄衣上，由于他的脸半侧着，单一海只好从他的侧影上看他的表情，那是一种陶醉的神情。

这时，女真轻轻撞撞他："这里隐藏着某种气氛！"

单一海惊愣地抬头看她，女真的眼神此时正望向屋内。有时女人的直觉简直像巫婆，他叹息。顺着女真的眼神望出去，他的内心栗然震惊。这间房子也是个偏庙。它的规模比刚才的大殿小多了，但却呈现着一种深深的阴郁和古老。房顶上的屋梁都暴露着，宽大的地面上没有了塑像。那些塑像也许给移到了大殿里，那么多的神与神聚到了一起。可这儿呢，却森森然站立着一排排他不熟悉的东西。他努力让自己的眼神适应这儿的光线。良久，他看清了。那些站立在房内的，竟是一根根形状怪异的戈。它们用各种姿势站在那些昏暗的光线中。如果不仔细看，倒像是一排排稀奇古怪的影子。

他见过许多的兵器。但从未见过这么多相同的一种兵器排放在一起。这些戈也许有一百多种吧？它们像是一种物体的不同变种，相互变化着，又相互趋同着。他看见它们从前到后，像一个士兵方队，整齐地排列着。那些隐藏着的气势也由前向后流贯着，粗拙的柄均插进泥土深处，而不是放在什么架子上。那些戈都向着一个方向，仿佛一群行注目礼的士兵似的，逼视着每个面向它们的人。单一海隐隐觉出一股庞大的气势扑面而来，到了呼吸中，竟只是一片腥咸的生铁的锈味。他下意识地嗅着那股久远的味道，用目光凝视那一柄柄的戈，上面粗糙的铁粒儿和年代留在上面的锈黄，一下一下地绊着他的眼睛。他仿佛看到了在那些戈的后面，其实都隐藏着一个人。那是谁，在这种注视中，他的眼睛开始潮润。

女真低声说："我都快晕了。"

单一海把脸侧向她。

"这样一大群戈，居然都给他集中到了一起。感觉上像是几百个男人，但却长着不同的面孔。不过，我一个也叫不出它们的名字。"

"我也是！"单一海低语，"可这并不减少它们给我的震撼。这些戈本身就是战士，感觉像是一些不同时代的士兵的脸孔。"

"谢谢你们看懂了我的这一队士兵，你们是第二个被它们给震撼的人，我是第一个。"子老不知什么时候已停止了吹奏，毫无表情地站在他们身后，低沉地注视着他们的背影。

"子老，我是被你的音乐吸引着找过来的……哦，原谅我无知，叫不出那种乐器的名字。这种音乐我是头一次听到。不过你的这群戈比那些音乐更让人震惊。"单一海倏然回头，表现出短暂的惊讶，同时内心被老人的话震惊。听听，他竟称这群兵器为自己的士兵。

"那音乐嘛，是我用自己复原的一种乐器吹奏的。那种乐器在一些古书上有过记载，但后来便失传了。我一直期盼听到它们，它们太让人神往。我喜欢听一些过去的声音。"子老淡淡地说，同时用目光罩住女真，"这位中尉小姐我可没发出过邀请，你是什么时候进来的？"

女真略略尴尬。单一海上前，刚要解释，女真用手拦住他："子老，先允许我把自己的猜测说出来，再下逐客令好吗？"

子老颔首倾听。

"那种乐器我猜测是古波斯进贡的一种吹奏器。史书上记载叫什么'嘶啵'，起先是由印度的一种檀香木镂空后，按上贝叶吹奏。到了中国，先传到西域，改制成了'胡笳'，但这种'胡笳'后来又被改制和进化成各种吹奏式乐器。您的这种乐器便是用檀香木制成的'嘶啵'。"女真侃侃而谈。

"哦。"子老似乎被她的猜测给触动了似的，低头沉思。

"是的。这种声音吹出后，便有檀香绕梁，具有音香的美妙。不知我的猜测对吗？"

子老的脸孔稍微缓和，脸上流露出些许的笑意："你也是第一个知道这声音来历的人……很高兴你来做客。"说完，他转身走至桌前，捧起那个被女真叫作"嘶啵"的乐器："那么你可以吹它吗？"他期待的眼神望定女真。单一海看出这老人的眼里竟流露出清澈的天真般的波流。

女真小心地接过来，仔细地端详着。"这乐器做工可真太精妙了……不过，很遗憾，我真的不会吹它。"

"哦……"子老似乎惊讶于她的回答，脸上隐现出淡淡的失望。

"不过我倒有个疑问，不知子老可否给我们讲讲？"女真望定老人。

"哦，请提吧！"老人神色略微缓和。

"这么多兵器，我是指……"她望望单一海，征求意见似的，"我第一次见到这么多相同的兵器排在一起，我很震惊。它们真的是戈吗？感觉上是，可我却从来没见过这么多的兵器，只是一种东西？它们多得让我都怀疑答案了。"

"它们恰恰都是真正的戈。你们看清楚了吧！这些戈，每一把都几乎代表一个年代。而那个年代的战士就是这个样子，他们手持这种武器与敌人作战。可结果呢，他们和敌人一起消失了。我们只看到了这把武器……其实，只有武器无法消灭，毁灭的都是战士。"老人神色略微异样。他缓步走到那些戈的面前，只用目光注视着他们，感觉上似乎是一个将军在检阅他的军队。那种睥睨一切的狂狷之气，在瞬间凝结。单一海看他的背影就感动了。他内心里闪过一个念头，这个老人肯定当过战士，至少他的血管里流着战士的血。

老人绕过前排的戈站住了。他的目光透过那些戈的空隙，射到单一海和女真身上。再后来，单一海发现他并没看他们，他的目光仍驻留在那些戈的锋刃之上。

"听起来几乎是诗。可子老，这么多的戈需要多少年才可以找齐呀？我指的是，你为什么只喜欢这么一种奇怪的兵器？"

"戈吗？"老人神色有些冲动。他用手轻触一只戈的锋刃，"戈是一种奇怪的武器。我遇到这种尤物也许是缘分吧！我自小有种奇怪的宿命感。我直觉这世上每个人生下来必有一种武器属于你，或你属于某种兵器。只有兵器才配作为一个人的尤物。知道世界上最早的铁制兵器是什么吗？"他环视单一海和女真，并不要他们回答，"是'我'。"

单一海吃惊道："你是说'我'吗？"

"是。'我'在西周就出现了，它的形状已失传，我猜想它肯定是个人形。两臂张开，具有杀伤力。身体粗壮处才是握柄。但是'我'太复杂了，所以它被淘汰了。但'我'却成了每个战士的自我代称。想想吧，代表我们本身的居然是兵器，而不是其他，这本身就让人震惊。我就是在这个念头中，看到了这种戈！"他停住叙述，用手抓住一把戈。那戈柄粗直，顶端横着一块带钩的长柄。粗看并无什么神奇，倒显出了一种单薄的脆弱。

老人继续讲述："这把戈是最普通的戈了。它在兵器史上却是个巨大的飞跃。秦始皇时代，这种戈已充当冷兵器中的主角，取过天下无数战士的性命……当然，我喜欢它，有些没有理由。但我坚持这种爱好。"他微笑着："我居然不知不觉收集了它们，像收集了一支军队，我尊敬它们。"

"你每天就在这么一堆可怕的兵器中生活？这本身就够让人震惊的了。"女真低语。

"它们本身并不让人害怕。让人害怕的是它们的历史。"子老用目光环视戈群，"这群戈共有 109 种。也就是说，这群戈的每次改进，都是对生命和战士精神的一次绝妙认识。世上最简单的戈，就是我刚才握的那把，它叫直内戈，是用来勾御敌方的战骑和砍击马匹用的。它的作用并不是直接杀伤人，而是间接的。可是这柄呢？"他用手指住另外一把戈，那戈上印着三个人头。"你们看到没，这还是秦的产物，但已有了很大改进，杀伤力更强了。还有这把'长胡四穿戈'，明白它的意义吗？它是一位匠人根据当时戈的形状和匈奴所用的狼牙棒结合而成的。"老人讷讷自语，说到后来，他的话语有些暗淡了，"可直到把它们聚齐了，我才后悔了。我对这些静止的兵器有种说不清的感情。尽管我知道天下已没有它们的战场了，它们只是一种战士的脚印，是一些过去的精神。像我一样，我也是一种过去的精神，或者我崇拜过去的精神！"老人说到最后，几乎是在长啸了。

单一海动容地看定老人："过去是一种感觉上的东西。其实只有历史才是动人的。"他扶住子老，"可你还是与它们生活在一起了。"

"我讨厌的只是那种感觉,可却无法拒绝自己的精神。所以,我保留了它们。"

"可它们是真的吗？"女真忍不住问。

"不是真的，它们都是假的。这儿的任何一件真品都价值万金，甚至无价可卖。因为有的已没有存留，仅是我根据图像设计而成的。"

"这些都是你托人铸的？"

"我以前研究过冶炼，懂一点铸造。以后每当有消息说在某处出土一件这种兵器，我必去观看，再与人合铸成样品，带回！"

"它们都集齐了吗？"

"没有。还有一种,我只在文献上见过记载,我想总有一天我可以找到它的。"

"你是说那支失踪的军队所持的武器？"单一海内心一动，下意识地说。

"只是一种假设，不过，是不是已不重要？"

"难道你寻找那支军队仅仅只为那把假想中的戈？"

"这只是一种附带的愿望。我寻找它们……哦，言归正传，那张图纸带来

79

了吗？"子老似被什么惊动，突然把话题岔开。

"你还没回答我的话呢。"

子老不语，半晌才淡淡地说："这个问题我现在不想再去说了，它是属于我的秘密。我可以自己保存它吗？"

"对不起，我忘记了自己不该打听一个老人的秘密的。"单一海掩饰着不安，把那卷图纸从衣袋中抽出，哗地铺在那些戈前方的地面上，指给老人，说："这就是那座古城堡。"

11. 骊靬古城

子老神情凝重。面对那张图纸，他的一双豆眼下意识地干缩着，凝成一缕极亮的光，定在那图上，再不动，仿佛在审视某种内心似的。渐渐地，在他的凝视中。房内静了下来。他半跪在地上，头上的白发在侧面闪来的光缕中，像一把白亮的光焰。单一海在这种倏然静下来的时间中，被老人的沉默抓紧了。他默默地盯着老人，把自己从他的氛围中抽出，远远地看着他的背影出神。

单一海看得出，老人被那张图给吸引了。他的专注本身就是对这张图的肯定，何况让一个老人能够默默地陷入到这堆干枯的线条中，简直可以说是赞美了。子老颤颤巍巍地从衣袋里摸出一把放大镜，用它罩住地图的每一个细节。仿佛在推敲什么似的，口中念念有词，偶尔闭目沉思……老人竟有半个小时把自己按在那张图前，并一言不发。

单一海走至图前："子老，你从中读出了什么？"

子老仿佛被从沉默中惊醒。他不看单一海，而是转身走至桌前，抽出一个卷筒，轻轻倾出。那是一匹一张报纸大小的布绢。那布绢已经锈蚀，上面的丝线有的已经迸裂，乱乱地摇曳着。他小心地把那张布绢放到单一海的图纸的右边相接起来。放毕，才轻声对单一海说："你能不能帮我核对一块地方？"他用手按住布绢，划出一小块标有"骊靬"的地儿。

单一海凝神细看，竟是一张绣在布绢上的地图。那图上标着密密麻麻的他几乎从未听说过的地名。他惊讶这图的等高和方向竟出奇的准确。只是由于绣的丝线变形与迸裂，影响了图的效果，不仔细辨析，几乎无法辨清。他顺着老人划出的标注着"骊靬"的地域读下去，竟有些吃惊了。那些山形竟那样熟悉，熟悉到了让他惊讶的地步。慢慢地，那些山成形了，那些河串成了一条熟悉的流线。他看毕，兴奋地对子老惊呼："这两块地方的等高仅差五公分，海拔丝毫不差。山和河也全部对上了。也就是说，我们找的这座城堡居然叫'骊靬'，我还以为它没有名字呢。"

"居然还有这样怪的一个地名。这似乎不应该是我们汉人取的吧！如果是我们取的，那它代表什么？"女真在旁边略表疑虑。

"就代表他们。骊靬是汉朝以前对西域的统称。严格地说，这是对古罗马人的专称。"子老从容作答，脸上已现出笑容，"惊人吧？我找了这座城五十多年。没想到竟然被你无意中撞上了。小伙子，你知道你撞上的是什么吗？"

单一海用目光注视着子老。

"是个大传奇呀，或者是一支军队。"

"你是说那支罗马军队果真就在这座城堡里了？"

"理论上是。你看过《汉书》吗？《汉书·地理志》载：汉置，西域骊靬人内迁居此，故名……"

子老流利地背诵，古汉语在他嘴里如水般流畅。

"我真不敢想象，他们到中国来干什么？还建了这么一座城，还有这么个华丽的名字，听起来真像是一种传说。要知道，我还是头一回听到这么个令人不敢相信的消息，并且还发生在两千多年前！"女真道。

"任何人听到这个消息都会感到可笑的。因为它太真实了，真实得都让人不敢置信。同时也因为它太遥远了，远得只是一些不可触摸的传说。没有人会对这种两千多年前的东西表示信任的。他们到中国来，仅仅只是因为他们是大汉帝国军队的战俘？"子老脸上蒙着一层神秘的光亮，眼睛仿佛要看透什么似的，一瞬间隐入一种向往般的情境中。

"可你信了。我觉得只要相信那些东西，似乎就会有许多出乎意料的发现，甚至连自己也会震惊。只是，这群战俘，真的太令人感到突兀了。可以告诉我们他们的来历吗？"单一海的内心隐藏着一种深深的冲动。

子老似乎早有所料地看他一眼。走至桌前，拿出一支雪茄，单一海迅速为其点燃。他深深地吸了一口，把身子放在那把旧椅子上，单一海和女真就坐在他的对面。

　　"公元前54年，中国历史上的西汉末年。世界历史进入了自己的少年时代——中古时期。远在地中海西岸，与古中国相去甚远的古罗马帝国，正在剧变与战争的笼罩中。克拉苏，这位与恺撒大帝、庞培同称'罗马三巨头'的新贵，亲政不久，就率罗马军队——据当时的资料称，有7个重步兵团、1支轻步兵、4000名骑士，连同辎重队在内总共不少于四五万人，侵入属于安息王国的美索不达米亚，并于次年向安息王国腹地推进。罗马人计划从美索不达米亚沙漠展开进攻，强渡幼发拉底河，并前出到底格里斯河，一举夺取前亚细亚。"

　　单一海听到这里，插上一句："这似乎应该是罗马人与安息王国争夺前亚细亚之间进行的安息战争吧！那场战争似乎最终以罗马人失败告终。好像那次失败的战役在卡尔莱附近。卡尔莱一役使罗马著名步兵的声威一蹶不振。"

　　子老微微看他一眼，似乎为自己的叙述得到了响应，而显出些许的快感："你似乎很熟悉这次战争？"

　　"是的。当时显赫欧洲的罗马陆军，就在此役中被打败，从此声威日下。我因为他们的失败而记住了这场战役。没想到，还会有机会重提。"单一海说。

　　子老微微点头，继续讲述："古罗马步兵当时横扫欧洲，名冠一时。只是他们在公元前54年4月底，在宙格马城附近渡过幼发拉底河后，却被安息一万骑兵引至无水的沙漠深处，并派出专门部队进行袭击，以疲惫罗马步兵。安息军队趁他们成疲惫之师，用卡尔莱做了罗马人的坟场，除了克拉苏之子率第一军团六千余人突围外，几乎全部丧生于此，惨遭歼灭。这次战役，给人留下了个旷世之谜。突围的六千余人，连同克拉苏之子，竟全部神秘消失，至于去了哪里，下落何在，在欧洲史上至今还是个难解之谜。可是，却在中国古老的《汉书》上找到了线索！"

　　"在《汉书》上？你是说《汉书》上记录了这支军队？"单一海再次惊叹。这种过于跳跃的叙述几乎让他快跟不上了。子老的身体板直着，两手按在旧椅的木把上，即使是坐着，也给人一种受过良好教育与某种专门训练的印象。单一海忽然想起，除了知道他是这个博物馆的研究员外，他还几乎对其一无所知。

　　"是的。据该书《陈汤传》中所记：汉元帝建昭三年（公元前36年），匈奴郅支单于奴役康居人民，攻略乌孙、大宛等，威胁西域。汉西都护副校尉陈汤和都护汤延寿发兵至康居，恶战数月，灭郅支单于。汉军在与郅支所属的战斗中，发现有一支善'夹门鱼鳞阵，讲习用兵'，在土城外修木城的外来军队很难对付。夹门鱼鳞阵，这种阵形，你在古兵书上见过吗？"

单一海略略羞赧："古代兵法和阵法我不懂。不过这种阵法倒是比较新鲜，似乎是步兵阵形。直觉上像是一种进攻包抄，包抄再进攻的样式？"

"你的直觉真好。这种阵法恰好与汉时阵法相差甚多。那时的阵法多用'八卦'、'玄武八斗'等，步兵夹杂骑兵，战斗队形较为保守。而这阵形几乎是全力向前滚进的冲击队形，而据考证，这种阵法正好是古罗马步兵最惯用的阵法之一。包括他们修筑城防的方式，几乎惊人的一致。"子老沉思着，"陈汤所部降服这支军队后，将俘获的军士收编，协助汉军驻守西陲。为方便他们的驻防和生活，据《汉书·地理志》载，西汉政府专门在焉支山下的一块地域，置一县，名骊靬，并筑成城堡。"

"可凭这一点线索就能证明这支军队就是那六千败军吗？"单一海竭力不让自己激动，"古罗马远在地中海西岸，到中国最近的距离也须穿越伊朗高原和雅典等十几个国家。可是这支军队还是成编制的败军，他们怎么可能越过如此多的国家来到中国？"

老人沉默片刻，似乎早已有了答案似的，继续自己的讲述："《汉书》上所记载的这支奇特的外来军队和欧洲史上神秘消失的古罗马人的相似之处，一直引起中外许多学者的关注。"

"哦，子老，能否问你一下，你是从哪一年开始关注这支军队的？"女真好奇地打断了子老。

子老看一眼女真："是六十年前。那时我在法国做访问学者，我的教授是个历史学博士。他当时写了篇论文，就是讨论这支军队的。并且他根据《汉书》上的这一线索，提出了一个惊人的推断。他认为这支会摆'鱼鳞阵'的奇怪军队就是罗马帝国远征军的残部，并认为这支残部在卡尔莱战役中逃脱后，一直在伊朗高原流浪。历尽艰辛，几经磨难，后被郅支单于收编成雇佣军，并保持了自己的编制，参与对西汉西部的劫掠和进犯，并初步推断出，该城旧址就在陇右焉支山左右。但具体地址不详。这一推断当时一经公布，即在国内外引起轰动。当时我很震惊，一个法国人，居然会关注这样一支很多年前的军队。"

"难道就因为这样的原因，你才开始寻找他们？如果我的推测不错的话，你放弃了许多的东西，只身蜗居此地，只是为了等待这支军队的出现？"女真有些急切地望定老人。

子老叹道："人的一生中总被许多宿命的东西给引导着，或者就改变了自己的一生。就像那些两千年前的古罗马人，他们在命运的驱使下，到了陌生的中国，却并不知道为什么一样。"

"我直觉并不是这样。这样等待本身就说明了一种决心。没有强大的信仰，我指的是与自己精神里某种相联的东西。没有它们，你不会这么久地去寻找一种东西的。你的寻找只说明了你需要，可他们只是一支失败的战俘呀！原谅我的莽撞。"单一海站起来。他被这种疑问给搅得浑身不宁。他发现自己在向老人发出这种疑问的同时，其实更像是在问自己。

"因为我曾经是个战士！"子老几乎在低啸了。他站起来，快步走到西墙前。那里有一张硕大的世界地图，几乎铺满了整个西墙，每个地名都有核桃大小。把如此大的地图放在自己的房子里，可见此人的雄心了。只是子老的个子过于矮小，他站在图前，仿佛是一个小小的影子。可这个影子很有气势。他的雪茄一直夹在自己右手的中间，半天不吸，只燃着一缕细烟，一如他的沉思。

单一海动容了，他咔地站起，双脚并在一起，几乎是下意识地用注目礼向子老望去。他一进房子时，就觉出子老身上蕴藏着某种狂狷之气。这种气势并不是随便就可以从人身上觉察到的。他似乎天生就是个军人，全身上下迸着一种老式的劲道，锋芒四射，却并不刺伤你。他也见过许多军人，但许多人仅只是衣服架子，形式上的刚硬。而那种从骨子里洋溢的军人气质却像珍珠般罕有。如果有，那么子老就算一个。他出神地注视着子老，几乎是惊叹了。子老，简直是一个军人的标本！

"子老，你是那种脱了军装更像战士的人，你似乎天生该是军人，我可以知道你四十年前，曾在哪支军队服役吗？"单一海热烈地看定子老。

"过去已不太重要了，还是忘记过去的好。哦，刚才咱们说到哪儿了？"子老挥挥手，收束住自己的情绪。他的脸上又是刚才那种无法捉摸的平静。

"那个法国教授的推论，听起来很大胆，也颇具想象力，但推断只是一种假想啊！"女真把目光疑惑地投向子老。

"现在就剩下了证据。这个推断的发表，当时就引起了公众和考古界的极大重视。人们都极力想找到这座古城。寻找这队神秘失踪的古罗马人，面临着许多新的困难。关于这支军队的记载，仅仅在古老的汉书上有极短的描述，并且再没有在任何史籍上有所发现。而寻找这支军队的关键就在于找到这座神秘的似乎专为罗马人修建的'骊靬'古城。据我所知，当时国内外至今，共有三十多个国家的专家组成过考古探险队，但没有任何发现。"

"你刚才不是说《汉书·地理志》上，曾记载了这座城吗？"

"是的。但仅仅只是十几个字，并且没有标明它的地理位置。到了隋代以后，这个县已被废除。至此，关于这座古城的记载也就此中断。这在严肃的《汉书》中，也是一次小小的不可原谅的失误。"子老吸一口雪茄，叹道，"许多史料似乎都很简洁，简洁到了只告诉了你来历，但却遗忘了结局的程度。就为找这座城，我在河西走廊待了三十年。几乎踏遍了这里的每块地方，可却每次都与它擦肩而过。几乎像是一种游戏。"

"刚才那张布绢图上，不是写明了这个地名吗？那张图的方位明确，而且注明了详细的河流、山川特征。"

"可恰好是这张图，忘了标明它的纬度。我查对过中国地图。把这块地儿放到中国全貌图上，几乎是一粒米。我不可能从一粒米中找出它的山岳和河流哪！何况此图是我上月才得到的。自从你告知我看到过此城后，我就隐约直觉它该出现了。后来我在整理一批刚出土的文物时，无意中就发现了它，像是某种暗合，可又太不像！"子老微微摇首。

"你终于找到这座城了。我真该为你高兴！"女真微笑着望定子老。

"不，我只是找到了它的方位。它还不是完整的，它在我的心中只是一个遥远的形象。我还得找出它们的脚印。知道吗？他们的脚印和遗址一样重要！"

"你想亲眼看看它？"

"是的。只有用脚踩在那片旧址上和用手摸摸它们。我才会相信自己看到了它。它才是真实的。你知道，我的寻找应该有一个圆满的结局。否则，它便是不完整的。"

"我有个羊皮囊，是在那片遗址附近的一个牧人那儿找到的。那个老人像你一样，被这片遗址感动。他交给我那只囊，上面画了许多神秘的符号和线条。那些图都被他画到了纸上，也许可以为你证明些什么。"女真望望单一海。

单一海把那张图纸从下面抽出，铺平在桌案上，示意给子老看。

子老没再用放大镜，只是概略地扫视着。仅片刻，他就惊奇了。"这多么像一个人对自己所走过的路的记录呀！这么珍贵的东西该是研究这个问题的人才配拥有，可却被你们得到了。不过我真的很高兴。因为到你们手中比到那些不懂它的价值的人手中要让人欣慰。历史在偶然中把钥匙恰好传到了二位手中，也真算是缘分了！因为你是军人，还有你。"他略停顿，仿佛想起什么似的，"还没问过你的名字呢，可以告诉我吗，中尉？"

"女真。"女真回答，同时站起来，微微欠身，"很高兴听你讲这么一支古老的军队，我都被打动了。"

"应该是骄傲。中尉们，还有什么比这种两千年前的传奇更让人惊叹的东西呢？"他神情激动，"你们也是第一个向我提出这种疑问和关注这支军队的军人。我一直期盼有人来问问我。三十年了，除了偶尔有学者关注我的研究外，几乎无人问津。我尤其渴盼那些军人来找我。有时我看到街上走过的许多战士、军官，我真想拉住他们，告诉他们一下这支失踪的军队。这样一支两千年前就被你们的先祖们给俘虏过来的战士。可是我等了这么多年，几乎快失望了，并且这个愿望像寻找这支军队的念头一样，被我自己藏起来了。而我就像这个想法，也被这个社会藏起来了。我几乎像个隐士，一直在等着这一天。一种非常可笑而又无望的等待。"

"我为你的寻找而感动。谢谢您。我以一个战士的身份谢谢你。"单一海感动地看着他，心被一种激情擦涌着，"我想邀请你，到我的连队去讲讲这座城，不，随便讲些什么都行！"

"我答应你。不过，我想去看看这座古城。我怕自己等不到这一天啦。我的论文也该完了。到了七十五岁时，才去完成三十五岁时写下的题目。这种时间跨度让人听起来就可笑。"子老站起来，拿起那只"嘶啵"，"这个玩意儿我制成后，只会吹一种调子。吹了十几年了，该有新的声音了，我想为二位吹奏，作为我的谢意！"

子老擎起那只"嘶啵"，双腮轻鼓，一股气自全身心凝到那只细小的孔中，立时一股粗涩的音线浮起。像阳光干裂时的剥剥声，继而又传出巨大的宽阔的风吹击的声音。

单一海和女真在飘拂的音乐中，悄然离去。

走出那间偏庙，站在屋外的阳光中半天不动，单一海的情绪在音乐如瀑的漂洗中变得更加亢奋和不安。老人吹奏"嘶啵"的声音仍在追踪他。每次与人谈话之后，他都会有这种情绪上的"失衡"。情绪失衡是因为自己被触动了，被另外一种思想给压下去了。这时他更加渴望与人交谈。因为他最不能容忍的是找不到一个对手，而对手太强大了他又被胀得难受，但这种胀满感让他有种无言的舒适。他变得更沉默了。

女真似又恢复了她的平静，她在旁边的树荫下，奇怪而含蓄地看他。单一海默默地走过去，示意她一起走。

两人都沉默着，直到越过大殿。单一海才仿佛不经意地说："你好像很压抑？"

"是的，听一个老人讲这么一个古老的传奇，一个下午都被压在一种陈旧的氛围中，我都有些透不过气来了。站在外面呼吸才感觉恢复正常。"女真瞅瞅旁边的玫瑰，并不停留。

单一海有些兴奋地看她："怎么可能是陈旧的气氛，我倒有种新鲜的刺激。这个发现简直会让历史目瞪口呆的，明白吗？如果这座古城中挖出可以佐证这支军队的实物的话，将意味着什么？"

"什么？"

"一个惊人的发现。而我，还有你，无意中参与了一段过去的历史。而这段历史与我们有关。"

"可那毕竟只属于过去，过去再辉煌也是过去的。我们重新翻出来，其实更像是一种怀旧，或者是一种安慰。"女真冷冷地笑笑。

单一海有些怪异地看定她："不，不应该仅仅属于过去。它应该属于真正的战士。真正的战士是不能忘记哪怕隐没在任何一点儿历史石头缝中的光荣的，即使它真的藏在石头缝中，我也会把它抠出来，擦干净，让它发出光亮。"

"你总是很富于激情的。"女真看他一眼，"可你看出没有，子老寻找那支军队有着我无法猜度的理由。可你呢！你寻找这支军队有什么用？"

"我……"单一海显然没料到女真会问这样一个问题。

"他老了，他甚至用三十年时间蜗居在这里，等待和寻找这支军队，你以为他真的会以此为终生理想吗？"

"你是说子老需要有这样一种东西支撑或者延缓自己的生命？"单一海声音颤抖着。

"直觉上是。你注意到他的忧伤了吗？他在接过那张地图时，你发现他内心中的恐惧了吗？你觉察出他对自己历史的回避了吗？"女真冷冷地盯视单一海。

"你说他害怕真的找到这座古城？"

"我认为是。他也许期待的时间太久了，等待已成了他的习惯。他也许想带着这样一种期待直到最后生命的消亡呢！但他确实没有想到自己会这么快就找到这座城。这座城出现了，他精神上的枯萎期也开始了。你知道吗？一个男人生命的消亡是从精神上开始的。"她抬眼看看身后，侧身捕捉那淡淡的音乐声，"他的吹奏已有了苍老的节奏和音韵，唯独没有了期待。"

单一海愕然：“你太残酷了，我不允许你这样想一个老人，他是个真正值得尊敬的老人。”

"其实我比你更喜欢他，我从女人的角度尊敬他。他是个在精神上吸引女人的男人。你知道他像谁吗？"她的脸忽然羞赧。

"谁？"

"哦。我忽然不想说他了，他永远留在我心中。"女真掩饰地说，"在很多时候，我总是无法真切地区分他。他们都太相像了，相像得连自己交往的朋友，也有着各人的影子。"

单一海沉默了。这时夕阳已完全坠入山后。城市处于黄昏前最后的暧昧中，到处是一片模糊的灰蒙。他们相互都用沉默触动着对方。单一海偶尔用余光注视女真的背影，他越来越惊异于她的直觉了，她的直觉总让他有种无言的压抑，或者不断地碰疼他。良久，他才缓缓地说：“这个人我已猜出来了。”

"谁？"这回轮到女真诧异了。

单一海淡淡一笑。“我也把他放在心中。不过我敢打赌。我们猜中的肯定是一个人。”

"谁？"女真坚持地看定他。

"我！"

"我知道你会猜出来的。"她似乎犹豫了一下才说，"你明白我的意思吗？"

她的脸隐在黑暗中，单一海看不清她的面目，甚至嗅不到她的呼吸。他的声音颤抖着："你对我也这么热衷地参与寻找这样一支失去历史的军队，表示怀疑？"

"我觉得你身上有太多的不实成分。你是个被幻想吸引着前行的人，有着过多的个人冲动。我有种感觉，你对你的工作不满，或者是对自己不满。你也许想唤醒你的连队身上那股已经疲惫的战争精神。我猜得不错的话，你至少想为你和你的战士们，找到一种遥远的精神！"

单一海有些艰难地望着她："谢谢。你对我理解这么深。只是，我没像你想的那样复杂，每个人都该给自己的理想找到一个容器，或者至少是一种寄托。我同样需要。"

"所以你与子老一起让我有些悲壮，或者伤感。知道我当时如何想吗？两个失志的男人。一个是因为丢失了以前的一切。子老肯定有过巨大的辉煌，也有过痛彻肌肤的失败，所以他选择这样一个传奇，来弥补自己。而你呢？"她把目光投向单一海。

"我想听你说出来，你总是可以清晰地看透我。我很悲哀，看清我的不是我自己。"

"你的骨子里更接近西部这块土地的本质。从你自愿到西部来，就证明了你的失落。你是个在精神上向往战争的家伙。可你生不逢时。你手中有枪，却没有敌人。你的敌人只是那些遥远的幻觉。你拥有战士，却没有发动战争的权利……所以，你研究一切的战争，只是在别人的胜利中充当了一次赝品，或者品尝了一次别人的胜利。"

"可你还没讲我为什么要寻找这支军队呢？"

"我刚想讲，可我对你的感觉是零碎的。只有零碎的感觉才可以组成你。你以为自己是在不知不觉地进入这种寻找中的吧？实际上你早就开始了对这座古城精神上的侵犯。你不自觉地研究它，只能说明你什么也没有。你渴望在找到这座古城堡主人的同时，寻找到自己以前一直渴望的东西。"

"听上去简直像是一个病人。我真的不明白你会说出这样的话。以前我一直以为你对这座古城与我一样感兴趣呢。原来你只是个路过者。"

"奇怪了，是吗？我只是好奇。我以前一直搞不清男人与女人的区别。可今天听完子老与你的叙述后，我终于看清了自己。女人对一件物体的兴趣是因为好奇。而男人是穿过好奇，把那件东西打碎，变成个人的。"女真几乎有些伤感了，"你是男人，而我是女人。这就是区别！"

"可你是军人！"

"我只对自己的军事职责产生兴趣。"女真默默地看定他。她的脸色在暮色中唰地凝重了。

"战士应该铭记战士的一切呀！不论是他的光荣，还是耻辱！"单一海激动地低叫，"我不可能在这样一种巨大的荣誉面前安静，任何人也不会。我一定要寻找到他们。只是，我现在有了一种深深的恐惧……"

此时路灯唰地刺透了暮色，女真望着他的眼睛闪着琥珀色的光泽："为什么？"

"我怕最后这一切不是真的！"

女真理解地低语："那比一次真正的失败还会打垮你的自尊心。我有种直觉。这一切不会是真的！那些古罗马战俘更像一种故事中的影子。"

"你不相信子老的推断？"

"我保留个人的看法。"

"可我们已看见了古城堡，那些地图，还有更多的史料！"

"那座古城堡将永远被我珍藏在记忆中。我被它震撼，只是一种印象上的。我喜欢一些残缺的、带着古旧光芒的东西，可却不会在乎那儿曾住过什么人。有时候对一个地方了解得太深了，反而使这个地方在自己的心目中越来越模糊。"

"可传说才是一个地方的深度哪！我不喜欢没有传说的地方。知道吗？那个古城堡如果缺失了这些传说，将会一文不值！"

"就像你的西部生涯故事，如果缺失了这种传奇，也会黯然无光吗？"

单一海有些慌乱："你今天怎么如此尖刻！你今天真不像你了。"

女真仿佛被击中似的，半晌才淡淡地说："对不起。不知道为什么，我有些激动了。"

"不，我感觉你在掩饰什么，我敢断定，你在试图保护一种东西。"

"什么东西？"

"以前的你！"

"我？"

"对，你这样尖刻地对我，实际是在对你说话。你越在否定别人，其实只

90

是在否定自己。"

女真吃惊地站在路过的干河桥上，有些呆呆地看单一海："一海，我有种感觉，我们俩越来越相似了，相似得让我害怕。你知道吗？我经常从自己的身上读出一些陌生的东西，这些东西不是我的。"

"所以你害怕它们，是吗？"

"不，是在挣扎。我希望可以克服掉这种东西。你知道，我们是普通朋友。"她望定单一海，坚持着，"只是普通朋友！"

"当然。"单一海抬眼望她的侧影，不明白她为何突然伤感起来。更令他吃惊的是，她怎么说得如此突兀，"我们还是好朋友。"说完，他无言了。两人快步向前走。刚才他们散步走时，已过了班车停靠站点。此去离营区还有十公里。

单一海轻声对女真说："我们得走着回去了。十公里，你能行吗？"

"没问题。我也真想这样痛快地走走，长距离走动让人心里舒畅啊！"她望着前方，轻声叹息，"有时还适合想心事。"

单一海异样地看看她，低语："走吧！"转身向前走去。一路上，他始终走在前面。头向前耸着，走得不紧不慢，仿佛一个人似的，身上写满深深的孤独。

女真跟定他的背影，并不超过他。两行单调的步子，默默地敲碎夜色的寂静，一直到暗夜的深处。

单一海被身后的脚步打动着，他忍不住回头，看到女真孤独的模样好动人，月光披满她全身，不由得轻声说："今晚月光真好。"

"是吗？"她抬头望望月亮。那轮月亮如同冰盘，挂在树梢儿上，幽幽地注视着她。她有些喃喃地说："其实真想永远看见这轮月亮，永远这样只在这种气氛中。"

"为什么不可以永远像今夜？"单一海热烈地看着她。

"为什么？"她喃喃了，"我也不知道。也许永远不会有答案的。"

单一海无言了，女真的话令他深深惆怅。同时他有些诧异，她今天为何突然变得如此忧伤？

12. 胜者的败仗

邹辛在梦中听到叩门声。

她推开门,看到爷爷满脸阴沉地站到门口,他不看她,只是说:"院里那堆沙,是谁堆的?"

"哦。"她的睡意顿时全无。昨晚真是太累了,她一觉睡到天亮。这会儿她有些不好意思地冲爷爷笑笑。"是单一海呀!"

"单一海,就是那个小军校生?"爷爷满脸狐疑,看她一眼,"快起床吧,太阳都一竿子高了。"说完,又似乎考虑什么似的,把手背在身后,来回地踱着步。踱着踱着他竟又回到了那堆沙前,低首垂视,之后就再也没动静了,似乎已经浸入到了那个沙盘的意境里去了。

邹辛看看他的背影,不再言语。昨天晚上,他很晚才回来,回来后竟一语不发便睡去。今天这么早又起来,爷爷肯定有心事。邹辛知道他的习惯,只要心中有什么事,他总是会被胀得满满的,再用散步、沉默啦什么的慢慢消化它。

可令她有些吃惊的是,他竟看到了这个沙盘。更令她吃惊的是,她看到单一海早就起来了,捧着一本什么书,坐到阳光中,默默地读。但邹辛感觉上他不是在读书,倒像是在用读书掩饰什么。这时她想到昨天他的那些怪论,心中竟泛起淡淡的隐忧。这样两个男人到了一起,简直是太可怕了,她有些短暂的惊慌,同时又有种期待。凭直觉,她觉得单一海会去找爷爷的。并且,他们的争论也许会十分独特。她又一次回味他的那些话,仿佛回味着一种心情。自己心下竟渴望单一海走过去,与爷爷说上句什么。她觉得,爷爷挺孤独的,他也许需要个对手,不管是谁。

她转身返回屋内,简单梳洗之后,重又走出来。爷爷和单一海不知什么时

92

候，都站到了那堆沙前。他们仿佛在沉思什么，都不说话。但邹辛觉得，他们的沉默其实只是一种表情，他们用沉默相互抵触，是因为他们同时面对着这样一堆黄沙垒就的遗址。她远远地坐在他们的沉默之外，装作读书。男人之间有时会因为女人的在场，而削弱许多对话的质量，或者说隐藏起许多的东西。因此，她只用目光偶尔加入到他们中间，去抚摸一下他们的表情。感觉上，她已远离他们。

果然，爷爷打破了沉默。他用手指着那堆沙低语："这个沙盘质量上乘，至少是专业参谋水平。我推测，你在军校学的是初级指挥专业，但你却比你的专业更进一步。你练习了许多你自己的功课？"

单一海似乎预料到爷爷会问，把眉一挑："那点儿东西我只消用三分之一的精力去消化它们，初级指挥专业是最基本的军官形式，我本来已考上了本科生，可我不想越过这一课。所以我只上个大专。"他的语气平缓，仿佛随便说什么似的，轻轻地就把这么个让人震惊的意思给抛了出来。

"你野心不小，小子，你今年多大岁数。我想是 22 岁吧！感觉上你的雄心已不止二十二岁啊。我二十二岁的时候，哦……"爷爷忽然缄默不语。

"你二十二岁的时候已经干上了连长，那会儿，你已经用枪至少毁灭了十余个真正的敌人。"单一海略带些怅然的神往。

"你小子对我了解挺多的啊！这些天，我老见不到你，还以为你对我一无所知哪。"爷爷哈哈大笑，连空气也跟着颤了几颤。

"当然了，你是中国少数几个在对日军作战中取得过辉煌胜利的老将军之一。光我学的战役学，就有好几个战例都是以你为主首创的。如果不见到你，我会一直把你遥远地当成一尊神的。"

爷爷有些开心："你爷爷如果健在的话，他还会有更多的战例供你研究的。"

"你与我爷爷在我心中永存。"稍微沉默，单一海有些动容地说，"可有一个战例，我永世不忘，也没办法忘掉。"

爷爷一怔，用手一指那块沙盘。"你是说韩略村的那次战斗吗？哦，我早就盼望有人给我讲讲它。可认识我的人，都似乎忘了这件事。可我知道他们都记着哪，永远都记得哪！他们只是不敢说罢了。我知道你会说起这件事的。昨天晚上我回来见到这块沙盘时，就想把你叫出来。"他激动地跺一下脚，要踩住什么似的，望着单一海。

"那场战斗我爷爷不该死，他不应该在那次战斗中死去，可他死了。在一场不必要的战斗中死去，这正是我的伤心之处。"单一海不看爷爷，只把头偏转过去，眼神示意着院中那棵大树，仿佛是对着某种意境说。

爷爷脸色一变，沉默了，他坚持着沉默。

"我是十七岁开始看到爷爷的故事的，是在一本传记上，我也是从那上面看到了你的名字。我爷爷牺牲在家门口，对他也是一种安慰。我是从十七岁才回到范村的，此前我一直随父亲在城市生活。那年我看了那本传记，就想回来看看。你猜，我看到了什么？"

爷爷嘴角一动，仍不说话，只用眼神鼓励他向下讲。

"我一看到爷爷牺牲的那个地方，就有种直觉，这场战斗是败仗。可那时我不懂什么是战争啊！我连最基本的战斗队形、伏击什么的，都不懂！可这个事弄得我心力交瘁，我总对自己不懂的事发生兴趣，而这种不懂往往会使我爱上这种事业。那年冬天，我一直在翻各种军事书籍。冬天过去后，我发现自己已经沉浸到了这里边，无法自拔。我告诫自己，从那天开始，我将以军人为终生职业，所以，从这一点上，我永远地感激你。"

爷爷抑制不住地涨红了脸："那次战斗不应该是败仗，至少是我们打扫战场的，而不是那些鬼子。"

"刚开始我也以为那场战斗是胜仗，可三年后，当我重新审视它时，我对那场胜利产生了怀疑。"

"你太感情用事了，虽说你爷爷牺牲了……当然，我理解你。"邹辛远远地看过去。哦，爷爷终于愤怒了。他总是顽固地坚持着自己的意见，即使他心底里承认了，也要自己说出来，而不容他人评述，他无法战胜自己的自尊心。

"不，与我爷爷无关，我爷爷牺牲得很光荣。"单一海涨红着脸，他有些仰视地望爷爷，"刚开始我还有这样的感情，如果不是在军校熏陶过两年的话。可现在我只在乎，这次战斗为什么会变成这样的结局？当时日军是一个中队，476人，辎重武器精良，而我们伏击的是一个团，占尽了天时、地利、人和，虽说因当时战斗减员，仅有500余人，也在人力上占有优势。可那次胜利的结果却是：日军死伤267人，我方死伤302人。"爷爷稍微怔了一下，似乎未料到单一海会有如此精确的资料，他有些喃喃地说："那只是你的感觉，那次战斗我们的确是胜者。这一点，连日本人也承认的。"

"可从现代战争观点看，只有取得绝对杀伤效果的战斗，也就是说，只有实力上的过度不平衡，才可算为胜者，而我方付出了超过胜利的代价。所以，我悲哀地发现，我爷爷死在一次失败的战斗中。"

"你研究这些就为说明这是一次败仗吗？"爷爷低吼着。邹辛看到他那种面对下属时的硬脆和凶凶的神色又漫浮上来。

"当然不是，我只是心存疑问。这个战例，除了爷爷的因素外，我尚有许多疑点。这些疑点想通了，也许会使我对战役的研究有另外的意义。当然，不瞒您说，我选了中外一百个战争史上的败仗，把自己扮成当时的指挥员。我身处他们的角色，在沙盘和心理上把当时的战争重新推演，我觉得都不是难事。因为我是站在他们的弱点上打仗，所以我总是胜利。可当我拿到这个战例时，却一下子有些拿不准了。我最大的疑惑是，我无论站在何方立场，战争胜负的实际效果总是不出其左右。所以，我心里佩服您了。我觉得，这场失败，即使失败，也是一次了不起的失败，何况形式上还是你赢了。"单一海滔滔道。他的雄心随着语言在院子里弥漫，似乎天下都在他的雄心里变小了。邹辛有些惊奇地被吸引了。她手中的书早已掉到了地上，也似无从察觉。

爷爷从刚才的不快中拔出，轻轻地问："你在你推演的这次战斗中扮演谁？"

"你！"

"哦，站在我的位置上，你会怎样打这场仗？"

"我会比你更惨，也会把自己搭上去，甚至不如你。说真的，我不欣赏你的方式。可现在那种方式只会像一些传奇一样稀有了。我试过用你的方式去打这次仗，可我根本就不是对手。当我用另外的属于我们这一代的方式去推演时，我发现，我不但可以赢那些日军，还可以赢你。"

"哦？"爷爷兴趣很浓地看他。现在他们已不再看那个沙盘了，而是在互相欣赏对方。

"我将不在此地设一兵一卒。我假设，仍定此地原形，我将在此域上空埋伏一支陆战直升机大队。我观察过，韩略村位于霍山右麓，天上常年浓雾覆盖，我的机群将在雾中等候。"单一海侃侃而谈。

"可那时恰恰没有这些飞机呵……"爷爷半是长叹半是抑郁了。

"所以那次战斗只能是肉体与肉体的相抗了，谁强蛮谁就会胜利，全凭个人素质。我爷爷素质不如对方，那个砍死他的军官，恰好是个空手道高手。我爷爷只是个农民。"单一海面无表情地说，继尔一怔，"谢谢您！从见到你的今天开始，我将再不会去研究那个战例了。"

"可你还没问我的想法呢，小伙子。"爷爷已经是在微笑了。

"也许不用了，与您交谈，我自己讲得太多了。可我庆幸在与你交谈的过程中，我自己在不断地肯定和明白一些我久研不明的问题。也可以说，是你启发了我。"单一海的小脸上又恢复了往日的灿烂，他的变化令爷爷和邹辛都有些措手不及。

爷爷轻轻拍拍单一海的肩，单一海顺从地与他一起向前走，聆听他说："小伙子，你知道我想起谁吗？"

"我爷爷！"单一海站住脚。

"是的，你知道吗？"他轻轻地对他耳语，"你像我。大胆死、死大胆。狂人一个哪！可是我恨你。"说完仰天微笑。

"为什么？"

"因为你比我年轻，我无法战胜年轻。所以，我是失败者。"他一脸迷茫，"昨天我是最后一次看那块战场，你以为我良心不安吧？错了，我是去缅怀我的勇气和青春，也去嗅嗅那些比我先死的人的腥味儿，包括你爷爷。"

单一海怔住了，他以为自己战胜了这位老人，可这位老人根本无视失败。他的心目中没有失败，所以他永不言败。意识到这一点，他有些愤怒了。可却又不知怒从何起。所以，他木在那儿，呆呆地看着他向门外走去。

他的步子忽然间沉缓下来，单一海有些感动地笑了。他看出，老人终于被他的话击伤了，因为他的背影一瞬间老了。

邹辛缓缓走过来，认真地盯视着单一海："你答应过我，不去与爷爷谈这件事的。"

"是的，可我不与他谈，他会更难受。"

"可你去找他了，你故意接近他。"

"我是说了。所以，他的难受并不属于那次战斗了。他难受只是意识到，他自己老了。"

"你太残酷了。"

"你是第二次说我残酷了，我是个战士，我将终生保护残酷。"单一海转过头，看定邹辛，"就像要爱一个人一样，我只爱她的一样东西。而我呢？只爱自己的个性。"

邹辛愕然，默默地盯视他片刻，转身去追爷爷。

单一海冲她的背影喊道："我今晚将返回军校，我以后可以给你写信吗？"

邹辛狠狠地回过头，恨恨地低语："不……"

邹辛是在半个月后收到单一海的信的。不知为何，一看到信皮上那几个极丑的钢笔字，她竟有些莫名的激动。尽管她坚信单一海会给她写信的，她有这种直觉。可当单一海的信写来后，她还是有些小小的惊喜。她把信揣入裤兜里，佯装镇静地向校园深处的竹林行走。邹辛有些奇怪自己的感情，她还从来未有这样认真地要为读一封信，而去寻找一个环境和心境的时候。

她选择一块石条凳，这时正好是中午，恋人们到黄昏时分才会出现，所以这里的静让人有种心惊的舒畅。她摸出那封信，再次仔细端详那个信封，他的字像他的人一样丑。看那些字时，她总是可以清晰地看到那张脸。她一想象，那个人便像一个浪头扑过来，让她心惊。她用力挥去那个念头，撕开信。天，这个信写得真奇怪，是用几张不同形式的纸写的。他说："我不会写信，可有时候想起你，我就随手在纸上写下这么几句话。有的是瞬间感觉，有的是我自己的一些想法，这里面的东西有一半是写给你的，还有一半是写给我的。把写给自己的东西寄给你，是因为我觉得这些东西太妙了，我不想一个人享受。你可以理解我，所以我把它们也给你。"

邹辛翻阅着那些卡片式的短语，深深地陷入了进去。这个家伙真敢写，也真敢想。她看到单一海在另外一片纸上写的一句话：今日上课，无聊。信笔在纸上写出"邹辛"二字，是为什么，存疑？她有些吃惊了，同时有些微微的得意漫上来，信笔写出我的名字，证明我给你的印象太深了，傻瓜。眼里竟溢满淡淡的温柔。她像跟一个人对话似的，逐条回答和揣摩单一海的心情，竟像又一次跟他说话，心里哗哗地似被擦洗了一次，清爽起来，明明亮亮的连自己也变得仿佛拥有了那些奇怪的念头一样充实。

竹园里的风漫浸过来。邹辛忽然觉得，这信名义上是写给自己的，可却又与自己没有多少关系。她只是看到了一些奇异的想法，可这些想法只是单一海的呀！他也许整日里被这些念头给憋着或者激涌着。一个人被各种念头给充塞着也是一种难受！他也许太需要一只耳朵了。可在没有一个可以倾听并理解他的思想的耳朵的时候，他要的也许是一双眼睛或者一个精神上的容器。他被那些东西压得太沉重了，就挤出来给她一些。他轻松了，却把那些东西甩给了别人，邹辛有些悻悻地想着。她坚信自己的判断，她似乎对单一海太了解了。可不知为何，想到这一点时，她竟有些淡淡的失望。他也许只要一双眼睛呀！这时，她对他竟有些恨起来。这家伙还是像只小公鸡一样，抖擞着精神，连写信也挺着胸脯。她想着，同时把信折起，起身往回走。在走出竹园的幽静时，她决定了，不给他回信。让他的高傲见鬼去吧！她也保持着高傲，只有高傲才可以打败高傲，她再一次想。脸上流露出凄凄的悲壮。

单一海似乎并不在乎她回不回信，照例每周寄来一堆各种卡片式的东西。似乎他只是在定期履行一种手续似的，把自己一些偶尔的思想原样奉上。邹辛从这些东西中，了解着单一海。她很快发现，单一海从来不屑于在信中写一些什么琐碎的细节，他只是在写自己的精神。即使偶尔的事实，也只是因为它让单一海的思想发生了变化。仿佛仅仅是一些思想上的颗粒，但很贴切地凝固了他的想法。邹辛刚开始还有些深深地厌倦，甚至讨厌。有一次，她故意把那信放在床底下，不读它。她躺在那些信上，仿佛躺在他的思维中，她抵御着读它的念头。可越是不想它，那种欲望就越是强烈。后来，她还是在半夜时分取出它，走到月光下，读完了他的信。内心才稍微平静了下来，可又立即被信中传递过来的思想给刺激着。她坐在月光中，终于明白，她已无法抵御这些信件了。这些信像他一样，硬生生地闯进了她的生活，甚至影响着她，并且已成了一种习惯，一种精神上的习惯。

每周一，她都会准时去收发室，取回那封印着红色军邮戳的长牛皮信封，然后整整一天沉浸在他的气息中。她被他的思想给抚摸着，感觉到整个人就像又与他相偎在一起，互相被对方刺激着、打动着。她在这些信中，逐渐淡漠了他的形象。那些真实的容貌被他思想的俊秀给替代了。她常常把他的思想当成了他。那个真实的他，她反而忽略了。

但她坚持着不回信，她觉得这样倾听他一个人的独语，像看一面镜子，一面男人的镜子。这面镜子虽然孤独，却恰到好处地映着她的面孔。重要的是，她觉得这人虽然孤独，却智慧。后来她猜测，他也许太寂寞了，寂寞到了只有写信向她倾诉，才可以安宁的地步。她时常可以想象，他像一头暴怒的狮子一样，把自己按在纸上，低低地咆哮着的样子，因为她总是可以从信中读出他的愤怒和气息。不过他太狂傲了，狂傲到勇敢地把自己的思想交给一个女人的地步，并且不管这个女人是否有所回应。

一个孤独地怀抱着众多理想的男人，需要的听众竟是女人。

只有女人，才可以让他们平静下来呀！后来她又否定了这样的想法。只有女人，才可以激发起他们更大的狂傲和孤独，她忽然为自己感到一种深深的不幸。

自己竟真的成了他智慧的滑板了吗？

她在这种胡思乱想中澄清自己。每次思考过后，她都觉得自己越来越冷静，也孤独了，这使她有些淡淡的难过。她时常发现自己是站在他的基础上孤独的。

他的信戛然而止是在三个月后，仿佛三个月前一样，他主动把信抛了过来。三个月后，他又不再写信了。邹辛在周一取信时，第一次没拿到。那一天她整个人都变得有些枯萎，她发现自己离不开这些信了。他的信像一种激素，她觉得一直被这些信推动着向前，她可以靠它来支撑很长时间，现在它们忽然消失了。她像丢掉了一种习惯似的，茫然了。

第二周，第三周，一直到一个多月后，单一海的信再没来，邹辛就在这种等待中枯萎着。后来她发现，她那样地渴望着他的信。她已离不开这些信，离不开他了。意识到这一点时，她发现自己似乎有些喜欢这个家伙，同时想自己也许太过分了，居然可以三个月不给一直写信给自己的男孩子回信。这本身就是她的态度呀！也许她认为不是。可他呢？意识到这一点，她有些惶恐了。她忽然决定，写信给他。告诉他自己喜欢他，他必须写信来。

信写好投进邮筒时，她仿佛把自己交出去了，不安了许久。她呆呆地看那个捡信的职工把信捡走后，觉出一阵心疼，她已经不属于自己了。她将被单一海检阅，像她审视他一样，来回咀嚼。

可单一海仿佛消失了似的，邹辛的信寄出去很久了，仍不见回音。她的自信随着时间一点点地被毁坏、消解。她已经开始在等待中憎恨他了。这种憎恨在心里憋久了，忍不住就写到了纸上，写到纸上，还不解恨，她竟像单一海一样，把那些纸扔给了他。她知道他面对那些感觉肯定会像她面对他似的，又吃惊又难受，到最后不得不承认和消化它。

吃惊的居然还是她，单一海仿佛没出现过一样，根本不回信，也不解释，甚至她打过去电话，那个队里一个粗浊的声音居然说他不在，并且告诉她，不允许军校生接地方电话，尤其是女士的。她几乎愤怒了，这样的决定在大学里简直像笑话，可在军校里却是纪律。她彻底气愤了，但她的气愤却没有对手，因此就很像一个人闹情绪。于是在各种猜测中，她变得忧郁了。

她第一次陷入对一个男孩子的思念中，并且连自己都觉得有些莫名其妙。她一直在内心想象着他的信，尽管收发室天天没有，可她直觉他还会写信来，并且一定会。于是，她就揣着这种想象，整天忙来忙去。内心里有个挂念和想头真充实啊，她甚至已经习惯了等待。

等待使她变得沉重起来，在这种沉重中，日子一滑就到了寒假。她离开校园的最后一天，去打开信箱，仍不见他的信。她有些怅然地在车站上写了几行字：丑小子，我已返回海边。你呢？然后用电报拍向他的军校。

然后，她独自踏上当夜的火车，回家了。

邹辛骑上单车，拼命地往海边踩。她从没这样惊慌过，脑子里混乱却莫名地惊喜着。刚才，也许是十分钟前吧，她正慵懒地坐在电视前看一台昨晚的晚会，那晚会虚假地嬉闹着，她看得有些难受与无奈，头脑似被一些什么东西充满却显得空荡荡的，令人难受。从一回到家后，她第一次觉出了孤独，即使与家里人在一起，也觉出内心深处的空荡。她竭力用各种事让自己忙碌起来，可一闲下来，却反而是更深的孤独。这时，电话铃响了，她抢先去接。这几天，她变得越来越爱接电话，尽管有百分之四十的电话不是他的。她有些烦地喊："你找谁呀？"

电话中传出一个坚定的男低音："我找你。"

"你是谁？"她奇怪地问，觉得那声音既熟悉又陌生，但却一下子想不起。

"单一海！"

"你……"她呆愣了片刻，内心中唰地涌起一阵激流，她的声音都有些发颤了，"你还好吗？"

"好！你呢，也还好吧？"

"嗯，不好……"她忽然觉出一阵委屈，眼旁两行泪水簌簌下滑，"我的信收到了吗？我指的是全部的信件！"

"收到了，一共二十七封信，我都打上了编号，真精彩，像你本人一样精彩。"

"可你为什么不回信？"她咬着牙，"你真心狠！"

单一海似乎沉吟片刻：“我都写好了。”

“那你为什么不寄给我？”

“我想亲手带给你，也许会更有意思。我想亲眼看一下别人坐在我面前读我写给她本人的信的样子。”

“可那要等到什么时候呀！”邹辛有些气恼了，这个古怪的家伙，竟轻易用这样一个理由，就搪塞过去了。

“不用等很久，三十分钟后，请到鸭嘴海滩来，我会当面交给你。”他的语气平淡。

“什么，鸭嘴海滩？你现在在哪里？”邹辛吃惊了。

“我现在就在你家楼右边的亚细亚饭店。”

“你来干什么，出差？”

“不，是来看你！”他热烈地说，“我不再讲了，我现在已等不及了，我要先到海边去，我还没见过海呢！”说完，他把电话撂了。他可真坚决，住在她家的楼旁，不先来看看她，而却先去看什么海。她有些气愤了，他分明是来看海的吧！她记得他说过他没见过海，难道海真的比我更重要？也不问问她会不会去。邹辛气恼地想。但她甚至来不及想是否去，就已经穿好大衣，向楼下走去了。

鸭嘴海滩是这个城市最好的旅游沙滩，上面像金子一样覆满了一层细细的沙子，又柔软又舒服。虽是冬天，海滩上仍聚了许多的游人，他们都散漫地走着，似乎都在散心。她站在岸滩一只翻扣过来的船上，向人群眺望，只远远地一望，她就看到了那个孤独的影子。他站在很远处，面对着大海，似在沉思，他的沉思似乎逼走了许多游人，他的周围竟奇怪的一片空旷。

她静静地靠近他，他面对着大海，似乎呆住般不动。他一直没有移动一下身子，就那么深情地看着面前波涛暗涌的大海。冬天的大海显着一种苍老的颜色，温暖地漂来漂去，一个小浪一个小浪地追赶着。他瘦了，脸色更黑，头发根根立着，显得又奇兀又坚硬，要刺开什么似的。她奇怪自己在见到他的一刹那，竟没了那种想象中的喜出望外，一切平静得令人惊奇。她奇怪地揣度着自己。这时她看到单一海的脸上竟然涌动着泪水。他似乎抑制着自己，不让泪水汹涌。可当那几滴泪闪着晶亮的光，掉到沙滩上的时候，她还是震惊了。她没想到单一海如此容易动情，以前还以为这小子一定狂傲得甚至已经忘记了哭的感觉，却没想到会亲眼看见他落泪。

她轻轻递过去手绢，他仿佛知道她早已站在身边似的，接过来，轻轻把眼泪抹去，然后，仔细地看了她一眼，仿佛征询意见似的，把它放进自己的衣袋内。这一切做得既从容又温馨。邹辛忽然很感动，两人用眼睛打着招呼。

"你什么时候来的？也不给我打个电话。"

"来不及。我接到你的电报，就赶来了，我喜欢让人惊喜。不过，是不是让你意外了？"单一海稍微收敛自己的情绪。

"有一点，不过意外的是你的泪水，我很奇怪，你是第一次见到海吗？"邹辛抬起眼睛，注视着他。

单一海把脸转回大海，忧伤地说："是呀！海一下子在我面前时，我几乎不敢承认。我几乎要惊呆了，这坑水真大呀，我觉得自己一下子呆了，我从来没在任何东西面前折服过，可见到海，我一下子就觉出自己的渺小、无力。我害怕同时惊讶于自己的渺小。你知道吗？认识到自己的渺小也是艰难的。"

邹辛有些惊讶地注视着他的忧伤，她从未见过一个男人会因为意识到自己的渺小而落泪，而单一海落泪了，并且是为自己。她有些不知所措了，呆呆地看他。

"你知道吗？我面对大海还想起了什么？我下意识地掬起一捧水，可它们太苦了。整个儿一大坑，全是苦水。知道我有多震惊吗？一个盛满苦水的物体，它将不再怕任何狂烈风暴。任何大怒大喜，已对它不起丝毫作用。大海，其实就是一个真正的历尽生活的智者，一个被苦水泡大的人，还有什么苦涩可以击倒他，让他一蹶不振，成为一个失败者？"

"你似乎总有许多新奇的感受。"邹辛幽怨地说，"好像你只是来看大海似的。"

"不，不是，我只是抑制不住自己。我太好激动，不过能让我激动的东西太少了，所以，我放纵自己的激动。"他有些歉意地望着她，"我见你的愿望比见大海的愿望强多了。"

"可你还是先来看大海！"

"我没见过海，可我喜欢海。我来的时候，想象过我们的见面。在你家里，我将十分拘谨，三分之二时间得给你家人，三分之一时间才会属于我们，倒像是去看你家人了，主题也不明确。后来我就想，还是到海边来吧！在海边等于我一下子实现了两个愿望。可以见到你，还可以见到大海。"单一海热烈地望着邹辛，"可我还是先被第一个愿望给惊呆了。"

"你真的爱大海？"

"当然了，很小的时候，在我还没听说过海时，我就梦见过这样一片大水，那时我还奇怪这些水是蓝的。后来在电影上见到了，我才恍然大悟，天哪，竟是海，可却一直无缘见到。这是我生平第一次看真正的大海，可我看了这一切以后，还想起了另外一片海！"

邹辛微笑着鼓励他往下讲，听他那些鼓涌着怪味道的谈话，真过瘾。她再次发现，她喜欢把自己放在他的话语中，就像放在浴室的莲蓬头下一样，被他的思想冲刷着。

"还有另外的海？"

"对，是戈壁海。我没上军校前，在那儿当过两年列兵。每天早晨，我都喜欢站在山坡上，望那片戈壁。那戈壁真巨大，空阔的旷野上，风声像一个个大浪，可是她却沉默着，我常常在瞭望中就把自己也融进去了。所以，我更多的沉默是那片戈壁给的。我一沉默，就想到了那片戈壁。"

"一见面，就听你滔滔不绝地讲大海，倒让我这个在海边生活多年的人脸红，没想到你有那么多的发现。"稍停，她直直地盯视着他，"感觉上你与我分手时见到的那个人，一点儿也没变，还是老样子，只是比以前瘦了，也更偏激，更爱指点江山了。"

"是吗？可我不会改，爱激动是我的优点，我不会像别人一样把它像缺点一样剔去，一剔掉，我就不再是我了。"单一海笑嘻嘻地迎着她的目光，"不过你可变了呀！"

"我哪儿会变呢？要变只能是你看人的想法变了。"

"是变了，变得美了，还多了点儿忧郁。知道吗？忧郁才是女孩最佳的美容品，你有了这种气质上的美容品，更让人动心了。不过是在什么时候变得让人陌生和凶巴巴的了呢？"他故意叹息着。

邹辛被他的话说得更忧郁了，她的忧郁在别人的赞美中，才越发像忧郁："其实，变的真是你！人家什么时候凶了吗？"

"那不是凶难道还是温柔呀，听听：丑小子，昨晚上我梦见你被我扇了十个耳光，疼吗？请速告我。再有：你的丑陋真让人难受，想起你太丑了，我就有些高兴……"

"得了，得了，别念了。"邹辛有些羞赧地打断他，"你老不给人家回信嘛，人家当然生气了。唉，还没问你哪，我的信都收到了吗？"

"收到了，我都能背下来了。"单一海动情地看着她，轻轻地说，"谢谢你的信。"

"那你为什么忽然不给我写信了，连我的信也不回？你刚才的解释太假了，我不愿意听，也不信。"

单一海略停片刻，仰头叹息，然后用一双眼睛罩住邹辛："当然那是托词，刚开始你不给我回信，我很愤怒，自尊心也仿佛被损伤了。我是个不怕失败的人，越是失败，越会激发起我的战斗欲望，我一封信、一封信地写，像坚持着一种持久战一样，我计划用一年时间攻下你这个山头……"

"可你三个月后为什么忽然不写了呢？"

"当时我们接受三个月封闭训练，三个月内不准接电话和向外写信，只能接到别人的信，而无法往外寄。而这时候，我接到了你的信……"

"你胜利了……"

"我只是有些意外，我是平生第一回收到除母亲以外的女性的信。知道我当时的心境吗？我偷偷地流泪了，同时下决心再不给你写一个字，我还以为你只是寻开心，或者与我一样是因为寂寞……"

邹辛有些吃惊地喊道："你写那么多信，仅仅是因为寂寞？"

"刚开始是，后来我一写信就想起你的面容，我才知道，并不仅仅是因为寂寞。"单一海动容地继续讲，"后来发现这一点时，我已没办法给你写信。我只好继续在纸片上记下一些感受来，它们才是我真正的感情，今天我全带来了。"

单一海打开那个挎包，取出一个硕大的信封，信封鼓鼓地饱胀着。

邹辛感动了。她接过来，捧在胸口，动人地看着单一海。一刹那，她觉出了一种深深的幸福。她觉得真踏实，抱着那个大信封，就像抱着一个人一样，她的心平静了。

"你为什么不打开看看？"单一海笑着鼓励她。

"不，我想躲到自己房子里，一个人读它们。一个人去感受这些文字，才是一种真正的享受呢！"

"跟我的习惯一样。"他轻轻舒口气，动情地看她，"其实，我真的很喜欢看你的信。知道吗？是你的信，帮我度过了三个月的'野兽营'生活。那些日子，我们的训练都是极限性的，身体超常地工作和付出着，内心里却是一片可怕的荒芜和空白。那些日子，没时间读书、看报，只有课间休息时可以看看信。生活的苦对我算不了什么，我其实最怕的是精神上的艰苦。这时候，是你的信帮我抵御住了精神上的空白。我是靠你的信度过了这三个月的。"

"是吗？"邹辛再次被感动了，她没想到事情会是这样，可这样的结局难道不是她一直在盼望的吗？"所以，你很感谢我，来看我？"

"不，如果仅这样也就太不值得了。我发现，当我毕业时，我已经喜欢上了……你。"他深深地注视着她，从他的眼里，放射出一股她陌生的光。她有些害怕了，可却抵御不住地迎上去，竟然有种触电般的战栗。

他竟然说爱她，邹辛不禁抓住他的手，无言地低下头。两颗泪珠啪地在单一海宽阔的掌中迸碎。单一海禁不住用手把她揽过去。她像一团气息一样，贴在了他的怀里。他就那么用力抱住她，一双眼睛火一样灼烧她的脸。

她不由得把眼睛闭上，听任他的唇小心地吻着她的额头、眼睛、鼻子和耳朵。感觉幸福像潮一样，涨起来了。他可真大胆，沙滩上很多人在看呢！

良久，邹辛从幸福中抬起头，她有些不相信地问他：" 你喜欢我什么呢？"

"我也说不清，反正第一次见到你，连你穿拖鞋露出小脚趾的样子，我也喜欢。"

邹辛不觉醉了，动情地拥紧他。

13. 阵地的枪响

女真把口罩捂严，挟上查房记录，向卫生队后楼走去，进行例行的查房。

在进入靠近左侧的病房时，她嗅到了一种奇怪的味道，似乎是来苏味儿，但却饱含着一种浓烈的酸臭。她透过口罩，也能感受到它们的侵袭。那是这些士兵身上特有的汗臭味儿！她一皱眉，走过去打开那掩得极结实的窗户。风哗地吹了进来，她的胸口才稍微好受些。

"你们也不嫌臭哪？也不知打开窗户换换空气！"她皱眉环视着那几张床上的病号，感觉似乎在训斥他们每一个人。

那三个小子早在女真进屋的同时，把注目礼抛过来。女真的训斥让他们听上去似乎比打针还舒服。

旁边靠窗的那个兵，低声叫嚷："来苏味儿太难闻了，还不如闻我们自己的味儿呢！"话毕，三个小子呵呵傻笑。

女真见惯了这些健康得身上全是"病"的士兵们，几乎在每个部队医院，都有这么一帮子爱泡病号的家伙，他们的病有时是真的，有时却让人无可奈何。这些得了"怪病"的家伙，往往在医院被观察上一段时间后，就莫名其妙地好了，宣布出院了。女真后来才发现，这种病是不需要用药的。他们只消在这个充满异性的氛围里待上一阵儿之后，病就自然好了。因为那是"青春病"。青春是不需要用药的，只需用感觉就可治好。

团卫生队只能治一些轻度的伤病员，稍重些的都早已开了转院单，到师里、军里的医院去了。剩下个团卫生队，似乎成了专门对付感冒、发烧之类病号的中转站。偶尔有手术，倒变得很稀罕。女真从到这儿后，唯一的感觉是太闲了。野战团队的官兵患病的比例控制在昼夜百分之一，也就是说，这上千人中有十个以上的人生病已算是太多了，何况这些家伙们整天健康得像牛似的。所以，卫生队里有时候医生比病号还多。有时女真闷得真盼望有人生病。

五天前，她终于等来了个"重病号"。那小伙子患了急性阑尾炎，疼得满地滚。半夜被从床上敲起来，几乎是在迷糊中，她便为那个小伙子把阑尾给切除了。做完那个手术她竟有点小小的快感。毕竟好久未做手术了，她倒怀念起以前整天忙碌不堪的日子了。忙的时候她整天充斥着的便是烦，不忙的时候也同样是烦。后来，她叹口气，还是忙起来好啊！人一忙起来就变得单纯了，不会再被其他东西打扰了，也不会再……伤神。

她忽然看见床上的人还睡着。这么热的天……居然还捂着被子。她忽然想起这小子就是五天前做阑尾手术的兵。叫冯什么，对，是冯冉，他还是二连的呢。一想到二连，她的心里忽然滑过一片温软的影子。她内心莫名一动，过去轻叫着："四床。"床号是每个病号的统称。

那三个士兵在她的叫声中，都莫名地笑着。

女真纳闷儿了："冯冉。"她轻声叫着，一把扯开那床上的被子。被子下压着两个大枕头，被子前面的那枕头套着只破帽子。这小子竟然不在。她惊讶他居然有这样的伪装功能，如果不仔细看倒真的就要被蒙过去了。

她用严厉的目光瞅住那两个兵："冯冉到哪儿去了？"

两个士兵齐刷刷地摇摇头。

女真有些担心了，这小子会到哪儿去呢？在自己值班时失踪了个病号，她可担不起这个责任。这个冯冉，临走把被子伪装得如此完好，走得肯定又从容又大胆。她忽然想起，上月师里通报有的兵在师医院住院时偷偷溜回家的事，心里不由一紧，这小子别是也开溜了。

这时，王楚悄悄地溜进了门，女真一把抓住他："冯冉到哪儿去了？他与你是老乡吧！他去哪儿你肯定清楚。"

"我哪清楚他呀，他到哪儿去为什么会告诉我？"

女真佯装镇定，把他拉出病房外，又把门碰上。"王楚，你可要说实话。刚才他们全告诉我了，说冯冉在走时与你密谋，一起开溜，而且那主意还是你给出的。我可告诉你，你不老实交代，我马上给你们连长打电话，把你接回去！"

"别，别，臭小子，竟敢卖了我，好，我告诉你。冯冉今天早晨溜回去打靶去了。他们连队搞什么射击试验，这小子坐不住，就跑了。他回去可与我没什么关系呀！"

"打枪，在靶场？"女真满腹狐疑。"是，这小子一提起玩枪就跟丢魂儿似的，我可把一切都告诉你了，没我的事了吧？"说完，想走。

"哎，死罪已免，活罪难饶。你去把你们房子的地拖干净，玻璃擦了，过会儿我要查啊。"说完，丢下一脸苦相的王楚，疾步走了。

女真走到办公室，把夹子扔到桌上，用凉水抹了抹脸，内心稍微宁静了片刻。坐在椅子上，脑子竟一片空白。她拿起桌上的磁石电话，这种电话的优点是真方便。缺点是你讲任何话，都无法瞒过总机。电话中立即涌来一声异化了的男音，她发现所有野战团的总机皆是男的，可这些男战士都莫名地操着一口类似女人腔的口音。而那些女总机们则一律又粗又涩。唉，这个世界真让人捉摸不清。她对总机说："接二连。"

"二连没人。"总机温柔地通知她。

"值班员也没在吗？"她有些莫名地恼怒，"那就接靶场吧！"

半晌，声音中咝咝的电流声加重，接着，话筒里传来砰砰砰的枪声，又刺耳又悠长，女真差点儿把话筒搁了，大声对那个接线员说："请你们连长讲话！"

"连长正在组织射击，他指示只需我把内容记录下来，转述给他即可。请问你有什么事？"电话中小兵的声音，又冷又简单，还挺有礼貌。

单一海也太会做连长了吧！女真有些恼怒："转告你们连长，我请他接电话！"

"是，请问你是谁？"

"我是女真！"

估计那个战士在话筒前稍稍犹豫了一下，消失了。因为女真听到电话中的射击声，越来越密集，感觉上是在听某部战争片的片断。她努力地判断着，女真以前在军射击队待过，打过各种枪，听惯了各种枪声，甚至从各种枪声中就可以判断出所射枪型号、弹药的各种装药。她辨听半天，竟发现这枪声有些重重的钝音，最后断定，肯定是某种新型枪支，或者她没有打过的新枪型。

"我是单一海，请问找我什么事，旅长？"电话中传来单一海的钝音，女真稍一愣，有些哑然失笑地接过来。

"我不是你的旅长，我是女真！"

"呵呵，我说现在到哪儿去找这么个旅长呢，刚才那小子是个南方人，唉，瞎改称呼嘛！"单一海略带些自嘲地喊。

女真已经被他逗得咯咯笑了，她判断单一海故意装糊涂。刚才那个兵的普通话很好，怎么可能把"女真"听成"旅长"，她故意不去戳穿他："你的声音还是那种连队小军阀的味道呀！哎，你现在打什么枪呢？这枪声让人听上去挺陌生的。"

"南方兵器公司的新产品，九七式突击步枪。真过瘾，每分钟可击发126发子弹，快赶上比利时的'多明尼'系列了。他们拿到下面让试验性能，给了5万发子弹，只管打，到时写份试验报告给他们就行了。哎，你什么时候来，让你也开开心。"

"先别提什么开心不开心了，知道我找你干什么吗？"

"明白，你找我肯定有事。"话筒中沉默了一会儿，"是问我要冯冉吧？"

"是的，他已失踪了八个小时，再过八个小时，我就要报告全团去搜寻他了。"女真真的生气了，"这居然是二连的兵，是你单一海的部下。"

"我代表他向你道歉，我也是刚才才看到他的。他比我还酷爱打枪。一个士兵一生中没有几次机会可以遇上一种新枪型，你理解吗？"

"就为这？可他的阑尾手术刚做完，如果他感染或者弄破了伤口，谁负责？"其实她想说，这个手术是我到团里做的第一个，万一出点儿差错怎么办？

"我没想到这么严重，女真，你不要这么凶嘛！都快与心中原来的那个女真对不上号了。"单一海在话筒中有些低柔地说。

女真稍一愣，接着又喊："是吗？我本来就不是个温柔女子，我打电话只是要告诉你，十五分钟后，我要在卫生队的病床上见到他，否则……"

"行，我听你的，我把他亲自给你送过去。"

"你亲自来？"女真有些吃惊了。

"怎么，不愿意见到我？"话筒中的声音低了，"我努力不去见你，再见。"电话哗地落下，像一块石头砸在水泥地上。

女真呆呆地捧着话筒，半天不动。刚才听到单一海的声音，她的内心竟不由自主地颤了一下，唉，怎么又是他，她恨恨地想。同时有些下意识地难过，她不知自己究竟怎么了，变得又敏感又坚决。自从那晚离开单一海后，她就下意识地远远地躲开他，连她也不知为什么。慢慢地，她发现自己其实有些害怕单一海，所以她拒绝他。可怕他什么呢？哦，只有深深的爱才会导致怕。爱上他了吗？她一想到这个问题，就迅速地摇摇头，像被烫了一下似的。这是不可能的，永远不可能。

这时门外传来两行沉沉的脚步声，其中一行走得又急又重，好熟悉！凭感觉是单一海。这小子就这一点让她信服，他永远都恪守自己的准则。她抬腕看表，刚好十五分钟。她有些冲动地站起来，想走到屋外去。可站起来时，她却又犹豫了，双腿沉得走不动，头脑竟有些深深的疲倦，她在屋外的脚步声中，又缓缓地坐下了。

她在心里感觉着他。

她听到脚步声到她的门前。他要敲门了，她不由得屏住了呼吸。可那在想象中举起的手指并没叩响她的门。少顷，她听到那脚步声，缓缓地离去，之后急促地走开了。

她深深地失望了，跳起来，冲到门外。远远地，只见单一海的背影已消失在往靶场去的方向。那个背影仿佛只是一种感觉，渐渐地，消失在了一片楼群的后面。她站着，竟有些淡淡的后悔，刚才真该把门给他打开。

"医生！"女真被一声低沉的中音给叫醒，她从刚才的意境中抽出，脸上微微不自然地看着身后的这个不识时务的家伙。

"冯冉？"她略略惊讶，这小子精神很好啊，脸上除了有些苍白外，竟看不出像几天前刚动过手术的样子，"你还敢回来？"

"对不起。"他的头深深垂下，男人低下头的姿势最窝囊也最动人。女真不喜欢低着头的男人，尤其是战士。犯错就犯错吧！为什么似乎只有把头低下，才能表示深深的悔意？谷子也老低头，可那只是习惯，人低头是不敢正视自己。

"你的胆子倒蛮大，用自己的生命去换一次射击体验，听起来倒蛮悲壮的。"

"是，阑尾已去掉了，可错过了这次射击，我将终生后悔。你知道吗？我今年服役期满，就该离开军队了。而这种新枪型最快作为装备下发，也到2006年以后了。"冯冉抬起头，望望刚才单一海消失的方向。"我为此谢谢你，也谢谢我们连长。"

"是你们连长默许了你？"

"他是个好连长，懂得一个战士最需要什么！"

"可这是在拿性命开玩笑！"

"可我却会把这次射击牢记一辈子！"冯冉认真地看着她。

"刚才是他把你送回来的？"女真不看他。

"是。"

"他为什么不来见我？"

"我不知道，我看到他在你门前徘徊了一下，却没有叩门。也许他不敢见你吧！"冯冉莫名地看她一眼，说，"我可以走了吗？"

看着他的背影消失在走廊深处，她不由得想，这小伙子简直像极了单一海，从说话、派头包括行事原则。从他的身上，她一下读出了单一海的影子，也读出了单一海所率领的这支连队的素质。

女真被一阵奇痒给刺激着，双腿一哆嗦，从深睡中挣醒了。她费力地睁开眼睛，艳芳正拿着支羽毛在她的脚心轻搔着，看她醒来，不由得坏笑着："妈呀！你可真能睡！从下班回来，就见你躺着，你看都几点了？"

"几点了？"她费力地睁开眼睛。只要可能，每天中午她必小睡一会儿。

这种习惯她从一入伍就保留着。部队上班时间间隔很长，刚开始，她怎么也睡不着。现在倒好，一吃过午饭，全身立即疲倦，催着人想上床。再忙再累，也得休息一会儿，否则一个下午她都会打不起精神。今天这一觉睡得可真长，女真把身子又往毛巾被里缩缩，睡过了头，反而还想睡。

"三点整，你几乎睡了有五个多小时了吧？真是头大懒猪。"艳芳伸出一个指头，按按她的额头。

"反正下午又不上班，不睡干什么？"

"不上班就睡觉呀！哎，你每天这样能吃能睡的，真让我羡慕死了。我最怕睡了，一睡觉身子就发胖。"艳芳不住地叹息着，让女真听上去有些小小的造作。

"心中无事才睡得着啊！哪像你，白天一个电话，晚上一封信，就这还不够，整天揪心挂肚的，连我看你这样都累！"女真把身子从被子里抽出，套上外衣。

艳芳故作抱怨地说："也真怪。以前没认识他时，心里老空落落的。现在呢？唉，你知道吗？有个人藏在自己心里，会变得踏实多呢！不过，就是太累了，老让人心里挂着他。"

"我看你是被幸福胀的。"她的心里却无由地沉了一下，刚才艳芳的感慨真让她心动。艳芳上次去军医院进修，认识了个男军医，两人竟一见钟情，热乎得烫手。"怎么，今天又有了什么新故事？我就知道，你憋不住了，又来找我这对耳朵。"

"女真姐，"艳芳有些故作不好意思地笑笑，"看你说的，我是怕你闷。哎，下午没事，咱们到外面走走吧！"

女真被她的建议给逗出兴趣来了，拉开窗帘，注视窗外。围墙外就是那片无垠的戈壁，戈壁远远地沉默着。风声皆无，阳光也隐到云层后面去了。此时到戈壁上散步，真是一种极妙的享受。"行。"她极快地回答，同时心里闪过一丝快乐。如果不是艳芳来找她，也许今天下午又是她一个人了，她真的太害怕一个人了。

她们悄悄沿着围墙边沿溜过去，在靠近团队猪场的边沿上，有个可容人穿过的破洞，是专供团里那群宝贝猪进出的，那个喂猪的战士，经常从这里赶着猪出去放牧觅食。女真是在一次散步时，偶尔看见这个洞的。从这个洞一出来，就是那片极平坦的戈壁，还可以绕过团里许多人。关键是有种偷偷的快乐，破洞周围无人,她们快步溜出去,都被对方连滚带爬的姿势逗乐了。她们互视而笑,互相拍打了一下对方身上的灰。其实什么也没有,两人只是下意识地觉出了身上的脏,然后缓缓地向戈壁深处踱去。因为感觉是在散步,两人反而一下子无言了。戈壁滩不动声色地展现在她们的面前,远远地像一个巨大的缓坡,起伏着一种铁色的光泽。女真被这种宽阔来回冲撞着,胸中的块垒仿佛瞬间消失。她有些感动地冲艳芳低喊:"我每次一出来就有种特舒服的感觉,心里边像这片戈壁一样,又宽又直的,什么也不用想,真他娘舒服啊!"

"你讲粗话时,真动人哎。"艳芳娇笑着,"不过,你一讲粗话,就证明你近来情绪不好。我觉出来了,你肯定有心事。"

女真不置可否:"怎么会?"

"我更怀疑了。告诉我,是不是爱上谁了,还是被哪个臭小子看上了,正发动夏季攻势?有什么难题马上告诉我,咱可是专家啊!没有谈成功的爱情,不是还有十几次失败的底儿吗?"

女真被艳芳给逗笑了,她俩到一起,艳芳总爱模拟什么男性类的痞话来开心。"我会爱上谁?谁又会爱我呢?"不知怎的,说到后来,话语中竟多了分凄凉。

"我最看不惯你这样了,那么多男的把你盯着,你却一个也看不上。至今没见过你在这方面透过什么风声,也没见你对谁用过情,你想独身呀!"

女真无言地看着远处,半晌才勉强一笑:"爱情对我来说太奢侈了,我真羡慕你。其实,爱一个人是幸福,被一个人爱也是。可不能爱呢……"她忽然缄口。

"哦,我明白了。"艳芳诡笑一下,"原来你早有心中人了。"

"胡说什么呀!"

"即使真的没有,可我倒觉出,有个人挺适合你的。"

"谁?"

"单一海!"艳芳坏坏地看定她。

"单一海?"女真没料到她会把他给拣出来,眼神儿激灵了一下,又断然否定,"不可能,我们仅仅是普通朋友!"

"还普通哪!我见你来团里后,从没单独约过哪个小军官。你跟他倒是经常在一起呢!"

女真心乱了。"那怎么可以算爱情?"她仿佛自语似的呢喃。

"那什么才是爱情哪？"艳芳瞅住她不放。

"我也不知道，我们不要讲他好吗？"女真勉强笑笑。

艳芳无言地看她一眼，沉默了。这时戈壁上微风轻吹，远处铁色的雾，轻轻凝聚，仿佛大堆的钢蓝在远处堆着。他们一瞬间都被这种奇异的景象所吸引，不知不觉已踱出了将近一公里，身后的营房已变得影影绰绰了。

艳芳忽然凝起耳朵，作倾听状，半晌才惊讶地叫："哎，你听，哪儿的枪声？"

"真是呀！是从前方传过来的。哎，在戈壁上听枪响真好听，像是撕开什么纸似的，又脆又刺人。"女真也听到了那枪声。

"左前方不是团里的靶场吗？今天是哪个连在打靶？女真姐，我一听到枪声就有些兴奋，手就痒。咱们去打两枪吧！"

"是二连！"女真话一出口，就有些后悔。艳芳太敏感了，她其实早就知道前方是靶场。她有些淡淡的羞恼，我怎么就向这个方向来了呢？而且是下意识地。

果然，艳芳暧昧地看她一眼："原来你早知道是二连啊！还说是普通朋友呢。"

女真想解释，却忍住了。她知道最好的办法就是沉默，只有沉默才是最好的回答。

艳芳却兴奋起来："这回可逮着这小子了，正好到靶场过过枪瘾。我只在新兵连打过六发子弹，之后再无缘摸枪。娘的，这辈子兵不是白当了吗？"

"要去你自己去，我……不愿意见他！哦，我不喜欢玩枪。"

"看，虚伪了吧！谁不知道你在军射击队是神枪手。我不信可以把枪玩到这程度的人，对射击会无动于衷。算了，算了，就算陪我去吧，求求你了。"艳芳上下左右地摇着女真，像摇着一棵树，同时故意伤感道，"本来是人家想去，现在倒成了我求人家了。"

女真给她晃得心慌意乱，嘴上说不去，脚却不由自主地随艳芳向前走了。

靶场就在右前方五百多米处，女真头一回到团队靶场来，还未进去，就被震撼了。她见过至少不下十个靶场，原始的、半原始的、现代化的，但那些靶场都明显地透出股小家子气来，与这儿相比，还有股酸酸的精致。

天下还有这样的靶场，如果这儿也能叫靶场的话。它足有十个足球场那么大，可能还要大，她目测竟看不到头。后来她明白了，这靶场根本就没有边沿，唯一可以区分的是那片略高些的戈壁坎一线，竟堆满了几米高的大麻包。那里边装着戈壁上的沙土，一层层地垒堆在一起，就成了靶墙了，而这座墙竟蜿蜒出了近一里地。这是何等大的气势。如果愿意的话，这一团上千人，人手一支步枪，对着自己的靶子，同时开枪也不拥挤。她心里有种莫名其妙的感动，连自己也不明白为什么。

他们悄悄绕过一片高坎，迂回到射击阵地后方。她不愿意让那些士兵们看到，尤其是单一海。她只答应艳芳远远地去后边感受一下，枪她是绝不想打，尤其不愿意在另一个人面前射击。

靶场见不到人，对面是十二只隐约的胸环靶。他们正诧异时，却听见一片极脆的枪响，划过戈壁，撞在靶墙的碎石块上，发出清脆的低鸣，偶尔有彩色的曳光弹，画一个弧。戈壁上的枪响并不爆烈，即使这么近，也仿佛是几里外响起的，低柔而又空旷。女真凭感觉，从枪声处寻找那些射击者，却没有发现人的踪迹，仿佛是从戈壁的土层里射出的。她不由惊异了，能在这么平坦的戈壁上把人藏住，也可真不容易。正想着，却见从土层里站起一片绿色，接着又站起一排人。那些家伙仿佛从土里忽然钻出似的，一个个狼一般地向对面的胸环靶奔去。她笑笑，想起自己当年在射击队时，也这样奔跑过。那时一打完枪，首先想的就是看看自己的成绩，但仅仅只看了十几次，便再也不屑于去看。因为每次射击完毕，她从打枪的手感上，就可以测出自己的环数，八九不离十。好的射手总是在扣动扳机的一刹那，就可以预知到这颗子弹将会穿透对面靶子的何处部位。

这时她看见射击阵地上只有一个人没去看靶子。他站着，嘴里叼着烟，头上的迷彩帽歪斜着，手里提拎着一支木棍。

"那不是单一海吗？"艳芳用手捅捅她，"这小子还那么股子狂傲劲，你看到没有，他一个人时，似乎也放不下那种少壮军官的心劲儿。"

"嗯。"女真不置可否。其实她早就看到，只是不愿意说出来罢了，她只在心里默默地承认他。

"我都等不及了，我们过去吧！"艳芳急不可耐地说。

"等一等好吗？我想就这样静静地看着他们射击。你知道，看人打靶也是一种感觉哪！"

艳芳奇怪地看看她："看人打总不如自己来劲。哦，好吧！我听你的，就陪你看看，你近来怎么变得这样怪怪的。"嘴上如此说，还是乖乖地拥紧女真。

那几个战士跑步回来，每人扛着一面自己的靶子。单一海面向他们，逐个讲评。他用双眼凝住每面靶子，一路看去，像在检阅什么似的。女真紧盯着他的身影，他们站在他的侧面一百多米处。她奇怪地发现，自己居然可以清晰地看清他的脸。

单一海似乎对那几个战士的射击成绩不太满意，他晃动着那根木棍，像晃着一条皮鞭。

"刚才的靶子我都看了，我很吃惊，你们居然这样强硬地恪守以前的射击经验，并且用这打出了以前的成绩。知道吗？我不满意。"他厉声说，那几个战士双脚都下意识地一并。

女真远远地听着，内心被他的话撞击着。她有些奇怪，他对射击怎么会有这样的感觉。

"稍息，我需要的是你们对一支新枪的全新感受，刚才那姿势和射击的感觉，明显属于那些五六式冲锋枪和八一式枪族呀！可你们今天打的这支枪，比我们现在所有的轻武器先进十倍。"

他环视大家，"当然，我们面对它肯定非常不习惯。但我不想所有的人见到它，都表现出这样的手足无措。刚才二班的王小根，在射击时抱怨后坐力大，击发太轻，像呼吸似的，还未感觉就是一梭子，这只能说明你不熟悉它。射击要领我已讲过，我只有一个要求，今天下午大家还是体验射击，子弹尽情地打，直到把枪管打红了。可有一点，在射击时不许想起以前的射击经验，忘掉它，喜新厌旧懂吧？"他停住问大家。

"懂，当然太懂啦。"兵们闹哄哄地乱笑。

"好，懂就行。我希望你们彻底爱上自己手中的每支枪，像爱一个你彻底想爱的人一样，直到它与你融为一体。"士兵们越发闹哄哄了，都咧开嘴哈哈地乱笑。

艳芳在旁边咬起了牙："这家伙真坏！"

女真的脸唰地红了，单一海对枪的理解虽粗俗了些，但却极妙地讲出射击的神韵。只是这小子嘴太臭了，她恨恨地想，居然讲得如此露骨又如此大胆。

艳芳的声音已惊动了单一海，女真看到单一海抬起头，飞快地朝他们瞥了一眼，然后，他离开那些已散开装弹的士兵，大步向他们走来。

艳芳从那堆土墙后走出，有些招摇地冲走过来的单一海喊："单连长，你可真行啊！一个人拥有这么多胡乱射击的权利，还说是实验，还说有什么好事也来叫我呢，原来纯粹是骗人哪！"

"哪敢骗你呢，我这不是请你来了吗？"一双眼睛却越过艳芳的肩膀，柔声说，"你也来了呀！"

女真不得不从土墙后闪出，略略不自在地说："没事出来瞎转，没想到转你这儿来了。"

艳芳说："什么没想到，单连长，实话说吧，刚才听你说扛什么新枪，我就是想来打两发。怎么，批准不？"

单一海锐利地瞥女真一眼："欢迎还来不及呢。没问题，我这儿就是个合法的射击试验场。子弹随你打，安全由你自己管啊！"

"有你这句话就行。"艳芳越过单一海，向射击阵地走去，剩下他和女真走在后面。

"听说你以前在军射击队待过？"单一海仿佛不经意地问道，"还参加过军区比赛，得过名次！"

"你怎么知道？"她有些诧异。

"你的一切我都清楚。哦，对不起，我不是故意知道的。"他稍微犹豫，"这种枪性能真好，待会儿你可以给我们表演一下吗？"

"新枪太难打，何况我有三年时间没摸过枪。"她不置可否地笑笑，抬眼看见艳芳已钻到战士中间，低头看那些战士咔啦咔啦地扣动扳机。

"真正懂枪的人，其实不在乎练没练过。我见过一个老人，1964年大比武时期的神枪手，复员后一直没摸过枪。十年后到我连队探望儿子，我让他打，居然还是个神枪手，十发子弹打满一百环。"

"我不是那个老人……不过，你刚才对枪的理解倒挺有趣。"

"你都听见啦？"他的脸唰地红了，"瞎讲，粗野是吗？"

女真看着单一海羞红的脸，不由得内心一动。她还是头一回见他脸红呢，害羞的男人总是让女孩子怦然心动。

阵地上有一条条的深槽，刚好可容一人趴伏。女真心下一动，怪不得刚才没有见到阵地上有人，不由叹道："你的伪装搞得不错，不过，这有什么用呢？"

"我不这样看，我要求他们在阵地上首先要学会生存，然后才是进攻。"单一海一谈到其他，立即恢复了常态。

"可这是平常的射击啊！"

"越是平常，越需要这样。我希望他们能够养成这种习惯，知道生存习惯对于一支军队意味着什么吗？"

女真摇摇头。

"是爆发的战斗力！"他轻声低语。

女真看看他，似在回味刚才的话，半天才说："光顾说话了，你的那种新式枪呢？"

单一海走到射击阵地，提出一个精致的箱子，艳芳蹦着过来，喊："你们这么亲密地说话，把我也给忘了吧？"

单一海把箱子放在一片平地上，哗地开启箱盖，里边躺着一堆枪械，闪烁着幽幽的烤蓝，像一个个紧紧依在一起的婴儿，互相依附又互相远离。一个零部件便是一个静止的抒情，它们躺在那里，只是在等待相互的结合。

"这是九七式突击步枪的全部残体，看清了吧，这些零件一个个又小又精致，没组装在一起时，你都会把它们看作一些精致的玩具！"单一海唏嘘着。

女真动容地注视着它们："简直太不像一支枪了，像堆可怜的孩子。"

艳芳用手抓起一只零件："这是什么？这样精巧？"

"是扳机，最精巧的往往是最致命的。"单一海飞快地说，"现在我把它组合起来，你就会是另一种感觉了，其实，对一支枪最好的认知过程该是组合过程。"

单一海蹲在地上，双眼扫视一遍，双手又极快地伸入箱内。一个个小小的零件在他手上来回转动，只听见咔咔的金属相互切合拧紧的声音。不到半分钟，那支枪已在单一海手里组合完毕，像一个蓝色的孩子似的，倚在他的身上。

女真忍不住用眼睛去抚摸它，这枪竟如此的粗涩和庞大。它有 1 米长，枪管粗硕，前方有小型支架，那支长长的射管轻轻地趴在支架上，像是一双支起的臂，又动人又残忍。只有那个屈柄的枪托静静地斜歪在地上，整个枪支给人一种冰冷的沉重感。正是这种沉重，从本质上也给人一种深深的依靠。到了战场上，唯一可以信任的只有枪和自己，拥有一支好枪与拥有一个可靠的上司同样重要。

女真打过不下 15 种军用轻武器，五六式过于钝，八一式有种涩涩的不适，

AK46 呢？兼有一种笨和钝的双重优势。这枪的杀伤力令人恐惧，美制的突击步枪倒是没这种感觉，可打起来令人总有种被带动的不适，她不喜欢。她在心里咀嚼着各种枪支的感受，其实是在感觉这支枪。

"这支枪是南方兵器公司结合 AK46 和美制某型突击步枪的特点研制的。它有三套发射枪管，一套是 90 毫米的狙击枪管和 50 毫米的重机枪管及 35 毫米的常规枪管，当然，还有三种枪的可调射速和光学瞄准具。它的设计发射子弹常速为每分钟 168 发子弹，可以压制任何常规武器火力。"

"这枪在任何时候都会变成另外一种枪。呵，这也就是说，它的功能越多，给战士们减轻的生存压力越大，越可靠。"

"可它的毛病是功能太多，我的士兵们在射击时根本顾不上去调它，甚至忘记调整！"

"明白了，战场上需要的武器，实际上越简单越好。"

"我也有此种预感。但这枪还会装备我军，因为书案上的预测比实用价值更大，决策者并不亲自去操作它。"

"是吗？"艳芳抱起那支枪，"这枪我看真棒，我一见到它就想抚摸它。呀，真光滑，它的表面简直像真正的皮肤。"

单一海似乎不为所动，继续讲："不过新东西总比过去的好，它的性能是目前国内轻武器中最好的。私下里讲，我喜欢这枪。"

女真已不满意去观赏它了，有些冲动地讲："我们可以去打一下吗？"

"当然，随你们怎么打。"单一海说完，对旁边的一个战士喊道："三班长，你去搬一支枪来，再拿一百发子弹，放到射击阵地。"

那个战士应声而去，单一海让手下的十几个战士继续预习，然后过来，给他们讲解枪的射击要领。

单一海指示二班长给艳芳做示范，他自己则卧到了女真的身边。女真第一次与单一海并排卧在一起，并且挨得如此近，她的内心闪过一丝异样，浑身充满莫名的感受。单一海轻声讲述着几种射速和瞄准具的使用，然后，递给她一匣子弹说："三十发，可以把靶子整个打烂。"

这枪的手感真好，一支好枪最基本的感觉便是要让持枪者觉出舒适。原本毫不起眼的枪支，一到手里，便像自己的一条胳膊一样，紧紧地依在了她身上，与她连成一体。手握在击柄上，仿佛握着一只手，舒适而且感觉良好。她的眼睛透过瞄准具，那个大十字牢牢地套定在对面的胸环靶上。她蓦地抬眼看了一下旁边的单一海，手竟有些慌乱，一梭子弹喷泻而出，一路上穿破了许多石子。她这一枪太低了，低得连她也不相信。光靶！她有些懊恼地自责，你怎么啦你！

单一海惊讶地望望她，仿佛没看出来似的，继续望那块靶子。女真舒口气，把身子压低些，等待呼吸均匀。稍过片刻，她气韵平息，心无旁骛，眼中只有那只小小的靶子，终于有感觉了。每次射击时都如此，仿佛灵感一样，一旦捕住那种淡淡的直觉，她必有上佳的射击表演。她在寂静中屏住了呼吸，手指轻扣。

哗！一股后坐力舒适地摸索着她的肩窝。哗！那种淡然的撞击轻轻击着她的手指。她被这种感觉吸引着，频频触动扳机。每一枪射出去后，都仿佛听从她内心呼唤似的，准确地击在那只胸环靶上。

单一海用望远镜凝视着那块靶标。仿佛她在绘制某种画似的，子弹先击中左眼部，依次右眼部，再是鼻子部位，之后是胸口，左肩右肩，简直令人不忍直视。靶纸在每一声脆响中，轻轻炸成碎末，继而又有新的碎末滑落。他被深深地吸引住了，每响一下，他的心都下意识地抽动一下，仿佛打中的不是那靶子，而是他。他看到子弹已扫描到了胸部以外，该是最后一发了吧！他刚要舒口气，却见那靶子的直杆应声而断，她居然把这个靶子全部给击毁了。

他愕然看她，女真似乎已打尽自己的气力，趴在地上不动。她抬起头时，单一海竟看到她满脸是泪。他不由心惊，她怎么可以有这样的仇恨呢？

女真拍拍自己身上的灰土，轻声向单一海道歉："对不起，我很久未打枪了。"

单一海摆摆手："但愿那个人已被你打得粉碎，但愿他早已死亡，像那块靶子。"

女真浑身一颤，眼泪再次淌下来。她嗫嚅着要说什么，却无法开口。单一海从口袋中摸出一方手绢："先把泪抹了，这是在阵地……"

女真温顺地接过来，轻轻地把眼泪拭去。旁边的艳芳看见这一幕，却自顾打自己的枪，阵地上的士兵们早被女真的枪法给震住了，都不由自主地喊起好来。二班长竟高喊："女真医生真行啊！这么好的枪法，给我们讲一讲你的体会吧！"

单一海把目光转向女真，仿佛征询她的意见似的。女真望望他，痛快地说："好啊！"转身走到士兵们跟前。她的这种瞬间变化，连单一海也有些吃惊。他已准备好了被她拒绝，没想到女真忽然间变得如此豪爽。

他怔怔地望着她的背影。

女真罩在那一堆陌生的目光里，竟无半点儿怯意。她站到一块射击台上，使自己高出大家的视线："……我唯一的体会便是，把对面的靶子当成自己的敌人，没有敌人就找一分仇恨，没有仇恨就找一分不愉快，总之，你心里恨什么，就把那靶子当成什么，直到把你的仇恨凝成一种直觉，然后扣动扳机，射击。我的体会完了，谢谢你们倾听。"说完转身离去，丢下那排士兵们，傻在那儿，半天才哗哗地用鼓掌追加自己的敬意。

单一海被女真的话给惊呆在那儿，他由衷地对女真说："真精彩，简直让我听呆了。"

女真笑笑地望他："谢谢你给我这么一次机会，哦，我真高兴。"接着她又补充般地强调："我从未像今天这样痛快过。"

艳芳此时过来，用手挽住女真的臂。她真是聪明，恰到好处的沉默。

女真拽起艳芳，向他低语："再见。"

单一海向她挥挥手，看着女真和艳芳向回走，忽然想起什么似的，向她追去。"哦，忘记了告诉你，今晚我想请你出来一下，好吗？"

"可以拒绝吗？"

"不可以。"单一海坚定地望着女真。

不可以。女真第一次听到一个男人用这么决绝的口气对她讲话，并且不容推辞。奇怪的是，那一刻她竟再没像往常那样，表现出哪怕一丁点儿的拒绝，而是无言的沉默。她呆呆地看单一海转身而去，一瞬间，对那背影产生了一种错觉。忽然觉出，自己以前做出的坚强是多么脆弱。

艳芳轻轻触她的手臂，女真无言地转身，两人踏着暮色往回走。营区里传来温柔的歌声，一切的一切，都融化在了一片晚饭前的气氛中。

艳芳在快逼近营区时，仿佛无意地说："这家伙好像对你有些意思。"

女真有些心惊地问："谁？"

艳芳自顾自走路："你今晚去不去赴约？"

女真呆愣了一下："我也不知道。"

"其实你知道的，你没有拒绝他！"

"可我也没答应他呀！"

"沉默其实就是默许，我看出来了，你不愿意承认你喜欢他。可你这样做，表现出来的全是喜欢的味道。你知道吗？你一直在否定这种想法，可你的内心又下意识地一次次表明你喜欢他。女真姐，何苦要难为自己？"

"我没有难为自己。"女真喃喃道，她惊异于艳芳的敏感，她太聪明了，但总给人一种傻傻的感觉。难道我也是这样吗？可我已经无权去爱了。我也不想再爱。她的脑中蓦地闪过一个人，那个人是她心中的一颗刺。她以为自己已把他彻底地忘掉了，可总是不由自主地想起，身上全是那些过去的味道！她不由得浑身颤抖："不，不可能！"她忽然下意识地站住，冲艳芳低嚷。

"你又在说假话了，喜欢一个人可并不因为你说不喜欢就不是。"艳芳锐利地看她一眼，"你今晚肯定会去找他。"

"为什么？"

"因为你无法欺骗你自己。"艳芳说完，挽住女真，迈入营房。晚饭的号声刚好响起。身后一阵整齐的跑步声掠过，传来单一海喊队的口令，他们也已经列队回营了。

女真竭力不去回头，仿佛没察觉，同时在内心低语：不去，就是不去，我不去！

她们走到楼口，各自分手。女真走回房间，竟觉全身无力。房间里蒙着一层琥珀色的暗光，戈壁上的轻风伸进房内，抚着窗帘。她呆呆地站了片刻，倾听晚饭的号声响毕，竟全没了食欲，身子一歪，斜倚在床上，脑子里昏庸而杂乱。她竭力让自己沉入到那种深深的昏庸中，疲倦又舒服，被内心的某种感觉涨满着，身子似乎休眠般的麻醉，脑子里却奇怪地清晰。很久以来，她就处于这种奇怪的状态之中，理不出头绪，竟出现了许多无由的焦躁。

这时，她听见艳芳的声音从楼下升上来，她刚去打饭了。从直觉上，她知道艳芳肯定把饭给她打回来了。两人已形成某种默契，凡是她不去或有事，她必会代她打回。她忽然有些害怕见到艳芳，尤其是让她见到现在的自己。她的眼睛太尖太贼，不会有任何东西可以滑过她的眼神的。她深深地吸口气，从床上爬起来，离开宿舍，从楼道的另一侧楼梯，悄然下去。

14. 成为神枪手

　　暗夜中的军营静得骇人，远处的楼房里一律亮着针尖般遥远而枯黄的灯光，那些灯火此时静寂着，传达着某种温柔的意境。她沿着营区的公路向前走，这路笔直得可以一眼望到头，路边儿上立着几个哨兵般的路灯。人似都聚在营房中看电视，此时该是《新闻联播》了吧！隐约中到处都回荡着一种相似的播音声，远远地环绕着。她有些散漫地向前走，全身都放肆地松懈着。在暗中走路，人最容易暴露自己。人只有在孤独时的表情才是最真实的，可惜她从来未能亲眼看看自己孤独时的神情。世界就是如此奇怪，让拥有者永远无法认识到自己的拥有。

　　……往前走，路上多了行人。那是一些团里的领导，他们正从饭厅出来，剔着牙，打着酒嗝，到这路上走走，正好适于消化和议论一些事情。女真避之不及，不断地站住脚，向那些人颔首或打招呼，刚刚酝酿出来的一点儿情绪给碰散了，心中哗地多了几分烦躁和无奈。她瞅准无人处，离开中心公路，来到营区西侧的营门，转身走了出去。

　　一旦走出军营，她又立即恢复了自己，仿佛刚才的情绪又被她找回来，细细品味，竟是另外的一种味道。她忽然悲凉地决定，今晚既不去见单一海，也不去见艳芳，更不待在房子里，她要一个人待在自己身边，只和自己待在一起，直到待累，待得疲倦了，就回，就睡他娘的痛快！她被这个决定给弄得又悲壮又顽强，内心闪烁着一种淡淡的忧伤，脚下竟倏地有了些沉沉的劲道。她从周围的民房区走出，又步入戈壁。

　　暗夜中的戈壁才是一种最妙的意境，星星如同繁珠系在目力不及之处。小小的石头都蒙着蓝幽幽的黑暗，静幽而又温暖，女真觉不出自己的孤独了，有些莫名地走着，双脚交替踢飞一些偶尔撞到她脚上的石头。

后来她走累了，看到一棵孤独的胡杨树。这棵胡杨在暗中远远的仿佛一个墨块，只闪着树的原形。女真有些奇怪这么大的戈壁上怎么会有树，只是一棵，而且还站在这里，被自己遇见了。她忽然有种感动，这树真孤独，像自己。她内心中某种东西一闪，眼泪已涌至眼眶。她回头望望已变得遥远的军营，任泪水滑到面颊。她没有悲伤，她相信这仅仅只是感动。月亮升起来时，戈壁暗暗地亮起来。她的右手下意识地触到衣袋里的一块硬物，那是一只小小的微型口琴。她上次把那只口琴送给了那个老人以后，就让家里人给买了个更好的。这口琴又小又精巧，吹出来音却很大气，她就一直把它带在身上。她内心怦然，摸出那只琴来，仔细地抽去封套。这些日子她竟很少吹它，只有在需要的时候它才悄然出现。她轻轻地把琴放在唇边，仿佛流泻似的，立即滑出一串低低的琴声。那琴声又低缓又忧伤，刚开始连她也没觉出要吹什么，她下意识地随口吹着。后来她才觉出自己是在吹一首乌克兰风味的民歌《小月亮》。一首很忧伤的情歌。女真一直喜欢这种忧郁的味道，不过，她还是心内一惊。本以为逃离了那种情绪，原来还是一直沉浸其中呢！她心内叹息，唇上竟还是吹着原来的曲调，只是它的声音更忧伤了。

女真吹毕，沉在刚才的情绪中，半天竟然不愿自拔，仿佛要把那种感觉给抓住，整个人都下意识地蕴成那曲子。良久，她忽然被一种低低的声音惊动，直觉有双眼睛正在盯视自己。她从什么资料上看过，人的皮肤往往会感知到目光，尤其是异性之间的目光。她下意识地起立，转过身去，看到单一海站在自己的后边，孤独地遥望着她，在目光的碰碎中，闪着偶尔的光。

女真有些发呆，半晌才有些羞恼地问："怎么是你？吓死我了。"

"……是我，对不起，你刚才的忧伤打动了我。我头一回被这种忧伤的意境打动，你吹的那个曲子真好听，是《小月亮》吗？"

"你也知道《小月亮》？"女真奇怪地问。这首曲子流传范围极小，是他教给她的。她从未听人吹过所以才更珍贵，也更吃惊。

"听过一次，不过不敢确认。那还是很早以前在一部黑白片上听到的，那时我只是觉得好，可没感动。我听你吹它，才发觉这曲子原来还有另外一种感觉。"

女真无言地看他一眼，我怎么就不可能躲过他呢？我一直在躲他啊！"你怎么来了？"她脸上已是责备的味道。

"我说过今晚要请你出来的。"

"可我并没答应你。"

单一海不置可否地看看她："可我以为你会来的，你应该来，但我的判断错了。我看到你走出营门，后来往这个方向走，我就知道你不愿见我。可我不明白，你为什么要躲我？"

"我不需要躲避！我需要静，单一海，我希望今后你不要再打扰我，好吗？其实，你真不该在那个古城堡出现的。你知道吗？有的东西是注定的，我难以违拒。"

单一海怪异地看她："……我努力答应你，不过在我答应你之前，你答应我一件事好吗？"他把目光盯住她，"我想请你今晚赴约。"

"我们不是已见面了吗？"

"不，我要你答应我。"

女真不语，她从单一海的回答中觉出一种深深的忧伤，可以感觉到他在努力平静自己。"好，我答应你，你……说吧！"

他脸上浮出一丝笑意："谢谢，请随我来，我们还得回到那个老地方。"说完，转身走去。

女真犹豫了一下，下意识地跟了过去。一路上，两人都不说话。女真从他的背影中看出，他一直在克制着某种情绪，这种男人让她时常无言以对。

单一海在一块平坦的戈壁上停住脚，转过身，语气平淡地看她："到了，就在这儿。"脸上竟全无半点儿刚才的伤感。

女真看到这片戈壁上的小石头，奇怪地曲延成了一些图案，还有隐约的汽油味，不由得有些淡淡的惊奇："这儿与刚才不是一样吗？有什么区别吗？"

"当然，这儿会让人温暖，而那儿只有风。"他故作俏皮，转身拿出一只打火机，脸上现出灿烂的笑："到我后边来，看看，我送你的礼物好看吗？"说完，把打火机点燃，用一张纸引着，放到地上。

那张纸一着地，地面便像爆炸似的哆嗦了一下，轰的一声，一条小小的火线便被点燃了，缓缓地向前烧着，微弱的火苗在地上慢慢地粗壮、明亮，继而以很快的速度燃烧起来。

女真莫名地看火焰蹿腾，渐渐地，她看清了，那居然是个字。再隔片刻又是一个字，仅仅半分钟，那堆火焰已燃成了六个大字，而那些字全由石头围住，里边注着汽油，难怪他要把自己领到这里来，她从火焰的形状上，竟辨认出是：女真生日快乐。

她的心仿佛被撞击般地战栗着。天，今天居然是自己的生日，而自己竟然忘记了，或者说她故意忘记了。从来到这个团后，女真就再也不愿去过什么生日了。生日一年比一年冷清，一年比一年过得让人沮丧，她干脆有意识地不愿想起。可他居然记住了，她内心一动，眼泪涌在眼眶，忽然觉出种莫名的温暖。他可真细心，她忽然内疚，自己是否太过分？单一海不知从哪儿摸出一只小小的绒狗，递给她："呀，这火燃得真旺，这可是个好运道啊！祝你明年像这只小狗一样又幸福又温柔。"

女真下意识地接过来，这狗真好看，在明灭的火光中，瞪着憨憨的眼睛。浑身散着种娇憨的气息，她禁不住把它抱紧，自己也是属狗的呢。而且她天生喜欢收集各种狗的玩具，如果不是部队不允许，她还差点儿养一只小狗呢。他送这礼物可真是太适合自己了。她喃喃道："谢谢。"一双眼睛有些痴痴地看单一海。单一海望着她做个鬼脸，他做鬼脸时反而使自己变得有些好看了。女真不由得哑然失笑，单一海越发手舞足蹈了："你一笑，这些火都亮了，这就对了嘛，我就爱看你笑。"

"谁爱笑了。"女真娇嗔地搂紧那只绒布狗，忽然想起什么似的，"你怎么知道我的生日？"

单一海有些尴尬地笑笑："这很重要吗……其实，你不必把自己搞得这样冷清，对自己残酷其实是对自己的委屈哪！让自己快乐起来，好吗？"

女真有些痴痴地看他："谢谢，这是我今生过得最特别的一个生日了。这么大的戈壁，有一堆这么大的火焰做的名字，有这样一堆惊喜，连我都有些意外了，我真的很感动。"

"你不要老谢谢、谢谢的，你这样说，反而让我有种还债的感觉。"

女真脸红了，低下头，轻轻地说："我说的是实话，我过了二十多个生日了，唯有今天让我特别感动，真的谢谢你。"

单一海笑了起来："又来了，是不？其实很多事是不必说谢谢的。"

女真抬眼望着他："自己可以感受到，其实就是最好的。"

"就像今天？"

"对。"

单一海把目光从她身上收回，望望那堆火，说："别光顾上说话，该吹蜡烛了。"

女真有些吃惊地看单一海，他竟然搞了这么多东西，还有蛋糕。不过那蛋糕真小，像一只小小的摇篮，或者婴儿的拳头。那里面密集着二十五根蜡烛，那是自己的年龄。单一海小心地引燃，端到她眼前："这块最大的蛋糕就是我的祝福，来，吹灭它，可千万不能吹灭祝福哟。"

女真被逗笑了："真小气，这么小点儿蛋糕还不够塞牙缝儿呢。"

"可正好跟我的心一样大。"

"你的心原来这样小呀！"她深深地看他。

"是的，小得恰好只能装下一个人！"

两人的目光不经意地相撞，都下意识地相互躲闪着，却又不断地重合。渐渐地，女真不再躲了，目光脉脉地罩住单一海。单一海被这束目光感染着，双目中闪烁出许多亮亮的光。

女真温柔地凝视他，发现他害羞时简直像一棵含羞草，幽幽的，让人心动。她的眼睛迷离了，痴痴地望着他，其实只是在望着一堆幻影。

"我渴望那人是你。"单一海突然满脸涨红，抓住她的手。

"我？"她有些心惊地颤抖，双手试图从单一海掌中抽出。单一海抓得更紧了。他的手劲真大，把她的手都抓疼了，她不由得怨艾地望他一眼，"人家手都疼了。"

单一海的双眼闪亮着，紧紧地拥住她。女真的全身发烧似的滚烫，在他的怀里颤抖得像一只小兽，喃喃着："我以为自己再不会爱了！"

单一海热烈道："你看，那火是什么？"女真依着他的胳膊望出去，看见那堆火已经燃尽。随着那六个大字的消失，那火竟成了一个心的图案，那些火苗来回摇晃着，热烈而又温柔。他可真舍得下工夫啊！这些图案什么时候组成的呢？这些石头垒起来也得很长时间啊！他居然只是为了给自己过生日。

"那是我的心。"

女真动容了，把头深深地垂在他胸前，像一穗悬垂多年的老谷子。他的手抚摸着她的满头青丝。那些头发柔顺而又刺疼！她在他的温柔中醉了般地抽泣着，泪水悄然浸湿他的衣袖。

……后来，他们默默地望着那个燃烧着的"心"字，那些淡淡的火苗越来越淡，在渐渐大起来的风声中，微弱地闪跳着。女真的心在那些越来越小的火苗中，越发显得不安了。她的心跳得乱了，眼睛恐惧地望着那堆火。

单一海察觉出了她内心的不安，他有些期待地望着她。

那个"心"字中的最后一束火苗，在风中跳了几下，灭了。女真有些恐惧地抓紧他的胳膊："风终于把它吹灭了。"

单一海被她的双手抓得生疼。他有些淡淡的不安，她为何说得如此凄凉？

"没有汽油了。"

"你会像那颗心一样吗？"女真忽然挣脱他的手，定睛看着他。

"什么心？"他伸手试图重新抱住她。

女真一闪身："你也会冷的。"她睁着一双大大的眼睛，即使在暗夜中单一海也可以看到那束光。

"你怎么了？"

"我很正常。"她悄悄地向后退着，"对不起，刚才我太冲动了，我……该回去了。"

"你刚才还说要爱我的。"单一海几乎是在咆哮了，他似乎越来越看不清楚她了。她变得那样快，女真的形象交替闪现着，可他却真的认不准究竟她与心中的哪一个形象最贴近。

"不，我不会爱的。"她有些歇斯底里了，嘶哑的声音在旷野上来回传绕。单一海呆呆地望着她踉跄的背影，消失在黑暗处。

"为什么？"他愣了片刻，转身追了上去。追了很远他才拦住她。

她此时已变得冷静而又沉默，淡淡地望定单一海："这很重要吗？"

"是的。"

"其实很多事你不必知道，并且你不该问明原因。"

"不，我想知道它！"

女真有些幽幽地望他："我告诉过自己，今生永远不去触及那段往事。永远不再爱任何人。我很庆幸自己遇到了你，同时我也恨自己遇到了你。"

"可你却永远被过去所累。你知道吗？过去了的永远就过去了，你为什么还要像块墓碑似的。你一想到过去，整个人都变得不一样了。"

"不，不管多少年过去，那些东西都永远不会变质！"

单一海沉默了，他点着一支烟，想想，又递给女真一支。两人都用香烟来掩饰自己的表情。

良久，女真把烟一扔，嗓音嘶哑道："我想告诉你一件往事……"

单一海深深地望着她。

女真目光呆滞："……这件事我没与任何人说过，除了母亲，再一个就是你。"

"谢谢！"

"我不需要你发表任何意见，我只想告诉你，你知道，我不想对你太不公平！"

单一海有些奇怪地盯着她，内心中觉出深深的异样。"如果可能的话，请不要讲出来，好吗？有的过去只是个人的过去，其他人听了只会是一种伤害！"

"不，你应该知道它。你越这样，我更想把它说出来了，这样我才不会觉得对不起你！"

单一海思索片刻，沉声道："你说吧！"他已察觉出了某种不安，这种不安像暗夜一样，迅速淹没了他。

女真摸出那只口琴，轻轻地吹奏起来。那些声音嘶哑着，却传达出一种非常忧郁的韵味。单一海轻轻地屏住气，他被女真瞬间的神情打动，或者是那音乐太美了，让人不由自主地浸入其中。

音乐却戛然而止，那只琴冰冷地落到地上，像一块石头一样，发出脆亮的幽咽。她的举动再次引起单一海的惊异，他有些掩饰地说："这支曲子太忧郁，只是它太嘶哑了，我听出了一些不舒服的声音……"

女真却不为他的话所动："这支曲子就是他教我的。"

单一海悚然："他？"

女真轻声讲述：

……那天，我奉令到军射击队报到。在射击队宿舍前的草坪上，当时是夕暮时分吧，我看到有个陌生的背影，在轻轻吹奏这支曲子。我从小热爱吹奏口琴，但却从没听到过这样陌生的曲子。我对陌生的东西总是抱有过分的好奇，有时候，这种好奇往往是导致悲剧的根源。我悄悄地站住脚，把自己藏在冬青树后。隔着许多冬青的叶子，我无法看清他的面容，但直觉上感觉他是个男人，因为吹奏中多了许多的粗糙和锐气。我沉浸在那些声音中，并在心里来回默诵这支

128

曲子的谱子。后来，我听出来了，那些声音明显有种缺陷，可这似乎正好暗合了这支曲子的内蕴，倒好像它本身就该具有这种缺陷似的。我当时最大的不安就是，口琴竟还可以这样吹。而他似乎并不太遵守什么音律，常有灵机一动加上去的灵感。因为他连续不断地吹了有三四遍，但每遍中间部分都有变化。

我听得有些感动了，忍不住走出来，站在那里。后来，他站起来，蓦地看到我时，我们都吓了一跳。

单一海默默地点燃一支烟，把眼睛闭上，只用耳朵捕捉着女真的话语。

我当时似乎太慌乱了，几乎有种小偷的感觉，手足无措地看着他。这人从轮廓上感觉似乎有三十岁左右，我看不清他的面目，但却能觉出他的眼睛很亮。

我有些不自在地说："你的口琴吹得太不一样了，只是这支曲子有三个地方错了。"我依次背诵出那支曲子的谱，当时也不知出于何种意图，也许是为了掩饰什么吧，连我都觉得有些唐突了。不知为何，说完了心中却有种罕见的轻松。我就是这样，一旦有某种发现，总想一吐为快。

没想到，他却沉声说："我故意这样吹的，你能听出这三个部分的错误，但却创造不出这样的错误。唉，你为什么总以为那些谱子就是正确的呢？"

我的脸发烧了，从未见过这样怪异的家伙。我张口无言，只好转身离去。

他却满不在乎，大步越过我，进入我要去的楼内。我有种被轻视的不安，那个人的面容我从未看清过，但他宽厚的背影却一直在我身前晃。我拎着沉重的行囊，一步一挪地进去，心中对那个背影充满莫名恨意，一点儿风度也没有，明明看到我拎这么重的东西，竟径自走开。

女真叹口气，望望单一海，示意给她一支烟。单一海并不抬头，把烟给她。夜色始终掩着他的脸，如暗夜一样平静。

我到了楼内，看到上面标着"队长办公室"的房门，犹豫了下，敲开。房子里开着三只灯，照得屋内炽亮。我有些不适应地看到有个人正背对着门。正是刚才那个吹口琴的背影哪！他正低头擦拭一支手枪。桌上搁着只口琴，我一下就猜出他是谁了。可唯独没料到这家伙居然就是我的队长。

129

我压抑心中的气愤，对着背影讲："请问队长在吗？"

"我就是。"他居然连头也不抬一下。

我没好气地说："我来报到。"

"我知道。"他继续擦那支枪，那支枪擦得发出暗幽幽的蓝光。

"你是女真，我一直在等你，通知下午三时报到，你迟到两个小时。我已决定明天罚你做走廊卫生，连拖三天！"

我还从未见过这么个霸道到了蛮不讲理的家伙，他的傲慢激怒了我："对不起，我不做走廊卫生，我是来搞射击的。"

"那你先停止射击，待卫生过关之后，再参加训练。"

我愤怒了，不由得大喊："你以为你是谁呀？"

"你的队长！你可以辱骂我，但不可辱骂队长。好了，今天太晚了，你的宿舍在二楼207房间，去睡觉吧！"他慢慢转过身，这家伙满脸平静，一双眼睛像这房间里的另外一盏灯一样，炽亮着看我一眼，顺手把那只口琴揣进口袋，逼视着我："还有什么吗？"

我气得一跺脚，转身离去，而他只是若无其事地看着我。我的心情坏到了极点，当晚一夜无眠。第二天，我在极度疲惫中，睡过了头。起床后，误点一小时，射击队已去了靶场。值班员递给我一张条子，上面写着队长留下的几行字：射击队要的是真正的军人，不是女人。我当时血气上涌，我最讨厌别人老在性别上与我过不去。这句话当时刺激了我，我潜意识中的那点儿狂傲的东西浮了上来，当时就把纸条给撕了。我觉得要让这个家伙不再轻视我，就必须打败他。我那三天，故意做出一副平静的样子。每天早晨起来，就主动去把走廊拖干净。这活儿我以前真没干过，没干过更要干好，我不想让他看不起我。我边拖边在心里骂着他，用各种可以想到过的语言在心里侮辱他，这样边骂边干让我轻松了许多。三天后，没人通知，我主动站到了射击队的后排。他则拿着一支手枪看我一眼，又递给我，其间没有任何语言，他甚至没向大家介绍我。但我知道他在心里已承认我了。

当天是射击预测，我对冲锋枪有种独特的感觉，每次几乎全部中靶！那天我最后一个出场。我先打冲锋枪，取立姿冲锋枪三练习是最难打的姿势，并且是单手托枪。先单发射击，六发子弹全都击中十环。接着是点射，也全部点上了靶！我的冲锋枪震住了大家。有人已开始叫起好了。我得意地瞥他一眼。他却不动声色地递过一支手枪来。手枪不是我的特长，我老有种错觉，手枪更像一种玩具。并且我一直怵它，它在我手里从来没有温顺过，甚至出现过光靶！我满不在乎地接过来，举枪就射。令人难堪的一幕出现了。五十米开外的靶标上无一弹击中。接着又射，又全部脱靶！周围人都沉默了。这种沉默本身就是对我的蔑视，我有些气虚了。他却不动声色地让装弹员不断地给我换弹，就这样连续打出了五十发，那靶上竟还是一片空白。有时候射击就是让人无奈啊，你越焦急，它越是与你作对，根本不理会你的心情。当他又让人递过来一匣子弹时，我彻底撑不住了，把枪掷到地上，泪水如潮般涌了出来，那次侮辱我终生难以忘怀。

他命令我站到队列中去，我羞愧难当，他接着讲评。最后他竟作出了一个令我难以置信的决定：从今天开始，只准我打手枪，其他枪种一律不准我再打。

我几乎晕过去，没想到他如此狠。在队列里我没敢发作，晚上，我到他办公室，向他请求能否只打冲锋枪，比赛时单列有这一个项目啊！

他却不容商量："我已经定了，我感觉你更适合手枪！"

我冲动地说："我的冲锋枪的成绩你又不是没见过，你应该让我发挥自己的专长。"

"你的专长就是手枪射击，你的手枪一月后，就会比你现在的冲锋枪成绩好十倍！"

"可我目前全是光靶啊！"

"我要的是三个月后的成绩，不是现在。"

我认为他只不过是挟嫌报复，几乎咆哮着骂他："你这样做太让我失望了，你不是个男人。"

他一愣，半晌才道："说完了吗？"一副送客的神情。

我更愤怒了："某某，"我叫着他的姓名，"三个月后我非用手枪打烂你。"

他笑笑："先从据枪开始哦！"

我在身后门"哐"的关闭声中，几乎把嘴咬破了。我遇到挫折不会像别人那样先流泪，而是更大的仇恨，只有温情才会打动我。

女真深吸了一口烟，单一海把头抬起，含意不明地望着女真。他们坐在戈壁的石头上。

手枪射击的开始，也是我最痛苦的开始。射击本身倒不痛苦，关键是每天他都用目光监视我，一个礼拜才跟我说一句话。这句话也只不过是这一星期要练的一个动作。手枪的立姿射击，光据枪这一个动作我就练了有半个月。那些日子我的右手肿得连筷子也捏不住，有几次疼痛让我几乎要放弃了，但我一触到他那双略带些蔑视的目光时，手又奇怪地抬起来了。当我被这种可怕的训练方式给弄得筋疲力尽之时，就在心里开始不住地骂他。一骂他，疲劳和不快就有些减轻。射击队的人们还以为我挺能吃苦呢，其实他们根本不懂我是靠这样一种方式坚持了下来。

第二个月体验射击时，我有意识地最后一个打。本以为这次必定会有些好成绩，谁知，仍是光靶！我几乎晕了，连冲锋枪十发子弹也只打了六十环，简直让我无地自容。我彻底垮了，一个人瘫坐在队列后面，脑袋里乱乱的。

那双目光此时竟不再望我。我忍受着巨大的屈辱，决定申请离开射击队，并且当晚就走。

一旦下定决心，我便心无旁骛。失败既是注定了的，我竟变得坦然了起来。但那天，一件令我始料不及的事发生了。

射击训练结束，我尾随在队后，甚至想好了怎样离开和怎样告别，总之那一刻我竟然变得悲壮起来。他把我喊住，我坦然地望着他，准备接受他最后一次侮辱。

但他却递来一支手枪，又示意我到靶前，进行射击。

我有些出乎意料，还有必要吗？他坚持着不语，我被他的沉默再次激怒。

我据枪发射，甚至几乎都不用瞄准。奇怪的是，竟有两枪击中靶心。我坦然地说："你满意了吧！"

"我不满意，你可以打得比这还好，你以为你是与我为敌吗？你是在与自己为敌。"他发火时简直如一头怒狮，"我希望你把自己那种不良心理击碎，你打不好，只是你主观意识！"

"这不是你所要的结果吗？"

"我要的是你最好的射击状态。"

"我已尽力了。"

"不，你没有，你难道没有敌人，没有你恨的人吗？"

"有。"

"谁？"

"你！"我咬着牙，喊着。

"那为什么不把他打个粉碎。"

我举枪就射，嘴里哇哇大叫："去你的，我打死你。"转眼八发子弹全部射完，我又换上一匣子弹，边打边喊，靶子在我的咆哮中最后应声倒地。我狂奔过去。天啊，弹着点密集，那几十发子弹全部都集中在靶心。而最后一枪，竟把靶杆打断了。

我的泪水哗哗涌出，良久，才想起他。我回过头时，看到他正若无其事地大步走开，那个背影一瞬间竟让我充满了温暖。

单一海轻轻叹息："我明白你下午打靶时，为何那么冲动了。你爱上了他，是吗？"

"没有，我只是恨他。"

"恨有时其实就是爱啊！"单一海注视着女真。

也许吧！那以后，我的手枪射击技术几乎在一夜间发生了巨大变化。此后的多次射击，我几乎都保持了全胜。但奇怪的是，自此以后他几乎很少管我，他几乎一言不发。我常常有种奇怪的渴望，希望他可以再出现。我这种心理非常可笑，也许正应了别人那句话，当恨过去的时候，才是感激。我开始注意他，他的每一点儿传闻都让我如获至宝。我从那些点滴的情况中，逐渐完善着他在我心中的形象。他那年二十八岁，孤儿，并且还没女友。不知为什么，听到这些时，我的心竟突突乱跳。

三个月很快过去了，我随射击队参加军区比赛。很不幸，我只打了个第二。他的冲锋枪是第一。这个成绩我已经很满意了，当我从领奖台下来时，我看到他正注视着我。

我真诚地说："谢谢。"

他只笑着不说话。我忽然发现他笑的时候很好看，不由得对他说："你笑起来，真好看。"

他似乎愣了一下，半晌才说："是吗？那我以后将努力保持微笑。"

比赛结束之日，就是射击队解散之时。宣布解散的当天晚上，队里举办了一次告别舞会。那天吃完晚饭吧，他拎来个破录音机，大家把饭堂里的桌椅挪开，就成了舞池。队里男女比例刚好差不多，很奇怪是吧，其实在射击上，女的往往比男的更出色，就像每个女人都会做饭，但却没有几个会成为厨师一样。同样，与射击似乎不搭界的女人，却不断成为神枪手。那天我们喝了些酒，告别的气氛很异样也很令人兴奋。不知为何，我却有些淡淡的忧郁。我发现他一直坐在桌边不动，只是眯着眼，仿佛在想心事。我心一动，过去请他跳舞。他羞怯地搔搔头，说"啊呀，我可不太会"，扭捏着站了起来。我还以为他真的不会呢，没想到他的舞步简直可以说是技压全场。我几乎被迷住了。他跳的全是"国标"，动作特舒展。那天晚上我真的太开心了，我们一直相邀跳舞，虽然中间并不说话，但感觉上所有的话已经说尽了。

舞会散后，我故意落在最后，等他。他看到我，似乎知道我会等他，默默地随我走。我们都坚持着沉默，我甚至已不知道自己该说什么，后来，我们又转到了楼前的那片草坪。我站住不动，他也不回头，半晌才喃喃地说："明天你就要走了……"

"我想听你最后一次吹一次那支曲子，好吗？"

他缓缓掏出口琴来，轻轻地吹奏着那首曲子。我再次被打动，这时，我看到他的眼里满是泪水。

我的心颤抖不已，我咬紧牙，轻声说："我可以记住这支曲子吗？"

"它是献给你的，这支曲子只属于你。"

我的泪水再次淌出，我怕自己忍不住哭出来，转身跑开，我觉出一种莫大的幸福。

单一海忍不住说："他真是个优秀的家伙，后来呢？"

后来，后来我们开始相爱，我正式成为他的恋人。三年后，他来到总部工作，在某机要局做秘书。他果真优秀，又过三年，他又以三十二岁的年龄，成为驻非洲某国使馆武官。

"你们爱了至少有五年？"

五年又有何用？我把自己的一切都给了他，他自由出入我家里，大家都把他当成我事实上的丈夫。我那时候还以为自己是幸福的女真呢，女人有时一遇到那些以为可以依托的肩膀时，就把他的一切当成了自己的，并把自己丢得连点儿影儿也无法寻觅。我那时就是这样吧！整天把他当作自己的事业，可他却一直是那种不平静也不冲动的冷漠相，对我说不上热烈也谈不上冷淡，我还以为他的性格就是如此，反而更爱他了。可每次我提到结婚时，他都以各种理由推托，我还以为他真的是个把事业当成一切的男人呢！

　　那年他赴非洲前，家人促我和他办了。那天我把来意告诉他，他却冷淡地说："以后再说吧！"

　　我有些生气了："你三年后才可以回国，我要等到何时？"

　　"那你可以不等。"

　　我啪地打了他一巴掌，那一巴掌太狠了，连我也觉出了疼，可这种疼让我清醒了过来："你骗我？"

　　"我没有骗你，女真，我不能爱你。"

　　"为什么？"

　　"你对我太好了。"

　　我呆呆地看他，他居然如此冷静。"我感谢你，没有你，我可能不会如此顺利。可我也不想因此欺骗你，与你生活在一起，我会失去自信的。我今生的爱人不应该是你这样的名门之后。何况，我在农村还有个恋人，她等了我十二年。"

　　我几乎给弄蒙了。我跳起来，拿起一支拖把，劈头盖脸打过去。他的脸上、身上全是血。他只是一动不动地让我打，如同一根木头。

　　我大骂："我他妈的不会让你这样出去的，你不怕我让你出不去吗？"

　　他呆呆地看我一眼："你不会。"说完，他把脸上的血抹净，转身走了。那天我奇怪自己居然没有流泪，这一切太突然了，反而使这一切显得过于平静。只是他走得可真坚决啊，居然连告别也没有，居然到现在一封信也没有。

　　我竟然用了五年的时间，去体验了一回爱的滋味，却不是被爱。所以我常常觉得，爱真的太不牢靠，还不如爱一件没有生命的东西，比如瓷器，比如玻璃，比如这把口琴。你爱它，它就会牢牢地依附于你，化成你的某一部分，紧紧与你相依，并且永不背叛。

女真说到这里，深吸一口烟，紧紧含住，仿佛含住某种心情。

单一海沉浸在她的讲述中，半晌才抬起头："你来西部，来这个乙种团，只是为了躲开那个人，把自己藏起来……"

女真把烟吐掉："不，是为了找到自己，那个人已死了，在我心中他已死过千回。"

"可他的气味还在，你其实一直仍被他的阴影笼罩，并且为此而不惜把自己封闭起来！"单一海尖锐地望着她。

女真深深地凝望："讲完了。"

单一海有些艰难地回避她的眼睛："你真不该把这一切告诉我，我被它伤害了。"

"不，这一切你迟早要面对，说出来，我也许会心安……"

单一海的嘴唇动了动，似乎要说什么。

女真理解地挥挥手："不要急于告诉我什么好吗？这件事太突然，我不愿你勉强自己。"

"……可我前天接到通知，后天将带全连去古城遗址。"

"你终于有机会去证明你的那个理想了，子老也去吗？"

"嗯，他任这次考古发掘的现场顾问，是他申请，点名要我们去的。他认为只有军人才配发掘它，军区已同意，我将要在那里待至少三个月。"

女真默默地看了他一眼："三个月，正好适于思考，你还有更多的时间考虑这件事。哦，熄灯号已经吹过了，我该回去了。"女真转身离去，从容而决绝。

单一海呆呆地看着她的背影消失在暗夜深处，疲倦像暗夜一样抚着他，他无力地躺倒在戈壁上。戈壁像一张大网，一下子淹没了他，淹没了整个大地。

15. 向尸骨致敬

冯冉系好风纪扣，在卫生队那面整容镜前，把帽子扶正，脸上做出肃穆的表情，直到认为那表情已经足够协调了，才离开镜子，来到值班室门前。

他轻轻叩门，门内传出一声含意不明的"嗯"。冯冉听出那声音正是女真医生的，便毫不犹豫地推开门。

女真抬起头，招呼他："有事吗？"

"我想办出院手续。"

"你的刀口还没长合，线都没拆，按规定你该下月三号才可以出院呢！"女真的表情充满惊异，也难怪，基层有的士兵们泡医院久了，你得撵他才肯离开，这个冯冉可倒好，伤没好却提出了出院，简直……

"没事，我尽量不做剧烈运动，刀口长合后，我会赶回来拆线。"冯冉冷静地道。

"为什么这么急着出院，可以告诉我原因吗？"

冯冉警惕地："我们连队要去焉支山，我不想被剩下。"

"去挖那个古城残迹？"

冯冉惊异："你也知道！那个古城你见过的，别说挖了，光是站在那儿体验一下，都是种享受。何况，这事还奇迹般地落在我们连。"

"可你并不能从事重体力劳动。"

"我不在意，我只在乎我参与了这个过程，体验了挖掘另外一部分士兵的行动，就已足够！何况，这事可不是每一个士兵都能碰上的，失去这次机会不是太让人后悔了吗？"

女真含意不明地望定他："你是已经决定了，才来告辞？"

"是。"

"那你为什么还要来征求我的意见？"

"我不愿意让你为我受累！"

"谢谢，如果我不同意，你将如何？"

"我仍将偷偷离去，只是那样走开，我会内疚的。"

女真微笑着站起来，把手伸过去："小伙子，我被你说服了，你出了院，但病还在。十天后，请你回来拆线！"

冯冉兴奋地把脚使劲儿一并，短暂的用力使肚腹轻微疼痛，他的笑容稍微凝固了一下，立即又舒展开，给女真致礼："谢谢，中尉。"

女真点点头："祝你顺利，中士，可你怎么去呢？"

冯冉腼腆地笑笑："我早已打听过了，他们八点三十分准时出发，十分钟后将途经卫生队前的中心公路，我在那里等他们。"

女真故作生气地喊："原来你早就设计好了逃跑方案。"

"唯一不同之处是得到了你的批准。"冯冉抬腕看表，"还有五分钟，我得走了。"说完，转身离去。

午间的阳光在营区疏阔的树影间流泻，风几乎消失了似的，到处是一种静到极致的亮丽。冯冉穿过一条小路，拐上中心公路，远远就望见一溜大车滑过来。他有些莫名的紧张，跳到公路中间，拦住缓缓滑过来的卡车。抬眼望见连长单一海正端坐在驾驶室。车停下来，单一海摇下边窗，皱着眉，征询似的望他。

冯冉热烈地喊着："连长，我出院了，特来报到！"

"报到？"单一海冷冷地看他，"病好了？"

"好了。"他使劲一拍肚子，骤然的疼痛几乎让他惊叫起来，但他强忍住，努力让自己沉静下来。

"还好了呢，你下个月才该出院，你是不是又溜出来了？"单一海跳下车，"你小子肚里想什么，我还不清楚！这回要是再敢溜出来，我可饶不了你。"

冯冉委屈地扬扬手中的出院单："瞧，这是卫生队的证明，女真医生签的字。"

"女真？"单一海的脸色有些异样，他下意识地望望卫生队的方向，眼睛呆了似的不动了。

冯冉被连长瞬间的神情给弄蒙了，他顺着单一海的目光望过去，远远地看到女真站在卫生队的楼前，痴痴地向这个方向望着。

138

冯冉内心一动："不信你去问问女真医生啊？"

单一海呆愣片刻，从冯冉的笑意中觉察到什么，脸唰地闪过一片红颜："问个鬼呀！还不上车去，就坐在我左边。"

冯冉兴奋地喊："好嘞，连长。"把背包转身扔上车大厢内，然后爬上驾驶室，同时惊异连长怎么突然间变了主意。

单一海临上车时，又回头看了一眼刚才女真在的地方。楼前已经空无一人，仿佛她没出现过一样似的。他的内心不由得一阵空旷，被某种情绪困扰，他沉默了。

司机发动汽车，东风141型开起来比北京吉普还要轻。不到十分钟，汽车已经抛下营区，转身拐上了公路。

冯冉靠坐在司机和连长的中间，这个地方视野开阔，两边的广阔戈壁和群山飞速向后。他偷眼看看速度表，上面已达到80公里，两边的枯山在他还未看清轮廓时，就已经闪到身后去了。他内心中的兴奋无法压抑，直把眼睛看得疲倦起来。他知道是自己这些日子憋得太久了。一个阑尾害得他在那个充满汗臭和病菌的屋里被关了十五天。他侧侧身，试图把身子放得更舒服些，却触到了身边连长宽厚的沉默。光顾兴奋了，他竟几乎忘了身边还靠着个自己的连长，他偷眼看单一海，连长的双眼正紧盯着车前，眼睛几乎不眨，似乎全身都被凝到了一种意境中。

冯冉被这种沉默的姿势打动，内心中涌出许多无言的感触。唉，连长肯定陷入到某种深刻的恋爱中了，但热恋该是一种愉悦的表情啊，那么就是单恋了。单恋最可怕了，连长难道也会失恋？他脑际闪过单一海遇到女真时的各种表情，不由得心内一抖。他忽然想起连长似乎有个挺漂亮的女朋友，那照片他看过，好像还挺热乎的嘛！难道，他……不过那个女真医生还真不错，似乎很适合连长，可为什么又让他这样呢？

他在内心深处来回咀嚼连长的爱情，渐渐地，觉得与连长有了某种默契，心境中充满一种男人间的同情。他下意识地从包内摸出一盒"三五"，啪地敲开，伸至连长面前："连长，抽支烟吧！你这样沉思简直让人受不了。"

单一海仿佛惊醒似的，无言地把烟接过来，同时凑到冯冉的打火机上，把烟点燃，并不答话，而是深深地吸了一大口，含住，像在品味似的，半响才使劲儿倾吐出来。那些烟居然不绝于缕，喷了半天，仿佛吐尽某种感情。

这时，车悄然颠了起来，汽车逼近一片翻浆路。车速缓慢，颠簸却重了起来，车身左右剧烈摇晃。冯冉与单一海在驾驶室来回晃悠，身子相互撞击着。单一海似乎被迫从刚才的沉思中清醒，脸上恢复了以往的平静，把自己也尽可能地在车座上放稳。

他把烟灰掸掸："你小子近来抽烟的水平，大有长进哪！我才抽个三块钱的'龙泉'，是不是又问家里要钱了？"

"没有，我与连长不一样，你是每天两包，加起来也是我这烟的价。我是少抽烟，但必抽好烟，一个月也就一条左右吧。"

"还一套一套的！"单一海抓紧座前的扶手，"这公路真难走，每年这会儿都翻浆，闹得像草地似的。"

话音刚落，车身已轻微一震，触到了公路，汽车立即又滑似的飞驰了。冯冉兴奋地说："这会儿不出来了吗？"

单一海淡淡一笑。汽车已经行至一片广阔的戈壁中间，两边茫茫，落着无数的石头，只靠左边有一堆堆土包似的枯山。那些山上都奇怪地烧着红，仿佛是被人脱去了衣服的一堆丑陋的裸体，又难看又生动……迎面又是一些嶙峋的枯红色，在飞速的后退中如同堆堆燃烧的火焰，闪烁着一种逼人的灼烧感，刺得人眼仁子疼。那些山单一海早就看过，甚至爬上去过，它们都呈现着一种残烬的样子，仿佛大火刚刚离去，只是一种残伤。他当时几乎被惊得痴了，后来是尊敬，再后来就是麻木。可今天坐在高速中看山，他竟再次被那些山感动。

"他妈的！"他喃喃低语，此刻似乎只有这个词才能贴切地涵盖它。

"简直是一块巨大的沙盘！"他有些兴奋地吁口气，"你看，这些枯山包和那些到处零落的物体，多么像是手塑的一个个大沙盘！"

冯冉也似乎被他的情绪感染，兴奋地低喊："简直太像了。西部山脉……哦，西部沙盘，这样大的一个沙盘，该用多少世代才可以堆起来？可我们此时正穿行在沙盘中间！天，那些所谓的沙盘跟这儿一比，立即就会暗淡，造物真绝妙，塑这么大个沙盘，供我们检阅。"

单一海大笑，用眼睛瞄瞄冯冉："我最喜欢你胡说八道了，敢于异想天开，思维没有拘束，似信口开河又惊人的准确。我还发现你似乎对西北有种莫名的情感，我指的是，一旦把你放到这儿——当然，还有比这儿更荒凉的地儿——反而会激发起你的好奇和冲动。我很奇怪，按常理，这该是孤独和寂寞横行的地方，这儿的敌人应该是它们，而你的敌人呢？你似乎害怕繁华。我记得你是从那个广东东莞的地方入伍的吧！"单一海仿佛掀起内心的一角似的，默默看着冯冉。

冯冉被深深触动了。他打心眼里对连长充满一种敬畏，这种敬畏使他们永远陌生着，即使他们之间偶尔亲密的谈话，那种亲密也被涂上了层厚厚的东西。他始料不及地看着单一海，内心中涌出一股暖意，这个问题本身就说明他一直把他放在心里，这种疑问能让他觉出困惑，至少证明他也有不理解他的地方。冯冉不由得兴奋了："别说你奇怪，连我也看不透自己。我对西部有种天然的好奇和喜欢，不知为什么，我一见到这里的山、荒漠、戈壁，甚至嗅到这里的空气，内心就有种兴奋甚至悲壮的感觉。我觉得人天生属于或相似于某种地方，最少应该有一种能够让自己灵魂发生颤动的地方。"

"哦？"单一海被他的话吸引，侧转头注视着他。

"我十一岁时，看到一本画册，那本画册一个版上全是这些枯黄的山岳。那些山太奇特了，我第一次看到世界上居然还有这样一种艳黄的大山。还有那些戈壁、沙漠、荒原，一律呈现着一种毛茸茸的亮黄色。它们雄立在深蓝色的天空下，神秘而幽远。我被那些奇怪的山给震住了，当时潜意识认定自己有一天会见到它，并且会拥有它们。三年前，我看到征兵广告，潜意识觉得当兵也许可以帮我实现这个理想。果然，当列车停稳后，我就被外面出现的这些荒山给惊得跳跃起来。尽管别人都沮丧自己到了西北，我的惊喜倒成了罕有品。"

"你只是因为这样一个原因才来当兵？"

"是的，我是为了自己这么一个称不上理由的借口当兵的，这就是我喜欢这里的理由了。"

"可你今年已经提出复员了，你似乎讨厌南方？"

"但那儿却是我的家，其实在这儿待上三年就够了，我不想让自己对这儿厌倦了才离开，我愿意留一些遗憾供自己来回忆。"

"这种感情真是奇怪，我倒是喜欢一些绿柔的世界，我去过一次湖北，那儿整天都湿漉漉的，竹子和小巷中的雨伞，几乎成了我常常面对这些大山时的一种替代品。我一旦厌倦了这些山、这些戈壁，就不由得想起南方。"

"你在这儿待的时间太长，已经体会不出那种原始的美了。"冯冉认真地看定单一海，"即使最伟大的东西，你见多了，也会觉出平常。可我奇怪，你是如此地讨厌这儿，却又不想走！"

单一海不置可否地把烟头撺出窗外，沉声说："还有比这儿更好的地方可去吗？我有意到南方待过一段时间，只待了一个月，就受不了了。我并不习惯那些鸟语似的方言，满是青苔的屋檐和雨雾。"

"你似乎天生属于西部？"

"为什么？"单一海被这个问题吸引。

"只是一种感觉，后来在这儿待久了，我才明白，只有西部，也只有西北才是唯一适合军人生存的地方了。只有在这里，才会让人感觉到一点儿那些遥远的战争气息，唤回内心中已渐渐销蚀的战争气质。

"你怎么会有这样的怪念头？"

"从你带我看到那个古城堡时，这种感觉就出现了。那天你带我们站在那个古迹的点将台上阅兵时，知道我什么感受吗？我的胸中被一种说不清的悲壮鼓涌着，几乎听到了血液要冲破血管的声音。我当时真想大哭一场，后来却是声嘶力竭地呐喊，那个场面我将铭记一生！"

"这就是你要离开医院的理由吗？"

"是的，没有比这种寻找更让人心动的了，尤其在这个已经消失了战争的世界上。我有时真伤感，我们难道都多余到了要靠寻找两千年前那些战士的胜利来安慰自己的地步了吗？"冯冉压抑着内心的不平静。

单一海被他的话击中般微微一颤。"不是安慰，而是铭记。战士应该记住战士的荣誉，如果连我们都忘记了，这个世界上还有谁会想起他们！"

冯冉沉默了。汽车此时已驶入山上，空气逐渐开始稀薄，那些枯黄的石子在轮下飞溅，黄尘在风中不时浮起，剧烈的颠簸让他的伤口隐隐作疼。他屏住呼吸，皱紧眉头，在沉默中等待疼痛消失。

良久，汽车哗地停下。冯冉被单一海的低呼惊醒："到了。"他睁开眼睛，看到那座残迹远远地呈现在眼前。

冯冉挥起镐，在地上轻轻一砸，破开一圆锥形的小坑，又连砸三下，算是为这块即将被开挖的遗址破土。旁边列队直立的几个士兵们故意把巴掌拍得哗哗乱响，冯冉把镐一扔，喘息着："第三块遗址破土开工了。"

站在左首的王小根故作不满地喊："班长光开垦处女地已经三次了，每次都是你砸这第一镐。我建议大家以后轮流破土吧！"

他的建议立即赢得一片回应。冯冉憋住笑："好，下次再开挖，咱们轮流破土，不，先从王小根开始轮起。"

王小根露出一口大白牙："那本人下次就不客气了，也来开块处女地。"

冯冉他们班负责城外一公里范围的外围开掘，这里到处都用白粉灰抹上了各种记号。他们已挖了三天，地面上已露出了好几个大坑。被翻出的沙土裸露着新鲜的湿气，乱乱地堆放着，远看这儿已成了一片工地。

冯冉曾经在第一次挖坑时，忽然想到每次开挖前，都应举行一个破土仪式。全体士兵一致列队致礼，由他挥镐破土，然后才可以开挖，这种仪式刚开始还有种莫名的新意，但几次这样下来，士兵们却把这当成了一种玩笑，他有种深深的失望。后来他明白了，并不是每个人都可以理解这一切啊，即使是战士。

冯冉的伤口还隐隐作痛，就在坑外面带大家倒土，这活儿轻，但却把大家覆盖在了眼皮底下。坑土已取掉了三分之一，外表的浮土一除，冯冉便嘱咐坑下的几个士兵们，把铁锹扔上来，换上考古队发的那些小型圆锹和扫把。这样干活简直像绣花，又小心又不痛快，旁边的王小根又嘟囔了："我说班头儿，这儿已挖了三分之一，还像以往那个坑一样，全是沙土，这个坑别又是啥也没有吧！"

"怎么没有，上个坑你不是还挖出个宝贝吗？"副班长笑着拍拍王小根。那个"宝贝"是王小根在挖第一个坑时，捡到的一块类似铁疙瘩的墨石。当时天色已晚，看不太清，王小根的镐头刚一撞那个石头，就发出一片火花，夜幕下特像个铁盔。王小根瞒着大家没吭气，晚上一个人拿上汽灯，想挖出个什么宝贝，馋馋眼前这帮小子，至少他王小根在这次挖掘中是第一个挖出东西的人哪。没想到，忙了半夜，他扛着那块状如铁块的家伙，放到考古专家组里，人家一看就乐了，说这是块变异了的化石。这件事成了全连的笑话，许多战士见了王小根，就大叫他：宝贝。闹得王小根羞恼不已。

"我最恨什么？就是那种动不动就把别人的一点点事常常宣扬的人，倒像是我真的做错了什么似的！"王小根故意严肃。

冯冉被他逗笑了："别争了，这坑我估摸有戏，刚才我去周围看了下地形，咱们站的这块外围距那座残迹五百米左右，正好是两军相互交战之地，往往攻城者与守城者的战斗，就在这里，我料定周围肯定有大片残迹。"

"预料可不是现实，我只信我的镐可以碰到什么。"王小根仿佛认真起来，小锹挥动得却更加小心了。

"你的镐肯定可以触到历史！"冯冉被这句话惊动，抬眼看见子老挟着一卷图纸，不知什么时候，站在了他们身后。他也许已经倾听他们的谈话多时了。

冯冉有些意外地站起来，向子老点头致意："子老！"

子老点点头，用手掬起一捧沙土放在鼻间嗅嗅，半天，才轻轻地把土扔到了地上，拍净双手，整个过程从容而又自然："这些土太干了。干得让人都没办法相信。"他沉声道，"这把土里有种锈和腐烂的气息。小伙子，我有种预感，也许这土里埋着某种不同寻常的东西！"

王小根有些愕然："你闻出来了？"

子老微笑着点点头。

王小根下意识地捧起一把土，用鼻孔猛力吸，却吸进去一股尘土，呛得"哇呀"一声全吐了，惹得周围的士兵们哈哈大笑，连子老都被逗笑了。

冯冉却收去笑意，垂首请示老人："这种挖掘太奇怪了，我们一直沿着画定的坑线去挖，却没有挖出任何东西，这些坑真的有东西吗？"

"理论上该有。你知道吗？刚才你说这儿是两军对垒之地，你的推测很对。这一线正好该有他们的遗迹，哪怕是一些尸骨。"

"可万一要什么也挖不出来呢？"

"只能说明这座城自从筑起之后，从未经受任何战争洗礼，但不可能一座兵城未经过战争，我直觉这一线肯定会有大量遗物。"

冯冉低声说："这儿西连戈壁，右接山峦，他们怎么会被湮没地下？"

"是戈壁。"子老双眼深邃地望向身后的戈壁，"两千年间，这儿的沙土整整将古城淹没了有四米到五米，我们站的这儿，据地表层资料，原是一片坡地，最低处达六米，而且，几乎每隔百年，便有一次大地震，且沙暴常年不断。"

"可这座古迹为什么从未被摧毁呢？"

"也许是历史留给我们的证据吧！记住，任何东西都会被大地以各种形式存留下来的，只要它在大地上存在过。"

"呵，子老，你讲得太精彩了。我有时都有种错觉，你的这些东西该是一个军人身上的。"

"谢谢。"

"我听说过一句话：穿上军装的不一定是军人，倒是那些不穿军装的人更像军人。"

"此话精彩，不过听上去耳熟，谁说的？"

冯冉有些口吃了，他好不容易想起一句话，却还是别人的："是我们连长单一海的。"

"我听第二回了。被两个真正的军人认同我有种被欣赏的舒服，何况还是年轻人的欣赏。"子老哈哈大笑。他的笑声感染着周围的空气，士兵们干活的同时都竖起耳朵捕捉着老人的声音，"其实，我更喜欢欣赏你们，那是一种真正舒服的享受哪！"

子老微微停顿，点燃一支雪茄："我观察你有好几天了，从第一天开始，你带着士兵们，站在那块未知的地表上，举行什么破土仪式，向未知的陌生的士兵们认真地致礼，这种行为本身就让我感动。到底是军人哪！"

冯冉略显羞怯："子老过奖了，我只是有种庆幸。我当时被各种预测中的奇迹给感动着，我那样做，只是一种形式上的敬意。"

"后来呢？"

"后来就有些平静甚至麻木了。我现在后悔了，当初办这种仪式，只该有一次，太多了，就成了一种形式。"

"不，当这种东西不再感动人的时候，你应该坚持做下去，把它变成一种习惯吧！习惯有时也是一种最好的表达，在惊奇和神秘永远消失了的时候。"

"我现在不信年龄了，年龄只让人生理上衰老，可只有心理上保持年轻，人才会永远保持青春，尤其是您。"

子老颔首笑笑："我喜欢一些与我年龄无关的东西，比如我崇拜青春，所以衰老就成了一种表情。这些天，我天天都站在你们的中间，感觉心理上却老了。我有时是强作锐利，哪能跟你们这种自然的流露相比呢？我只配与老人相比，站在他们中间，我一下子就会被人看见，倒不是看见我太老，而是我气质上的年轻。当然，站在你们中间我被人发现，却是一种苍老的气质。"子老喟然长叹，仿佛道出某种心事般，竟增添了些许苍茫。

冯冉有些内疚地望望老人，与老人谈论年纪真是一种失策，甚至冒险。没有人不怕自己年老的。越是老人越怕老，年轻人不怕，因为他们不知道老，只知道一味地用欲望占领各种欲望，甚至年老。听听，身边多少人因为懊丧自己年纪轻，而无力实现各种抱负。而一旦走上位置，却发现自己已经无力去做了。

蓦地，他有些冲动地看着老人："你似乎天生喜欢一些与战争有关的东西，这种爱好……当然，似乎天生应属于军人，发现这座古迹甚至研究它，可偏偏是你，我一直有种意外，并被你的这种爱好打动着，因为它太出人意料了。"

"我很不愿意听你谈这个问题，我觉得你该理解。"老人又续上了支雪茄，他的牙在谈话间隙不断闪烁着被熏黑的痕迹，"我寻找它们只是为完成自己的一种愿望！"

"愿望？"

"是的，每个人的内心都有自己的一些莫名其妙的欲望，这种欲望以一种不明形式出现，有时简直是遗传下来的，它们潜伏在每个人的内心深处，几乎不动声色。可回过头来，却发现自己的一生只是为干这么一件事而来！"

冯冉诧异地看他。

"我十六岁时也是个军人，二十多岁留洋时，我第一次知道了这个古城和传说。我知道它时竟是在欧洲，我以为这只是一种学识上的偶遇罢了。可二十年后，我却鬼使神差地回来了，接着又到凉州。我是一步一步地在接近它啊！在我刚遇到它的时候，这种寻找其实就开始了。可没想到，寻找几乎耗去了我的一生！"

冯冉呆了："一生？就为了那些传说中的战俘，这值得吗？"

"不可以如此评价一个人的一生。一个人一生能干多少事呢？就一件，那个叫什么诗人的这句话真不错，何况我还一事无成，不过我很满足，我只是在为一种东西而战斗。"

"什么？"

"欲望，人一生能够满足自己的欲望吗？我看很难。小伙子呀，人应该永远保持一种勇气样的东西，哪怕是失败！"

"我直觉你的血液中残存某种战士气质，你越来越让我感动了。谁说与一个老人谈话，等于在偷他的历史？我看我是被你提拔了好几十年！"

子老再次大笑，回首看看那些仍在小心挖掘的士兵们，半晌不语，似在咀嚼冯冉话中的某种情绪。下午的阳光柔和细媚，落在光秃秃的沙土上，透明般地发亮。

"你太爱总结了，你总是被人打动，被人打动证明你内心干净，同时又对自己不太满意。"孑老锋利地看看冯冉，"这很危险，也让人感动。年轻总是如此啊，谁都有种被窝在刀鞘里的感觉，年轻就像要拼命挣出刀鞘的剑哪！到了我这个年龄，你就只想缩在刀鞘里了，不出鞘的剑才更具威力！"

与孑老对话又刺激又痛苦，他几乎不留丝毫余地，处处逼着你，这种自信本身就让冯冉觉出一种深深的压力，他的口气低沉："您真的不怕失败吗？"

孑老犹豫地盯着他，不语。

"我有种感觉，你等了一生，其实在期待某种成功，像一个战士渴望某种胜利一样！"

"嗯！"孑老望望他，顾左右而言他，"西北太神秘了，又太博大。它让无数的人深陷这里，又无法深入进去。爱上西北是一种最危险的悲剧，可这儿却吸引着无数人的目光……"

冯冉被老人的叹息给弄得伤感起来："可你想过没有，万一你这一生，最后得到的只是一种失败，而且是一种真正的失败呢？"

孑老的神情一下暗淡了，双目哗地无神了，半晌他才艰难地说："我也不知道。"说完，竟转身而去，步伐有些短暂的慌乱。冯冉呆呆地看他的背影消失在古堡内，后悔自己不该把这个问题提出来，去伤害一个老人，尤其是一个保持着某种理想的老人。失败只会是一把杀死他的刀啊！想到这里，他的内心不由得一阵内疚。

这时他听见身后响起王小根的惊呼："我找到它们了……"

冯冉迅速地转过身，他被那露出地表的一只手般的骨头给惊呆了。

单一海跑步赶到二班的挖掘地域时，那片古尸骨已被冯冉他们清理出轮廓。士兵们坐在清出的沙土堆上，背对着夕阳，只用沉默的目光远远地望那片被他们挖出来的人形骨架。

他有些诧异，他们应该高兴啊，这至少是他们挖出来的证据，也是全连这几天来最先挖出来的实物。刚才他正在古堡内察勘各班的挖掘现场。正在思虑时，没想到冯冉派人来报信，说他们已挖出东西了。他被一种说不清的预感给压逼着，快步跑到现场。士兵们自动站起，让开一条路，用目光引导着他，仿佛给他一种暗示。

单一海走至坑沿，坑已被挖出三米余深。坑四周被窄窄地挖下去，掏空，中间立着一堆足与坑沿相齐的土堆。那土堆被用小锹和扫把清出一片淡淡的轮廓。落日的余晖此时将艳红的光线斜射进来，沙土上蒙着一层绒绒的亮色，显出深深的质感。单一海终于认出来了，那是两具早已腐烂的尸骨，他们仿佛被镶嵌在沙土中，只露出淡淡的刻痕般的形状，不仔细看，还以为是被人用淡色描涂上去的简单的线形画。那些骨骼闪着奇怪的白色光泽，靠右边的一只头骨被一道黑色的痕迹奇怪地压斜着。另一只，该是手臂吧，在土层中扭曲着。那只头骨在挣扎似的，深深地扭过来，只有两只黑洞似的眼睛，传达出某种深深的恐惧，伸进另一只尸骨的腹中。那儿也有一道锈色的长直的尖戈似的东西，深入泥土。单一海被这种奇怪的姿势打动了，内心涌出许多的念头。他使劲儿让自己平静下来，看看周围的士兵们，士兵们仍然不动，仍在看着那两具古尸，同时也在看他。

单一海跳下坑，凑近那两具尸骨，渐渐地，他看清了。那两具尸骨互相扭连在一起，他们似乎在很亲密地对话或者是在商量着什么，那种表情在瞬间凝住，可那两只头骨呈现出的愤怒和痛苦却一次次地打动着单一海。他轻轻抚摸那道嵌在右边头骨上，该是额上吧？一片淡淡的锈迹轻轻地滑落。天，居然是一块锈铁。

"刚挖出来时，这块铁还锃亮如银，类似于一把铁戈吧！没想到，仅用半个时辰，它就奇迹般地蒙上了这层奇怪的黑色！"冯冉凑近单一海。

单一海用手触动那黑块，果然是一把铁戈状的东西，不，它就是戈，可它该是什么戈呢？单一海回忆在子老家见到的那些戈，却没一把与这把戈相像。它呈现着某种蛇似的细尖和扭曲。戈面上不仅有刃，还有深深的齿痕。那齿痕此时正卡在那具尸骨的脖颈上，喉骨已经蚀烂。它似乎已经太累了，单一海一碰它，它就落在了锁骨部位，轻轻地摇晃，被触过的地方，闪出几丝淡光。

"这块铁戈在地下时间太久了，它已经不习惯在空气中生存了。"单一海若有所思，"它居然还一直呈现着战斗的姿势，它在这人的喉咙上，一直长了这么多年！"

"这个人被砍死时的痛苦表情一直被保持着！"单一海回过头，找到那块伸进另外一具尸骨肚腹中的黑痕，轻轻地一触，那块铁居然发出低沉的呻吟。单一海轻轻地将它擦净，竟然是一柄直刀，他被震惊得后退，靠在坑壁沿上，再次凝视那两具尸骨。

尸骨在他的凝视中渐渐地混为一体，那两具尸骨原本竟是缠结在一起的，似是两个正在拼死交战的人，一下子被某种神秘的力量给固定在了原地。那具尸骨手中的戈砍击在了对方的头颅上，而那个被戈击中的人，也一下把致命的刀插进了对方的肚腹。两个决斗的人把对方的生命给牢牢地攥住了。他们的皮肉销蚀了，但暴怒的骨头仍呈现着当时的力量和表情，他们在一瞬间把死亡同时赋予了对方。

单一海被那两具尸骨呈现的战斗姿势给震惊了，他的目光久久地罩住他们，目光凶狠而又坚决，内心中传出短暂的低鸣。他以前一见尸骨或者尸体，就会有种深深的恶心和某种恐惧。而现在，这两具尸骨却传达出某种令人难以言传的感觉。这还是自己头一回如此近地欣赏两个拼死交战的图像。简直就是一种生命力最后迸发时的凝结。他以前只在梦中体验过那种提刀相见的虚幻战场，现在，这一切如此真实地出现了，他的内心竟出现一种深深的悲壮和难以言传的伤感。他在心里向这两具最后战死在一起，并且永远呈现着一种战斗姿势的战士深深地致礼，眼中同时涌满泪水。

他被某种深深的神秘感攫紧了。

他轻轻地拿过一把扫帚，一点点地拂去那上面的浮土，两具尸骨的形象越发清晰了，此时呈现的那种最后的形象一下子让周围安静了下来。士兵们也许早就看出这两具尸骨的表情了，他们只是用沉默来表达自己对它的感情。

单一海不由得低呼："两个肉搏的人，不，两个同时把刀伸进对方生命的战士！感觉像两个巨大的奇迹！"

单一海回头注视着冯冉，意犹未尽。

"似乎是两个疯狂的人，同时取走了对方的命。我都有些受不了了。我还是头一回看到这样令人震惊的交战方式。我不知道生活在现代的战士该庆幸还是不幸。从古代战争到现代战争，似乎只是改变了距离，一个是时间距离，再一个就是从这种贴身肉搏到远距离甚至不用见到对方，在几千公里外瞄向那个从未见过面的敌人。你杀死了他，可你甚至不知道他长什么样。咳，我都有些羡慕他了。"单一海的眼里闪着一种奇异的光，他竭力克制着自己的激动，喘息着注视那两具尸骨。

冯冉动容地说："我羡慕他们，现代战争越来越像纯技术的较量了。只有这才是真正的生命与生命的对抗，力与力的搏杀。"他略微沉吟："你认为的第二个奇迹该是他们为什么这么多年还保持着这样一种临死的姿势吧！你发现没有，战士只有在最后的时刻才是美的，尽管这种方式真残酷，甚至令人惊骇，可它呈现给人的却是美。"

"最残酷的东西最美丽。多么残酷的辩证！"单一海点点头，"这本身就是一个谜！感觉像是他们在把刀砍向对方的同时，突然被某种神秘的力量给卷到了地下，是这次变故让我们看到了他们。"

"可又会是什么呢？"

"让我来揭开这个谜吧！"身后传来子老的声音，他从士兵们的身后走出，来到坑前，刚才他一直站在战士们身后，那两具尸骨呈现出的某种神秘的冲击力让他有种深深的心惊，同时被某种预感攫紧。他对此有些不太相信，因为对于某种东西的过分期望反而会使人对这些突然出现的事实产生一种怀疑。

单一海扶住子老，子老却把手唰地抽回，仿佛受了屈辱般地瞪了单一海一眼，同时稳住情绪，努力使自己平静。他用了好半天才站到那两具尸骨的面前。他的小个子立即被罩在那片暗影中，只有满头白发在风中簌簌。他下到坑底时，身体佝偻着，令单一海生出莫名的哀怜；但当他站定在那两具尸骨前时，胸膛却倏然挺直，身子在风中如一柱晃动的塔身，隐约有种老军人的气质。

子老用力掬起一捧沙土，放到鼻边嗅嗅，又抓起坑沿上方的沙土来回对比着。他辨识沙土的方式怪异又让人心动，不像只是在嗅一种土，倒像是在咀嚼着某种感觉。他的眉头一会儿舒开，一会儿又皱紧，几个站在坑上方的战士被他的神情逗笑了，忍不住哧哧笑他。单一海虽被老人这种奇怪的方式所打动，但也忍不住为他的神情产生某种担忧。他回过头，扫视了一下那个战士，笑声戛然而止。子老似乎对此不以为意，固执地一次次辨识着那些沙土。良久，他才叹息着："真的是那场大地震哪！"

"大地震！你是指这儿发生过一次大地震？"单一海被老人的发现吸引。

"是的，简直无法想象。这两个战士居然是在他们将刀与戈相互砍进对方的身体的同时被埋进地下的。我查看了砂样和土质层，他们是在最残酷的一刻遇到了自然中更残酷的灾难。这种事真的太偶然了！"

"就像几千年后他们又被我们从地下翻出来一样，世界总在偶然中让人惊异啊！"单一海沉吟着，"可为什么他们埋到了地下，而那座城却还存在？我猜测，那场地震肯定不亚于七级，否则无法将他们陷入这么深。"

"我也对此充满疑问。有资料记载，这儿正处于地球 36° 纬线附近，而36° 纬线简直像条神秘的链条。"子老用手在空中描了一下，"凡经过这条纬线的地区，时常发生奇异事件，比如地震，比如海啸，甚至各种超自然的神迹。"

单一海被好奇和欲望驱使："你是说这个古城也属于某种奇异事件？"

"我猜测该是！"子老若有所思地望向那两具尸骨，"你没觉得，在这样高的海拔上建一座这样怪异的城堡，本身就是一件奇怪的事吗！这儿几乎每隔百年，便会有一场毁灭性的大地震。可居然仍旧无法撼倒它！"

"听上去简直像传说，那这两具尸骨又该如何解释呢？"冯冉打破老人的感慨。

"是啊，是啊，我总是被这些无由的东西打动。我有种直觉，也许它们的出现，就是我们解开这道谜的一把钥匙。"子老的双目中闪射出某种沉重的颜色。

单一海喃喃地说："我都等不及了。"

"我也是！"子老忽然凑近单一海，"我只是故意在拖延时间呢！"

单一海惊异地看他一眼，不明白他为何突然这样伤感。

子老屏住呼吸，仔细地扫视那具尸骨。当他的手轻轻地取下那嵌在尸骨喉间的长柄铁戈时，竟惊骇得呆住了。他的手微微抖动，那片铁戈上残碎的铁锈顺着他的指缝滑落。这柄戈的存活时间太长了，铁质已发生变异。单一海看到他轻轻一动，那戈刃竟开始扭曲。子老有些激动地把那戈放在鼻孔上嗅，他吸得很深，像品味某种饮品般，半天不动，接着又吸……偶尔把那柄戈放到耳旁弹弹，戈发出呜咽般的沉声，又钝又老，如同一个老人的咳嗽。单一海被老人怪异的举动吸引，默默退到他身后，像退出老人的精神一样。单一海在很多时候，都习惯于从背后去读一个人。人的面孔可以伪装，但后背却永远是一种样子，坦然地呈现着那种轻易就会露出的真相，并且从不掩饰。

子老把那柄戈在手中捧读许久，又郑重地将它包在一块绢布上。之后，老人退后，向那两具尸骨深鞠一躬，右手又缓缓地伸向了那柄插进尸骨肚腹深处的直刀。单一海莫名地揪着心，不知为什么，他在老人的手伸向那柄直刀时，竟有种无由地惊慌。

"子老，这刀还是让……让它留在原来的地方好吗？"

"哦？"子老缓缓抬起头。

"它该一直在那个地方，只有那才是它的家呀。那具尸骨没了它，才会是

151

种真正的残缺。"单一海激动地低呼。

子老在单一海的逼视中转过身来："我是个考古者，我的职责只是将它们取出来，而不是让它们一直待在原地。"

"可它们是这两个战士身上的一部分！你看清没有，这是两个战士搏杀时的最后瞬间，这个瞬间简直有种令人震惊的美。我觉得，作为一个战士，保留他们最后的姿势，才是对他们的尊重。"

"该让他们休息了，这两块铁取走了他们的命，可却还卡在他们的身上，你不觉得他们其实很疼吗？"子老平静的脸上闪烁着模糊的表情。

"疼？"单一海被老人的话问得一愣，"战士感受到的永远只应该是死亡，不是伤口！"

"你太理想化了，所以你太不像军人！"子老深深地瞥了一眼单一海，"但又太像个军人了，过于理想化的军人都很痛苦。不过，你不该如此。你现在面对的只该是一堆古迹，而不是战士！"

单一海激动地搓着双手："不，我现在才觉得自己像个战士了，尤其是在面对他们的尸体的时候。我庆幸自己目睹了他们，又为自己不幸，居然在他们死后，还来打扰他们的安静，他们太需要平静了。"

冯冉有些不自在地说："简直不该发掘他们，该让他们永远埋在地下，地下才是他们的家！"

子老沉默了，环视身后，坑边密密地围了一大群士兵。他们不知道什么时候赶过来了，身上的军衣在风中哗哗扯动，密密的身影遮住了暗淡的夕阳。有个战士将一支火把插在坑边的土堆上，火把与夕阳的光搅在一起，在人们的脸上来回明灭。士兵们都沉默地注视他，更确切地说是在凝视那两具尸骨。他从未见过那样怪异的目光，一大束、一大束地闪亮着。那目光是一种令人惊异的语言啊！

子老被这些目光搅扰，半晌，才稳定下自己的情绪。他望定单一海，其实也在望着那些战士。"我被你们打动了，这种感情其实就是对这两个无名士兵的赞扬。可我以为，还是让他们出土吧！他们站出来比埋在地下更像个军人，我想他们至少该是一个标本，一个军人的标本！"

单一海知道老人的心思，但他也更明白如果自己说出内心中的选择，老人也会毫不犹豫地答应他。但他知道自己无力主宰以后，即使他们将这两个战士葬埋了，那么还会有人将它掘出。它们已经不属于自己了，从发现它们的那一刻开始。单一海竭力让自己平静下来，这时候，旁边的战士们拿来的十几支火把，把暮色中的深坑照得亮如白昼。

他望望老人，老人似已看透他的内心，默默地点头，转身蹬上坑壁，隐到了战士的后面。只有单一海与冯冉还在坑下。

单一海望望冯冉，冯冉无言地归回士兵行列。他站在士兵的目光下面，忽然很孤独，也很灼热。他此时处于双重士兵的挤压之下了，心脏狂跳，为自己即将要做的某件事激动不已，但他强忍着，等待自己的平静，果然，片刻之后，他的心跳安宁了。

他在战士们的目光下，挺起了胸膛。"立正！"他在下面嘶声喊。战士们在他的嘶喊中，神经般地抖动片刻，立即站成了一根根捅条似的棍儿，甚至连正在燃烧的火也在瞬间笔直地燃烧了。他的余光一瞥，看到子老站在人缝儿里，两条腿紧绷在了一起，满头白发在战士的肩后燃烧，单一海被这种瞬间聚涌起的肃穆冲激得内心热血狂涌，他几乎听见了血在血管中哗哗冲突的声音了。他用目光与每个战士对接，从那些目光中他读出了许多新的感受。在挪到王小根脸上时，王小根却把眼睛给闭上了，他似乎在躲什么，身体绷直，双目微微抖动。

"王小根！"他厉声道。

"到。"王小根下意识地一并脚。

"请你回答，我们面对的是什么？"

"是战士最好的雕像，也是末日！"

"为什么要把眼闭上，你不敢正视他们？"

"不，我只配在内心向他们致礼。"王小根有些喃喃地说，"他们的勇敢让人心惊，他们太残酷了。"

单一海扫视大家一眼："是的，是残酷，可这只是一种属于战士的残酷。残酷是战争的性格，我只想告诉大家，我们面对的才是真正的战士。"

他从坑底跳上来，站在大家的目光中。他看到这群目光中的一半都在燃烧。他们应该燃烧，如果沉默了，那将不是他一个人，而是整个连队的悲剧。他压住那片目光："可我们却得把他们的勇敢拆散，让他们的躯体回到大地上来。"

他停住，期待某种反应，但他失望了。那些目光仍一如以往的平静着，他们也许都在疯狂地期待那两具战士的尸体被摆到阳光下的样子！一瞬间，他看清了，这些家伙眼中燃烧的其实只是好奇和欲望。可他却在期盼着有人响应自己，把他们重新掩埋，尽管这只是一种心境，可他却为自己涌起的这种心情悲哀了。自己不是也渴望看到这一切吗？可他却真的无法预知自己，竟会产生这样的念头。他以为自己是勇敢的，可抓到手中的全是伤感。

他把刚才短暂的感伤挥去："我们无权为他们举行葬礼，可我们有幸目睹了他们的勇敢。我提议，让我们为他们的勇敢，致礼。"他侧身成九十度，半面向战士，半面向坑中的那两具尸骨，厉声喊出口令："敬礼！"暮色中战士们唰地举起一片手的丛林。单一海用余光感觉着这凝成一个姿势的军礼，一种遥远的激动淘洗着他。他坚信那些战士也会如他一样，被这种相隔至少两千年的军礼激动着。

这些战士一生也许敬礼无数，但唯独这种礼节将会成为他们的记忆。这时，单一海看到在那些战士的身后，子老也举起立指，成弧形，斜倚在他的额际。老人的军礼有点儿美式军人韵味，又老道又庄重。单一海无言地收回目光，沉浸在自己的感受中。

16. 大漠鬼城

单一海面对晨间的那轮太阳，深深呼吸。戈壁上的一切都隐在一片淡红色的光线之中，漂浮的蓝色夜气正被阳光逼退，远远地显出一种极淡的苍茫。之后，那些光线一根根针似的，把大地给扎疼了。苏醒的气息开始一点点弥漫，大地艰难地从睡意中睁开惺忪的眼睛。不，太阳其实就是大地的眼睛。每次站在戈壁上遥看太阳从地平线上探出头来，他都有种莫名的感觉。此刻，太阳仍镶在戈壁的东方，它的半轮红光被古迹后面的焉支山给挡住了。只有半轮红色的太阳，更像是一个未睡醒者的眼神。

单一海无数次心历其境，也无数次随太阳一起苏醒。自从来到山上，他就拟制了一个新的时间表。他不看表，只用太阳来规范和提醒自己的作息。太阳升起来，搁在古城垭口时，他就会自动醒来。全连的官兵每天随太阳起床，而当太阳收尽时，也正是他们休息的开始。

他凝神倾听身后战士们的洗漱声，炊烟正在漫起，秋露挂在脚边的草茎上，如同一粒粒的水晶。风声轻摇，它们就又潜回大地，到了夜晚，它们又会攀上这些草茎，重新期待黎明。他缓缓转过身，独自一个人享受日出，对他已成为一种习惯。一旦面对那轮红日，他内心中也会有一轮太阳升起，这轮太阳其实只是属于自己，他坚信，这轮日出该有无数的人，在每个不同的地方注视它。那些目光多么陌生，可却都被它吸引。偶尔，他会误以为这轮阳光的燃烧其实是被那些目光灼燃的。这太阳其实是无数的目光的凝结啊！所以，他一看到那轮太阳，自己的内心就会瞬间沉静，因为他被一束陌生的目光注视着。发现这一点后，他像固守着这个秘密一样，固守着这个习惯。

太阳终于像枚气球一样离开了地面，雾气仿佛被抹去般一下子干净了。戈壁上干净平坦，清晰得令人难以置信。眼前顿时开阔起来，人的心境也被拓宽了。他的全身一阵轻松，昨夜的疲倦尽情抖落，不由得轻舒双臂，面对极阔的戈壁，长啸一声。那声长啸又嘶哑又嘹亮，如同一声裂帛，在宽阔的戈壁上，颤抖了一下，就消失殆尽，连点儿回音也无。单一海第二次长啸，身后一片寂静。他相信这两声长啸一定会让那些士兵们呆住，他心里有些遗憾，内心中期待他们同样用这样的啸喊来响应他，他坚信那些士兵们会响应他的。

嗷……嗬……嗬……他的念头还未及抖落，一声啸喊已接着他的喊声在身后骤然响起。只是那啸喊又苍老又浊重，仿佛一匹老狼般传达着某种难言的凄凉感。单一海心内一惊，这样的啸喊决不是自己的兵哪，他们的喊声是一种活力劲迸的短呼，而决不会有这种深浊的老年之气！他悚然回头，看到站在他身后不远处的一块土堆上的人，竟是子老。

子老似被那声长啸所伤，低头剧烈咳嗽，身子被撞击得轻轻抖颤。单一海急步奔过去，轻扶住子老，用力为他捶腰。子老着一身对襟棉衫的短装，身上薄披着秋露。他判断子老在自己身后肯定已站立良久，他也是来看日出的。他的长啸是被自己激发出来的，不过，他的长啸饱含着某种心境，而自己的呢，却仅仅只是出于某种情欲的苏醒。发现这一点后，单一海内心怅然。

"你的那声长啸真的让人震惊。"单一海由衷地赞叹。

子老从剧咳中平静下来，掏出一方手绢，拭去唇角的白沫。"老了……哪！

155

我年轻那会儿，不，像你那会儿，也爱跑到戈壁上长啸。这儿太空阔了，空阔得人一见到它，就会有种被融化的感觉……不过，我的那声长啸现在不能叫啸了，倒像呻吟。"

"没想到我还会凑巧与您的爱好重复。"单一海心里暖暖地一动，"我见过许多老人，他们总是一到老年就忘了自己的年轻，总把自己蒙上一层老人的颜色。您不同，您是个永远对年轻感兴趣的老人，或者欣赏年轻。"

"跟年轻人在一起，比如你，我老有种被侵犯的感觉。刚才我那声长啸还可以吧！可全是些老年人的心态。我明白了，老了就是老了，绝不可能被某种东西改变。哪怕你不敢承认。"

"敢于承认老了本身就是一种勇敢。"

"年轻本身对老人就是一种伤害哪！不过要看你怕不怕。我年轻过，所以我不怕。好了，不谈这个，今天我想请你带我去山后转转。你曾说过，有个神秘的老人，还有什么玫瑰林、玫瑰酒，那个女真中尉说那酒真好，我的酒瘾又上来了，我这人天生爱喝口酒。"子老把目光移向山后的方向，"只要是酒……"

单一海的内心咯噔一下，他奇怪自己这么长时间了，才忽然想起女真。他有些淡淡的心惊，随即，又平静了。"行，我也好久未去看过那片玫瑰了。"他的眼前闪过女真头戴花环的影子，"那片玫瑰真让人着迷！"

子老哈哈大笑："那就请你带路吧！我今天可以完全不用人帮忙，就可翻过那些山坡。"

"现在吗？"

"对，就是现在。"子老拍拍单一海的肩，"走吧，我都有些迫不及待了。"

"感觉像去赴个什么约会！"单一海感叹，转身去安排连队当天的工作。挖掘已近一半，古迹中已堆满十几种出土的器皿，老人的心境却一次次地陷入莫名的忧郁。今天难得他竟有这样的好心境，单一海决意陪老人去看那片玫瑰了。他知道，老人去，仅仅是去看看那个神秘老人。他呢，却似乎只是为了完成内心中的某个念头。他想，回来时得采一百朵玫瑰，要用这些玫瑰编成个花环，再送给她。他的心头掠过一丝淡淡的感伤，不知道这个花环是否还会再像以前的那个，能让她惊喜呢？

单一海安排完工作，老人已停在山坡上等他。他步子稳健，在斜成六十度的坡上，扎实地走着。单一海急步走至老人身边，老人的呼吸涩涩地粗浊着，鼻翼间呼呼地吸入、呼出着大股浊气。

"子老，休息一下，好吗？"单一海伸手去扶住他的右手。

"别扶我，你一扶我，我就走不下去了。"子老揩揩汗，望着山间渐显矮下的古迹，"那个城堡简直像个脚印，人哪，真该经常到高处看看自己生活的地方，就会知道自己的渺小了。"

"渺小与否不过是感觉上的事，子老，你看到没有，我们在那个城堡里掘来掘去地挖什么渺小的东西，来证明某种更渺小的东西。其实我看就不必寻找了，这座城堡本身就是一种证据。"

"你的感觉很有意思。"子老边走边点燃一支雪茄，脚步有些轻松下来，他们已顺坡向下走了，"其实，这座看似渺小的城堡，藏了多少我们看不清的东西哪！你刚才的话提醒了我，那城堡我感觉是个复制品。"

"你说这城堡不是当年建的，只是个赝品？"

"也许是，我详细看了当地的地质记录和地质资料。此地每隔百年有一次毁灭性的大地震，而这种土质的垒筑方式，显然无法经受住那些大震的摇撼。"

"你怀疑这座城堡只是仿制旧城的复制品？"

"也许是，我没有证物。我那天看到那具战士的尸骨时，就有此预感，我们见到了一座不是当年的城堡。"

"那它在哪里呢？"

"它也许就在这座古城下面。"

"你是说还有个城下之城？"

"猜想是，这几天挖出了许多建城用的薄砖和灰黏土，我考证出那些才是真正的西汉产物。"

单一海有些恍然："那天你见到的那只戈，难道不是你要寻找的那种吗？"

"不是，它很独特，但决不是那支军队所用的。我以为只有这么几种，可现在看来，我该对自己研究的这些东西，找一种新的思维方式了。"老人的神情转瞬暗淡。

"我们找的这座城真的不是那座城吗？"单一海惊讶地道，接着又意识到什么似的，"我是说万一不是怎么办？"

"会找到的，我直觉它该是，它应该是。"老人勃然变色，语气蕴含万千悲壮。

单一海默然了，他跟着老人的背影踽踽前行，他似乎现在才看清老人这些日子的忧郁。老人的内心一直埋藏着某种巨大的隐秘，他似乎早就看清一切，但却一直不动声色，独自咀嚼。这对于一个一生以寻找为己任的老人来说，本身就是一种巨大的创痛。单一海被一种隐约的悲壮攫紧，他不知道，这一切万一是真的，老人该会是何等的失落啊！

老人甩动步子，似乎在与某种心情较劲儿似的，大步向前。从背后看，只是浮动着的一种心境。单一海尽量不去惊动老人的感觉，他知道自己这会儿只该是一种沉默，这种沉默本身更像一种安慰。山上的景色闪着绮丽的光，与山下的枯色形成强烈的反差。他的眼神在掠过那些幽美绿草时，变得柔和而又明媚。渐渐地，他从刚才的情绪中退出，独自浸在柔柔的遐想中。那条河在他们的沉默中如同一条白练蛇，哗哗地拦住了他们的去路。子老沉思着站住，抬头望定单一海。

"这条河是由山上的雪化下来的。我真信了那句'山有多高，水就有多深'的话，这么高的山上还有条河！"

"我嗅到了一种异香，一海，这周围肯定藏着某种东西。"

子老深深地呼吸、品味着什么。

"哎呀，你已经感觉到了啊！"单一海兴奋地指着河对面，"那是玫瑰的香味！那片玫瑰就在河边儿上。你看，那一大块隐约的红色就是！"

子老也从沉思中醒来，脸上蒙着一层孩提般的笑意："我说怎么有种浓烈的苦味呢，我居然还可以嗅到玫瑰的香味！"

老人的笑像婴儿，单一海的心境明亮起来。他发现老人有时候与婴儿几乎让人难以分辨。一种是因为无知而显出的天真，后一种则是历尽各种沧桑之后的天真。后者比前者的天真，更有许多忧伤的成分。"可以嗅到玫瑰的香味，证明你还是个心存爱情的人哪！子老，我还未听你讲过你的爱情哪！"单一海扶子老过河。他的脚站在河水里，水真凉，滋滋地穿透他的皮肤，贴在他的小腿上，像伏着一堆冰凉的蛇。他竭力让自己自然些，子老似乎并未在意地，小心地越过河中的踏石，并不回答他。

单一海立即意识到，自己又问过头了，尤其是向一个八十岁的老人询问爱情。即使老人已把他当作朋友，甚至是自己人，但毕竟两人中间隔着许多年的经历。单一海有些尴尬地把头望向对面，再过一道坎就可以看到那片火红的玫瑰丛林了。一想到那些火焰般浮动的花朵，他的内心立即盈满无由的亢奋。

他扶着子老，从河中涉过。到了河边，子老似乎无意识地把自己的手臂从他的挽扶中抽去，单一海怔怔地愣了片刻。老人太过于敏感了，他的敏感有时更类似于一个战士，总是把自己保护得如此紧密，似乎任何无意识的举动，都会是对自己的进攻。战士的敌人是对手，可老人的敌人却是青春。

他抬眼寻找子老的背影，子老已大步跨上那道巨坎，他的身子凌空高出了许多，似乎成了一个剪影。风把他的衣衫轻轻撩起，白发根根散乱，他已经看到了那片玫瑰。单一海快步爬上去，站在老人身边。太阳此时正在凌空处，影子此时只踩在足下。他轻舒一口长气，狠狠地呼吸着空气中浓郁的沉香。可那些香气此时却只呈现着一种发酵般的醇味，微风拂动那些紧紧扭挤在一起的花朵，像掀动一坑老酒的深潭。

他再次隐入一种微醉般的境界中。

可他却听到了老人的叹息："这么多枯萎的玫瑰，太残忍了，简直像是灾难……"

单一海被老人的伤感打动，抬头瞥见老人的眼角，竟是湿湿的泪珠。他再次望向那丛广阔的玫瑰。

那些浓浓的花苞都垂下了自己鲜艳的头，它们仿佛默悼什么，一个紧挨一个，彼此重复着一种相同的表情，仿佛隐藏着的一个巨大的悲痛。它们似乎在一夜之间，被某种心情摧毁，全部枯萎了，花瓣上的颜色一丝丝地苍白，叶片悲哀似的挥着手，可花朵却顽强地保持着自己的表情。那种表情此时看上去，察觉不出悲哀的情绪，倒蕴含着一些令人诡异的东西。

单一海感动了，或者心惊了。他头一回见到这么多花朵，竟全是枯萎的，就像他头一回见到它们都怒放着一样。他踉跄着站在花朵中，那些花在他的手触中，发出干燥的瑟瑟声，波浪般地轻摇着。那种失去了鲜艳和生命的花朵儿，其实更像花，单一海看到子老站在花茎边儿上，他只用目光去感受它们，他的目光变得更忧伤了，他的目光因为忧伤而显出了明亮。

单一海无言地看着老人，一切都像是某种征兆呵！老人与一片干枯的玫瑰。他有些后悔带老人来了。他忽视了一个问题，就像那个问题忽视了他一样。哦，秋天了。他想起了时间，秋天如此快地来了。它在不觉间就已走进了自己的身边。他掀起一朵干玫瑰。玫瑰的花质十分脆硬，它即使干了，也保持着它原来的样子。单一海被这种心境拥紧，他一朵朵地采着那些干枯的玫瑰，直到采满了一百朵，手中已经满是干玫瑰的花片了。他发现，子老与他一样，手中也捧满了一大捧玫瑰。他的只有自己的一半，大概三十多朵，编成了一个别致的花环。子老的花环很小，可比单一海编得精致。

"子老，您编的这个花环可真好看！"单一海故意让自己轻松起来。

"你的比我的好呵！一百朵吧！年轻人总是把这种感情表达得满满的。让我猜一猜，你会送给谁？是那个女真中尉吧，那小姑娘可真幸福呀！"子老似乎并未伤感过，"采这些玫瑰时，可没想过给她。你提醒了我，我是该送给她，就是她带我看到这片玫瑰的。"

"送玫瑰可不能让人提醒呵，那可该是自愿的。"子老责备地看他。

"嗯，可有时候自愿把玫瑰送给人，也有送错的时候。"他的脑中闪过女真戴着那个花环站在这儿的情景，"我送过一个花环给她，可却不是为了爱情。"

单一海领老人沿着玫瑰间的小径上，向那片房屋走去。

"玫瑰也有枯萎的时候，可再枯萎，也是爱情哪！只要心中的玫瑰不枯萎，即使它们真的枯萎了又能如何？"

单一海意外地回过头："你手中的这捧玫瑰，会献给谁？"

"我的一个学生。她那年死时二十九岁，我也只采了二十九朵。这二十九朵枯萎了的玫瑰，正好与我的心境相仿。"子老脸上闪过短暂的红晕。

一个八十多岁的老者回忆着二十九岁的女学生，这件事本身就让人感动。他把手中的花朵拥得更紧，感觉是在拥着……他想起那天晚上女真扑在他怀里的温软了，心头不由得一阵暖热。

这时，他的眼睛被一束闪亮的光给抓紧。他仔细一看，那片房屋前，悬挂着一面奇怪的镜子，而在那片镜子前，是一个巨大的坟包。他呆了一呆，冲子老低声说："那个老人回家了。"

"在哪儿？"子老有些急促地问。

"我们又来迟了一步，我直觉他就躺在那里。"他指指坟包。

子老无言地走到坟前，坟包周围被石块箍着，上面覆盖一层新土。他的墓碑被埋在一大堆的玫瑰里。那些玫瑰相互挤压着，淹没了那面青石碑。子老深深地三鞠躬，然后把那堆碑前的玫瑰刨去，那面碑便孤单地显露了出来。单一海凑到跟前，奇怪地发现，这上面竟只有一个刻画得十分精细的人身像，其余不著一言。人像刻得十分生动，眉目之间，传达着一种自得的神情。只是这人

160

像令人讶异地呈现着一种异族的感觉。他的全身高壮，鼻梁挺直，一双深目凹陷在宽阔的额头下面，头上乱发蓬松。很显然，他就是这座墓的主人。他竟然只用自己的形象作为墓表。有的人死后只想让人记住自己的姓名，而他则似乎要让人记住他的形象。

单一海竭力回忆女真所描述的那个老人的形象，却怎么也对不上号。他忽然想起什么似的，冲到屋里。房间里仍保持着他上次来时的情景，令人诧异的是，房间里一尘不染，仿佛定期被人打扫过一样。

他失望地退出来。

子老仍站在坟前，他的目光死盯着那个墓碑，深陷在其中，他的头发似乎一瞬间变得更加白亮了，背也令人惊奇地佝偻了。单一海发现，子老老了。

他轻声说："我去看过房间了，他们真的消失了。"

子老惊醒似的抬起头："我发觉他的脸上显着欧亚人种的特点。"

"是吗？"单一海再次凝视那面巨碑，"你认为这个坟中主人是他们的后裔？"

"你的猜想很深刻，只是我不敢确定，你帮我想想，那些古罗马人与当地土著通婚后，会不会流传下某一支后裔或者同种血统者？"

单一海略作沉思，断然道："从公元前45年至今，已有两千多年的时间了，如果古罗马人与当地土族通婚，按五十年一代计算，也有四十代了，而历经这样的血缘变迁，这么多代的同化，难道真的可以保持原来的特征吗？"

老人的脸色微变："有道理，他真的存在了，而女真中尉也亲眼目睹了他们，还有那个皮囊，可这些人种又该作何解释？"

其实你早就知道了结果，何苦要我说出答案。单一海故意讲出另外一种可能："中国古代部族繁杂，也许是另外一族的变种吧？"

老人忽然把手按在空中，仿佛要抓住某个念头似的，半天不落下来："如果有这种可能，将会是一种奇迹。"他的脸上浮出某种含意不明的笑意，他拍拍单一海的双肩："我决定了，绕城墙下挖十二米，我想找到那座真正的古城。"

"万一那座城又是一种猜想呢？"单一海此话一出，立即就后悔了。他总是在不适当的时机充当着令人不愉快的角色。后来他发现，自己潜意识中其实与子老的内心一样，害怕失败。因为失败也会使他枯萎。

"那我就自己来承受这种失败！"子老的手重重地落下，像一声叹息，"假如真的是一种失败……"

他的话音刚落，一阵剧咳使他的身体颤抖起来，身子如同一片凌空的落叶，轻微地抖动着。他的脸被一口痰给憋得通红，青筋在脖颈上显露着。单一海赶紧扶住，轻轻捶着他的背。片刻，他哇地吐出一口浓痰，痰迹中渗透大量脓血，泼溅在他手中的玫瑰上，令人心惊地艳红着。

忽然，他仿佛被抽去了某种支撑，一下子摔倒在地。单一海吃惊地把他扶起来，子老的身体极度虚弱，身子伏在单一海半抱半扶的手臂中，又轻又软。他的神志清醒着，一双眼睛很亮地看着单一海，下意识地几次努力挣脱着他的抱扶，直到他觉出自己的徒劳无力之后，眼中的光悄然暗淡，似乎一下子耗尽了心力，双目紧闭。单一海顿时觉出手中一阵死沉。

单一海扶子老回到营地时已是深夜时分，连队一片寂静。帐篷区只有几点淡淡星火。他走近自己的帐篷，看到帐前一人急步迎了过来："连长？"

单一海听出是冯冉的声音，这么晚了这小子还等在这儿，有事？他皱了下眉头，低声说道："帮我把子老扶进去。"

冯冉从单一海的语气中似乎已听出了什么，他上前把子老用力抱起。单一海掀开帐篷帘，帮冯冉把子老放在行军床上。子老已经进入昏睡，脸色苍白，亮银色的白须此时软贴在他的喉上，像一声叹息。

"子老病了？"冯冉有些吃惊地问。

"你先去把军医喊来，另外叫炊事班给子老做点儿热汤。"单一海吩咐道。

"什么病？"

"目前情况不明，估计很重。"单一海简约地回答。

时间不长，随队军医急急地从另一片帐篷区跑来。

等待是一种煎熬。单一海此时才觉出累，斜倚在行军床上，眼睛扫视着军医的背影。他忙碌的时间越长，单一海的担忧就越深。

那个军医终于检查完了，回过头，凝视单一海，半晌无语。

单一海有些紧张地小声问："怎么样？"

"怎么说呢，我从未见过这么多的病症，集中在一个人身上。"军医稍微停顿，"尤其是一个老人的身上……他有严重的肺病，从呼吸看，不下二十年的历史，我估计还有心肌上的缺陷，心脏也有问题……不过还有待进一步检查，我只是粗略感觉。"

"你是说老人身患多种疾病，只不过一直没有被诱发而已？"

"是的，他的病很奇怪，平时都潜伏着，似乎受到了什么刺激，竟全部苏醒……"军医感叹着，"他必须先送医院，否则我无法保证他的生命在这儿能度过十天！"

这回轮到单一海惊讶了。他凑近子老，输液瓶中点滴的液体正缓缓地流进他的血管。老人的唇紧闭，牙齿似乎紧咬着什么，面部的皮肤在烛光中透明般地闪亮。

他在深睡中。

"今晚你们两个，谁来看老人，自己决定。有事随时来喊我。"军医指指他们，转身走了。他这个军医是师医院派来的，军衔少校，比单一海的资历老多了，这些家伙见惯了多少各种各样的病，他们的同情和温柔早就被磨光了，剩下的便是例行公事式的职责。

单一海觉得疲倦浓浓地扑来，此时真想睡啊！

"你先休息吧！连长，我来照看他。"冯冉的眼里溢出一丝关切。

单一海忽然想起什么似的，问他："你等了我一晚上，有事吗？"

"……哦，没有。"冯冉有些慌乱地摇摇头，"我只是在等你，我预感肯定有事。"

"没事就好。"单一海怀疑地看了冯冉一眼，未及深想，眼皮又打架了，"那你就先照看一下子老吧！"头一歪，便昏睡过去了。

帐篷里一下子清静下来，冯冉感觉到醒者的孤独了。他摸出一支烟来，想想，又放回去。这时，行军床上响起清脆的鼾声，是连长的，他的两条腿斜放在床架上，身子随便挤压着床，仿佛一袋随意丢弃的谷子，又大又臃肿。他忽然想起今天下午的那个消息，心中竟多了几分怜惜。那个消息如果得不到证实，他将永不会告诉他。

他站起来，因为某种悬而未决的事情终于有了结果，反而觉出一阵轻松。他走近子老，看到瓶中还有半瓶液体，这至少还得滴一个多小时。他决意出去看看，帐篷外已是一片薄暮，太阳露出一半的脸孔。他看看表，已经六点多了，又是一夜未眠，身上被晨间的风一吹，立即清爽起来。他信步向前走去。这样走路真舒畅，尤其是大家还在睡梦中，只有他一个人醒着时。

他在空旷的戈壁上一气做完一百个俯卧撑，身上透透地出了一身臭汗。汗液粘着他的内衣，感觉舒服得透透的。他晃动着手，快步走回帐篷。该为子老换液体了，连长也该醒过来了。

冯冉猫腰闪进帐篷，脸上立即凝起一丝惊异。子老的床上凌乱地团放着衣被，人却不见了。液体正顺着针头缓缓地掉落在地上，针头轻微地晃动着，看样子，人刚离开。冯冉呆了片刻，大声喊醒正在打鼾的单一海。

单一海被从梦中唤醒，听冯冉讲完，竟没有任何激动。他缓缓地把外衣套好，望定那张空了的床："他能起来就好，就怕他躺着，他不能生病，他不会允许自己有病！"

"你是说子老早就知道自己的病？"

"他的身体他应该最清楚了，否则，他不会拔掉针头出去的。"

"可他会在哪里呢？"冯冉有些内疚，他仍然怕老人出事，出了事，自己一辈子都不会安宁。

单一海沉思片刻："他应该在那儿！他一定在那里。"说完，大步向外走去。冯冉愣了愣，转身跟了上来。

外面天色已大亮，士兵们都在紧张洗漱，单一海从他们中穿过，大步向古堡走去。今天的阳光不太好，戈壁奇怪地凝结着一层薄雾。古城的半边隐约在雾中，平添了一种难以叙述的美感。单一海此时顾不上欣赏，心里被一个念头给撩拨着。

转过帐篷区，前面的雾越来越浓。这时，透过雾层，传过一阵激烈肃杀的声音，那声音相互倾轧，重浊而又激烈，像一根根针，在旷野上来回旋转。单一海停住脚，仔细辨听。那声音真熟悉呀！他在心里仔细搜寻那声音的出处，倏地，他想起来了，这不是那种奇怪的"嘶啵"奏出的音乐吗？这音乐只子老才可以奏响。他的内心一动，循声望去，老人正端坐在点将台上，似乎已经吹奏许久了。

单一海停住脚，倾听他奏完，轻轻鼓掌。子老没转身，似早已料到他会来："这曲子我好久未吹了，口都有些生了。"

"这曲子如同某种军中阵乐，狂放激烈，只是中间夹了许多的伤感，感觉上近似一种心境了。"单一海趋前，他吃惊地发现，老人脸色红润，身体沉稳、有力，仿佛昨夜未曾病过。

"吹曲实际上是奏自己的心声罢了，你是个极好的听众。"子老瞟瞟单一海。

"是吗？"单一海在子老的感慨中沉吟，"你的身体？"

"没事。"老人淡淡地回答，"昨天，谢谢你。"

"医生意见，必须把你送回医院，住院治疗。我已经派好了车，今天下午你下山吧！"

子老把眼睛望定单一海："决不。"他的话中充满一种深深的执拗。接着，他似乎解释般地说："我的身体已经恢复了，我昨天要的只是休息，我最讨厌那些医生了，他们往往把一个人的疲倦当成疾病。"

单一海费力地解释："其实最不了解的恐怕就是自己了，甚至自己的身体。子老，医生的诊断很准确，他是个有经验的医生……"

子老沉默半晌，才低语："我知道自己的病，这种病已伴我十五年了，可我还活着。"他点燃一支雪茄，狠吸了一口，"它是在提醒我，我的时间不多了。"他说话时，手在轻微地抖动。

单一海低呼："你早就知道自己的病？"

子老点点头："我不能躺下去，一旦睡下，就将再无法回来，甚至永远无法看到这个谜底了。"

"子老……"

"静静地躺着结束我的生命，不是我的本意，我会为此遗恨终身。"

"所以，你还将选择留下？"

"是的，我的墓地该在这儿，而不是焚尸炉。"老人怆然地说，"你该理解我。你也会成全我的，对吗？"

"为什么？"

"因为你与我一样，是个情种。"老人讲完，飘然而去，他的双脚有力地踏动脚下的浮尘，一会儿，便消失在了薄雾中。

单一海再次肃然，内心涌满许多感受，竟无一种是自己的。老人的肌体似乎被无数的疾病裹挟着，它们一个个潜伏在藏在老人的身上，却被老人控制着。不，是用一种力量抗衡着。他一生面临多重战场，但更多的却是精神上的。老人是个被欲望牵引着前行的人，一旦这种欲望遭到了毁灭，那么也就是他的身体被摧垮之时。

单一海喃喃自语："子老本身就像一种病样，令人着迷。我佩服他，甚至恨他。"

"为什么？"冯冉无声地靠过来。

"只有他才像个战士，而我们则似乎成了赝品。"他叹息着。

"他会让世上所有的军人失色的。我想起了丘吉尔见到罗斯福时说的一句话——与你同处一个时代我很高兴。我也想说，与子老共事，我很幸运。"

单一海神往地说："可惜，他走在了我的时代前面。"

"你打算怎么办？"冯冉问。

"什么？"

"他的病，我是说，要坚持送他回去吗？我预感老人过不了这个冬天了。"冯冉深深地叹息。

"他有权选择对自己生命的支配。"单一海悲怆地说。

"你真的要把他留下？"

"我只是尊重他的意愿，或者服从。"

冯冉默然不语，半天才喃喃地低呼："我们会不会是后悔？"他故意说出"我们"，而不是"你"。

"不知道。"单一海望一眼雾海中那团红鸡蛋似的太阳，那枚太阳总想要挣扎出什么似的，一浮一浮的，让人担心它会不会撞到戈壁的石头上，被碰碎！

"你这几天脱离工作，专门陪子老，他到哪儿你去哪儿，多带他转转。"单一海收回目光，指示冯冉，"还有，不许再出现任何差错。一旦病重，立即送医院。"

单一海挥手，让他离去。

冯冉犹豫着："是。"

单一海有些不悦："还有事？"

"嗯。"冯冉似乎下了很大决心，"昨天我老乡来看我时，告诉我，咱们师有五个人失踪了。"

"在哪儿？"单一海驻足。

"就在这片戈壁，他们去180公里处的达瓦哨卡一带去慰问演出，回来时失踪了。"

"宣传队的小姑娘们吗？"单一海望着眼前这片戈壁。这块戈壁方圆上千公里，大得几乎令人绝望。宣传队的小姑娘们每年都要例行公事去慰问那些常年见不到一个人的士兵们。要从这么大的戈壁把人找回来可真不容易。

"不，师医院的。"

166

"什么？"单一海吃惊地抬起头，"师医院的？"

"对。女真中尉也在这里面。"

"他们什么时候失踪的？"

"已经三十六个小时了。"

"为什么不早些告诉我？"他有些愤怒地盯着冯冉。

"昨天你太疲倦了，我怕你受不了。"冯冉小心地说，"据说师里正在部署人找，已派出去了一批人，但没有找到……"

"真是荒唐。"单一海把帽子抹下来，头上的汗珠不知什么时候已经沁出，心情一下子糟到了极点。他面对着那个倏然出现的影子，在心里大叫着，怎么偏偏就会有你！转身快步离开点将台。

17. 军人的姿态

邹辛站在人丛中，倾听着列车哐当停住的声音，心里也哐当响了一下。她凝神倾听播音员冰冷地报送列车到站的声音，脸上竟无任何表情，双脚钉住似的，无法动弹。她的内心此时蕴含一种怪异的情感。昨天，她接到单一海的电话，他将坐这次列车回来。她被这突如其来的消息给抚摸着，陷入对他深深的想念。这是他从军校毕业后第一次回来。她心内一算，已经有两年了，不，还该多一个月。两年来，她已习惯了没有他的日子，或者说是习惯了那种想念和等待的日子。她翻来覆去地想象他的样子，却只是一团模糊的影子，甚至连照片都有点儿对不上号了。她被这种复杂的情感给揉搓着，直到天亮。她一个人踩着单车，恍惚地站在车站前的栏杆边上，等待他出现。

单一海最后一个走出那个地下道。他目光平视，帽子扣得一丝不苟。那身制服虽旧却鲜亮笔直，黄肩章上居然已缀上了两颗星辉。邹辛的心跳骤然加快。她还是头回看他戴上星辉的样子。他的样子变化了，也更成熟了。那张脸上爬满了一丛丛的青楂，也闪着一种陌生的光泽。他的手里拎着个野战背包，里面鼓鼓的。他只用目光找寻着自己。他的目光总是无法掩藏他自己啊！她的手下意识地举起来。他点点头，脸上绽出灿烂的笑，迎着她走过来，目光深情地将她罩住。邹辛忍受着烫灼，羞涩地接过了他手中的包。

那包真沉，她的身子被带得一趔趄。"什么宝贝啊，怎么这么沉？"

"这回可不是宝贝了。"他用力抓起包的半边，"全是给你的，还有邹老的。他老人家身体还好吗？"

"整天跟一帮老头打门球，还爱上了钓鱼，很忙！不过听说你要来，心里又高兴了，还念叨与你摆摆龙门阵呢。他老人家近来又迷上了什么外军的东西。不过，他说要派车来，我没要。"邹辛引他来到自己的单车边，把包夹好。

"要个车也未尝不可，难道你还要创造两人单独的机会？告诉你，这回，我可要好好陪陪你。我都……"他四顾无人，凑近邹辛耳边低语，"想死你了。"

邹辛娇嗔地："又肉麻了。"

"还别说，两年多未见你，连肉麻也忘了。刚才那句话还是我下决心才说出来的，所以有了霉味儿吧？"

"讨厌。"邹辛快活地笑，不由得扯住他的袖子，跟着他向前走。车站距家只有四里多点儿的路，刚好可以走上半小时。有这半小时，她想，我就会尽快地熟悉他，不然至少到晚上以前，都不会有机会与他单独在一起。她无法忍受这一点，所以她就用这种略显自私的方式来迎接他。

这会儿，她沉浸在他的胡说八道里，心里又复苏出刚认识他时的嫩芽般心情。

他们拐入一条小街。街边被修剪得十分方正的各种花草掩着，嘈杂的声音和浮尘都仿佛被那些花草吸去般静寂着，花架下是一排排果绿色的长凳。

邹辛摸出手绢，揩揩汗："我们坐一会儿吧！走这么久，我都有些累了。"话毕，他已经一屁股坐那儿了。

单一海把车子支在一边，全身舒服地仰坐在长椅上。

"身上全是味儿，怎么搞的，累不累呀！你坐了几天车？"邹辛伸过手去，揩着一海额角的汗，他的军装已被汗水洇湿，军帽上已有了一层白碱。

"坐了六天车，不过，终于坐到了你身边，来的时候觉得时间太慢，有种走了一个世纪的感觉。"单一海目光灼灼地一把抓过邹辛的手，寻找着邹辛的眼睛。

邹辛被他盯得面目绯红，眼睛迷蒙地闪躲着，终于，她不躲了，把温柔的目光送过去。两束目光的火焰吱吱地交响着，都可以听到灼燃的呻吟了。

"想我吗？"一海颤抖着问，现在他不矜持了，一把揽过邹辛，一双热唇飞快地找到了她的眼睛，接着是鼻子和嘴巴。邹辛沉浸在一种飞速的欣快中，全身迷醉般的抖颤，柔软的身子散发出热热的气息。她迷醉地依偎着他。倏然，单一海轻轻地然而是坚决地推开她。

"哦，对不起。附近有人。"

邹辛从迷醉中醒来："有人怕什么？"

"我还穿着军装哪！"

"那你刚才为什么要抱我？"

"我有些太激动了。"

"穿着军装就不敢爱了？"

"不…不是的。"单一海抹去头上的细汗，有些口吃地说。邹辛最喜欢看他这样子了。他平时伶牙俐齿，可一旦涉及情感问题，总是胆小地立即怯场了。

邹辛不再追问他了，她轻轻地倚靠在他肩上。单一海半边身子立即僵硬，另外半边身子向外张开着，似乎以此来抵御那些偶尔走过的行人的目光。实际上行人都匆匆而过，根本顾不上看他。

邹辛斜依着他，轻轻地揉搓着他的手，仿佛揉着一种想法："你这回回来该办手续了吧？"

"什么手续？"单一海低下头温柔地看她。

"你的调动手续啊！到军区作战部。我托爷爷的部下办的，拖了好多天才办成哪！"邹辛娇嗔地抬起头，"我查过了，调令已下达到你们师里了。只是没想到你这么快就回来了。我真的好高兴。一海，你知道吗？我们以后可以永远在一起了。"

"调令，我怎么不知道啊！"单一海唰地起身，似有些不信地盯着邹辛，"你准备把我调回来？"

"嘿，这事办得太急，没来得及跟你商量。我以为会让你惊喜一下的呀！"

"就为这！"单一海忽然急躁地在原地来回急走，汗液哗地布满额头，"你为什么不与我商量一下呢？"

"这有什么可以商量的呢？你不是说盼着与我在一起吗？"

"可我并没盼着你把我调离那儿。"他的眼睛里喷着火,"你知道我最讨厌什么吗?那就是被别人任意主宰,你这是在打击我,你懂吗?"

邹辛被单一海的表情弄蒙了:"可我是为了我们的爱情呀!你要知道,我不能再忍受你一个人在那块戈壁滩上了,我是爱你才把你调回来的呀!"

单一海略微一怔:"爱,你以为这就是爱吗?你把我调到这儿,我可以干什么呢?我将终身生活在别人的阴影中,别人将会永远把我当成某某的人。你知道我为什么要去西北吗?那里是我自己奋斗来的,尽管它是一片戈壁,可西北有我的位置呀!这儿有什么呢?只有别人的阴影,你这样做等于是在否定我呀!"

邹辛在单一海的暴怒中,出现片刻的惊慌。她还是头一回见他这样发火,他发火时的样子如同一只急躁的公鸡,一头短发竖立着,眼睛要挣破似的看着她。她喃喃地说:"你真的不愿意回来?可你想过我们的以后吗?"

"以后。"单一海愣怔了一下,情绪似稍微平缓了过来,"以后……"

"是,以后,我们也许会结婚。可结婚以后呢,就这样天各一方地待着吗?每年有一次可怜的见面机会,靠不断地写信来相互联络情感。可你为我想过没有,我们现在是恋爱阶段,我还可以忍受,也许还有某种浪漫。可就这样,我们两年了才见一次,你知道吗?你的形象在我的心中都快成一团影子了,我都快认不出是你了。"邹辛情绪激动。

单一海似被她的话惊动,凝成一株树般的呆呆独立一边,盯视着她:"我刚才态度不好,原谅我的激动。这太突然了……"

"你根本对我就不好,你喜欢的那个西北都比我强。"邹辛已有些撒娇般的扭着身子。

单一海坐在邹辛边儿上:"我以前想得太简单了,我以为只有爱就可以有一切。"

"那你同意调回来啦?"邹辛的心情再度复缓,她轻轻抓住单一海。

"嗯。"单一海躲过她的眼睛,"你能再给我一段时间,让我想想吗?"

"西北还没待够啊你?"

"我早就厌倦那儿了,真的,把谁放在那儿,都会是一种伤害,可是……"单一海点燃一支烟,深吸两口,"我在那儿已待了八年,你知道那意味着什么吗?我几乎所有的理想、前途都搁在那儿了。"

"可你放不下那儿的是什么？"

"我放不下的那一切是我自己拼来的东西。我要是调，早就走了，一个军区作战部也装不下我的雄心。我只是想把我想干的事干完，我请求你让我做一件自己愿干的事，好吗？"

"什么？"

"在西北再干两年，两年之后，我就把自己归还给你！"

邹辛的心被碰疼般地闪跳，从刚才单一海的暴怒中，她已经预知到了结局。没想到，他还是两年前的样子。她以为一切都会变的，但这一切却似乎被他咀嚼得更加坚实了，似乎他对自己的固执与骄傲有着本能的偏爱。谁说的，男人，只会付出感情，而女人，却要付出心，甚至一生。

她觉出深深的怅然："哦，好吧，这个问题以后再讨论！我们先回家，爷爷早等急了。"邹辛站起身，默默地带着一海向回走。

上楼时，她凝视那个坚实的背影，却从中读出了一种令她惊异的陌生。

邹辛敲开单一海的房门，床空着，被子叠得齐正正的，人却没在。她有些惊讶，正要掩门，却听见房内某处传来一声轻微的鼾声。鼾声似乎贴着地面微微抖动着。她走过去，看见单一海的头伏在床下边的纤维毯上，双手抱紧着枕头，身上只罩一件毛巾被，正呼呼大睡。

邹辛奇怪地注视他，她还是头一次看单一海在睡梦中的样子。他的样子又憨又丑，只是那双紧闭的眼睛似乎永远在深思什么，传达着某种隐约的倔强。

她有些心疼地拍拍他的肩，手还未离开，他已经倏然睁开眼，同时伸手抓住她的臂。一看清是她，他立即快活地笑道："你的手一挨我的皮肤我就觉出是你。"

邹辛把手抽出。"快起床吧！都九点多了，你怎么睡在地毯上？"

"这床太软了，让人有种不踏实的感觉，还是炕和硬板床好啊！人的身子放上去，骨节就放松地舒服，一会儿就睡着了。"单一海站起来，拍拍那床，"唉，真舒服，我最喜欢这种累过之后痛睡的感觉。"

"一醒过来，就这样清醒，真让人疑心你刚才睡没睡着。"邹辛打量着单一海，他的身体硬硬地凸显着深深的劲道，只是皮肤越来越糙了，玉米皮似的黝黑。"没想到，一进家就让你有这么多的不习惯，早知道，我该给你买张硬板床了。"

171

"还是你了解我！"单一海披上件衣服，做几个扩胸动作，"做农民有做农民的好处，做一个城里人也有城里人的苦哪！比如这儿，就没有人可以享受一下土炕的舒服！"

"可这是在城里啊！"邹辛忽然怨道，"那你为什么不去做你的农民，还要来找我这个不喜欢土炕的城市姑娘？"

"唉，谁让村里的小伙子们太优秀了，没办法呀！只好委屈城里姑娘喽！"单一海故意逗邹辛，"唉，今儿星期天，你有什么安排没有？我可不愿只待在家里看电视呀！"

"美的你，今儿个上街，陪我逛街！"

"逛街？"单一海故意摇摇头，"还不如陪你去看看海浪呢，最次也可以看场电影吧！"

邹辛被他的怪相给逗笑了，推他一把："走吧你！我现在就要锻炼你的生活能力，至少把以前你欠我的全给补回来。知道不，一提逛商场我就会想起谁？"

"我？"

"当然是你，那么多的东西没有人拿，累了也没个人可以骂骂，我都不敢去了。这回我天天让你陪我去。"

单一海有些瞬间的触动："我答应你，今天正好上街给你买件衣服。我居然这么久了，都没给你买过衣服。"

"谢谢！"邹辛动人地看她一眼，"不用了。"

"为什么？"

"我有很多衣服，我都快穿不完了。"邹辛的眼神飘忽一下。

"可这是我给你的呀。"单一海强调。

"好啦，好啦，别争了，先去洗把脸，我们就上街。"话音未毕，隔壁响起一阵深长的电话铃声，邹辛匆匆地转身去接电话了。单一海注意到，邹辛在接电话时，下意识地把客厅的门掩上了。里边立即传出一阵低语声。单一海摇摇头，去洗脸。那个电话邹辛讲得很长，单一海洗漱完毕很久了，她仍没出来。

单一海无奈地在走道里来回徘徊，不知道该不该进去。他的心里忽然蒙上了一层阴郁。一个电话不该这么长啊！他抬腕看表，足有二十分钟，似乎也不该是个女的，再亲密的女友也不该有如此多的话啊！那么是男的？他被这种想法吓了一跳，也许是工作吧！他闷闷地拿起床边的一本杂志，无聊地翻看着。

十分钟后，单一海忍不住推开客厅的门，看到邹辛呆呆地坐在沙发上，眼中似有泪水。她脸上凝满深深的忧郁，似乎被某件事触动，沉默着。单一海的内心罩上某种不祥的阴影。他走过去，静静地坐在她对面，坚持着不说话。

　　邹辛不自然地笑笑，站起来，拿过身边的包，低语："走吧！"转身向前走去，神情中蕴含着许多的话语。

　　晨间的街上泼着一层嫩嫩的金黄的阳光，这个城市很干净，到处都像被清洗过，散发着新鲜的潮湿味道。单一海努力让自己的心情平静下来，一路上只用眼神扫视着邹辛，不主动说话。他知道，自己的沉默其实就是一种态度。邹辛会懂的。

　　可邹辛的心情似乎一直罩在刚才的电话中。单一海有些气恼地瞥了她一眼，脸上做出种莫名的快乐，他尽力不去想那件事。他想，既然她仍保持着沉默，那就说明她内心有更大的隐痛。他坚信她会把一切说出来的，他甚至已想好了各种安慰的措辞。

　　这时，路边出现一家花店，名字很好听——小雨点。他看到邹辛的步子略微慢了下来，不由得内心一动，有这么好听的名字的花店本身就是一种意境。他停住脚步："这店出现得真及时，辛子，我还没送过你花呢，我今天想给你买束最好的玫瑰送给你，好吗？"

　　邹辛轻轻地点点头，脸上闪过一丝短暂的笑容，仅仅一瞬。忧郁的女人都很乖，他们的忧郁使自己多了许多温顺和柔软的味道。只是这忧郁从何而来呢？单一海迷惑地瞥她一眼，牵着她的手，走进了花店。

　　花店里一排排的鲜花相互叠积着，满满的清香温热地扑来。那些花朵如同隐藏着的热情，但又都无比沉静，在这样素雅的情境里，几乎让人醉倒。单一海基本叫不上那些花的名字，它们都陌生地站在花架上，喷吐着芬芳。这时单一海看到有一束斜插在水里的素洁的花朵，伸展着宽厚的叶质，在地上一角里独自摇曳。单一海缄默不语，他隐约觉出此花肯定不适于某种心境，甚至无法作为礼品与祝福送出去，所以，它是孤独的。单一海凝神片刻，眼睛移开，指定一束玫瑰。他从中拿了一枝，那枝玫瑰含着半个苞芽，内中似乎蕴含着某种露珠似的心境，它欲开未开的样子真动人，也最让人怜爱。他心中浮动片刻的遐想，同时下意识地惋惜，为什么只有玫瑰才可以是爱情呢？

　　邹辛用眼睛触触单一海递来的那束花，让它依在胸前，红紫的花朵点缀着她。单一海听到她有些不自在地说：“谢谢。”

走出那个花店许久，单一海仿佛无意地说道：“我都快不想送给你这朵玫瑰了！”

“为什么？”邹辛诧异。

“因为你居然说谢谢我。你的礼貌让我很陌生。当然，必要的时候也应该是一种非常好的武器。嗨，你捧着玫瑰的姿势真动人，我还是头一回送玫瑰给你。当然，也是我第一次送花给女孩子。我现在才明白，为什么人们要用玫瑰表达爱情。”

邹辛忽然转过头：“其实，你根本就不相信这束玫瑰，你信的是它？”

“什么？”

“那束白色的花……刚才你的目光一直放在它上面。当然它很独特，也很孤独，更重要的是它在花中有着另外的一种韵味。”

“它是有不合群甚至感伤的韵味，我真想用它来代表我，可我却不知道它叫什么。”

“白菖菊……”邹辛的脸色瞬间低沉，“它的独特是因为它最暗淡，在这个城市，这花只代表一种意味，那就是感伤和离别。不知从什么时候起，它成了一种借口，分手的借口。男孩子要与女孩子分手时，才会送它！”

单一海吃惊地盯住她，内心涌满许多复杂的情感：“我觉出悲哀了。没想到花会在某些时候成为一种道具。人类其实很残忍，把许多美好的东西化成一些残酷的意境，这种意境其实打碎了多少真实的心情。相信我即使给你那束花，那我也是真诚的。”

“其实，人无法躲过的只是一些下意识的东西。知道吗？当你注意那束花的时候，我就有些心惊。”

单一海沉默片刻：“你今天的情绪怎么总这样感伤。看什么都灰灰的，透着股忧郁，似乎有什么极深的心事，这种感伤不该属于你。”

“它当然属于我。”邹辛飞快地瞥他一眼，“可惜，它只能让我一个人承受。”

“为什么？”单一海狐疑地耸耸肩。

“别问了好吗？”她停在一家商厦门前，“我现在不再去想那件事了，我只想，今天我与你在一起，我的心是快乐的。”说完，轻轻挽起一海的胳膊，随着人流涌进大厦。

单一海的胳膊被她紧紧地挽着，似乎邹辛在竭力让自己遗忘什么。单一海内心再次涌过不祥的阴影。她今天怎么这么感伤？

人流浪头般不断地扑涌着，单一海内心埋藏着某种巨大的疑问，他的心在这种疑问的轻抚中深深地沉默了。邹辛已挤到化妆品柜台前，她似乎被那些口红给吸引了，脸上露出开心的笑颜。她用力旋开一支玫瑰红的口红，在上面点了一下，擦在自己的嘴唇上，然后问单一海："漂亮不？"

单一海被她的小女人样给弄得心头一动一动的，女人似乎在化妆品前才更像个女人哪！他一边想，一边殷勤地为她挑选，邹辛最终选了一支暗色的玫瑰红。她当即就掏出小镜子，在唇上面涂了一圈。她的唇立即充满了诱人的质感。这时，单一海发现，她的脸上素净着，只是涂了红唇，显出种别致的美，甚至性感。他目光有些呆滞，低声赞美："你的唇好性感。"

邹辛娇羞地一笑，把钱塞给他："那就买这支，你去付账吧！"

单一海略觉意外："我有钱，只要你喜欢，我给你买就是。"

邹辛却低下头："我不能花你的钱，这是我用的，怎么可以花你的钱呢！"单一海被弄得有些不知所措，女孩子似乎天生应该让男人给自己买东西。而他早就把这一切当成了自己的特权。他心中暗叹：在钱的问题上区分得如此干净的恋人，还能叫恋人吗？可当你要给自己所爱的人付钱时，她却不要，至少也该算一种尴尬吧！

单一海摸出支烟，想抽，犹豫了一下，又用手取下，一把揉碎。那烟在他的宽掌中，轻轻呻吟着，满掌都是芬芳的烟草味。邹辛付完账，回来时面目奇异地平静着，似乎对这样做并没有什么不安。她一把扯住单一海："别待了，二楼上新进了一批时装，听说是从韩国进的，去看看吧？"

单一海无语地随她上电梯，商场内的一切都弥漫着一种豪华得近乎于俗奢的感觉，到处都令他不习惯或者陌生。他自己对这儿的一切竟有种深深的不安和慌乱，甚至已不习惯于这样在人丛中挤挤挨挨着走，蓦地，他发现，这儿的一切距他太远了，他下意识地想起那片戈壁，那儿又太开阔了，阔大得连人与人之间的想念也有几十、上百公里，这种拥挤简直只是梦中才会有的情景啊！他暗叹。同时心内产生一种深深的落寞。是生活距他太远了，还是生活疏忽了他？

邹辛捅捅他，似乎奇怪地询问："你怎么了，恍恍惚惚的。"单一海惊醒般地抬起头，他们已到了间精品屋。摆放着的各种服装在柔光的照射下，散发出某种绒绒的光泽。"没什么，哦，你看中哪套衣服了？"他把目光从邹辛身上移开，故意去看那些服装。

"不知道有没有合适的。"邹辛离开他，径自去架子上翻看，偶尔触摸一下。这时，单一海看见一套略微黑红的套装，感觉邹辛穿上也许会不错，就招呼她过来。邹辛远远地瞄了一眼："太老了，那是三十岁以上的职业女装，你怎么选那样的款式？"

单一海愣住了，他看着邹辛的着装，不由得有些发呆。唉，挑选服装比训练一个士兵还费劲，尤其是给女孩子选衣服。这时单一海觉出旁边有双目光罩住他不放，他不自然地回过头，那是一束男人的目光。他长得不很精神，头发深深地向后梳着，着一套合体的西装，这么热的天，他居然穿着笔挺的西装。单一海转回头，发现那束目光仍盯视着他。他有些不自在了，重又回过头。那男人的唇角露出一丝微笑。渐渐地，他明白了，他在笑自己的军装。他这才发现自己这一身军装在这样的场合，真是太不合时宜了，甚至有种寒酸的感觉。单一海略微局促地扭扭身子，倏地，把腰挺直了。军装就军装吧！妈的，退后十多年你也许还穿过黄布军装呢。那会儿军装也是时装。

那男人一直跟着他们，走过了好几家精品屋。单一海感觉他一直在注视，或者说在偷窥自己。他有些不舒服了，在跨进又一间房子时，故意候在门后，等那人进来，他平静地凝视他。那人显然没料到似的，略显尴尬地搓搓手，继而冷静地说："你好吗？"

这小子居然问候自己。可我并不认识他呀！他刚要开口，却听见身后传出一声略显喜悦的问候："怎么是你，你也来买东西呀？"

那男子稍一怔，把头转向单一海："怎么，逛商场呀，这就是你的那个'绿马王子'？"

单一海冷静地打量他："我是单一海，你是……"

"哦，我一位……朋友。"邹辛忽然截断他的话，"来，给我参谋参谋，我刚好看中一件连衣裙，南韩真丝的，你看怎么样。"

那男子无意似的瞟了单一海一眼，用手触触那裙子："料子不错，这件衣服的款式正好适合你，瞧，你的皮肤正好与衣服的颜色相配，只是便宜了些。"

单一海伸眼望去。1230元，自己一个月的工资，他居然还说便宜？

邹辛笑笑，不语。

"刚好你的'绿马王子'可以付账啦。哦，我还有件事，告辞啦。"走出门边几步，他又回来，对邹辛说，"今晚我等你……们。"

邹辛点点头，目送他离去。那边服务小姐已把裙子包好，递过来。

单一海把那件衣服掂掂："小姐，这衣服太贵了吧！"

邹辛似乎尴尬地拉拉他，低语："别老土了，这店不还价。"说完，摸出一个包要去付账。

单一海坚持地拦住她："这衣服算我送给你的，好吗？"

邹辛看着他的眼睛，轻轻点了下头。单一海快步付完账，内心竟有许多新异的感觉。这个陌生男人，邹辛竟如此信任他。他说的这件裙子，单一海看上去总觉得别别扭扭的。自己难道越来越不懂生活了？难道……他有种深深的疏离感，提着那件裙子："回吧，我不太习惯这种商场味，我宁可待在房间里，哪怕无人处也行。"

"唉，一种正常的'偏远孤独症'。许多长年在边防上待惯了的人，都不太习惯这种生活。其实，他们是害怕。自己在偏远的地儿待了那么多年，一切都平静得令人心安理得。一到了真实的生活中，却发现自己什么也不是或者是觉出了一种距离。原先的价值观一下偏离了方向，心理上一时调整不过来也是正常的。"邹辛理解地随他下楼，右手似乎无意间伸进他的口袋，单一海感觉口袋中多了一卷东西。

单一海似被触动："其实，我内心中渴望这种生活比渴望战争的情感更浓烈。可却发现，生活有时比战争更复杂，也更难对付。唉，军人哪！我不会是那种只会在沙盘上演示战争的人吧？"

邹辛低头，脸上又蒙上了层阴郁，带他走出商厦，忽然指定海边上那排防波长堤："你看到没有，失去战争的军人更像是这个时代的一道防波大堤，那些巨浪也许永远不会来，所以它们就永远在那里沉默着，甚至只成了人们消闲之后的一道装饰。"

"你是说我们也是装饰？"单一海自嘲地耸耸肩，"如果是装饰也就罢了。可惜的是有时你连这也不是，可有谁知道这些沉默的石头也是一个个与他们一样的人呢。"

邹辛低眉，看着波浪哗哗拍击大堤，似乎陷入孤独和沉思中，背影也有一种意境般的动人。单一海有些气馁地从口袋中摸出那卷纸来，竟然是几张百元大钞。他一瞬间枯萎般的呆了："这是为什么？"

邹辛用目光回答他："那是刚买衣服的钱！"

"我说过要送给你的嘛！你……不喜欢我？"

"不，你不要把金钱与感情联系起来。你不明白……"

"我太明白了，一个女孩子居然拒绝男朋友给买的东西，你知道这意味着什么吗？"

邹辛平静地依偎过来："按平常的理解，是情感上出现危机的信号。可一海，我不希望你把我与他们等同起来。你知道，我有自己的工作，工资比你还多。更重要的，我是一个独立的人，喜欢用自己的钱，我不想因为钱而成为谁的附属品。"

单一海吃惊地望定她："连我也是如此？"

"是的，也许我的感情属于你，但我却属于自己。我不想在未结婚前，花你一分钱。这样，也许我会更轻松些，更能让自己清楚地认清自己的感情，你理解吗？"

单一海呆了好久，才重重地点了下头："可能我并不太理解你。"

"这才是你的真心话哪。"邹辛轻轻地点点头，"不理解才有寻找的激情，如果我们一下都看透了对方，多可怕。其实，你是我认识的朋友中最有魅力的一个。他们也许有各方面的长处，但跟你的长处一比，一下就抵消了。知道我喜欢你什么吗？"

单一海心头波浪般翻涌，脸色却异常平静："什么？"

"不想告诉你，一旦说出来也就没有多少意思了，可我还想告诉你一点，你有时显得像父亲！"

"父亲？"

"今天早晨，我那个电话你知道是谁来的吗？"

单一海不语，期待她说下去，只是不知道她为什么到现在才告诉自己。

"是我的朋友，别紧张，是个一般的男友。你不在的时候我常与他在一起。他很爱我，可我不爱他。只是喜欢与他在一起说话罢了，有时其实我也很寂寞的。"

"是那个帮你选衣服的男人？"单一海平静地问。

"嗯，他是个合资公司的职员。他追了我两年，早晨他在电话中哭诉了至少有二十分钟。"

"后来来看我，也是他早就告诉了你的，是吗？"

"他一直想知道你的样子……早晨我的情绪不好。我一直害怕你来问我，因为当时我还没想好如何回答你。从你的表情上，看出来你早就预感到了什么，可你就是坚持着不说，这一点上你像我父亲，很像。"

"他看到了我，只会增加他追你的决心！他没失望，反而变得无所惧怕了。他今晚邀请我去纯粹是故作潇洒嘛！哎，今晚去干吗？"

"他要在家开 Party！你去不去？"

"去，当然去。我只在书上看过，还真没见识过呢！"单一海摊摊手。

单一海从容地吃完饭，在客厅等候邹辛。邹辛正在细心地描绘着那并不复杂的面部。他点上一支烟，深深地吸一口。

许久，邹辛从里屋出来，单一海的眼睛立刻直了。她已穿上了上午刚买的那件裙子，足底一双似草编的休闲鞋，头发随意地披在肩上，脸上淡有淡无地施着薄妆。在客厅的柔光下，她简直如同一个全身喷着香气的洋娃娃，比洋娃娃又多几分成熟。他禁不住地低呼："你今天都快让我认不出来了，辛子，我发现你的容貌几乎是随着天时在变化，到了晚上比白天更有韵味。简直……都舍不得让你出门了！"

"得了吧！又来肉麻，你一肉麻我就觉得你是在挖苦我。"邹辛看着他，"你怎么还是这身军装？这是去参加 Party，可不是去打仗。哎，我刚才送给你的那套西装呢，快换上呀。"

那身西服单一海刚试过，那料子又垂又挺，可一披在他身上，却似乎与他的身体分开似的，吊挂在那儿。单一海怎么瞧也不舒服，连走路也僵僵硬硬的。他索性一把扯下，一换上军装，全身又都恢复过来，透出一股精神气儿。

"我刚试过。那西装怎么跟布片儿似的，与我的身体粘不到一起，还是穿这身军装舒服。"

邹辛说："那是我专门给你订购的，正好适合你这种体型呀，怎么会不适合呢？"

单一海无言地起身，飞快地把那身西装换上，站在客厅的中央，让邹辛看。

那样子仿佛一个生产队长穿了件中山装。"西装并不是所有人都适合穿的。不过，我也挺悲哀，当了这么多年兵，连便装也不会穿了，似乎离开了军装，连件合身的衣服也不会找到了。"

邹辛深深地看他一眼："你真是个天生当兵的。唉，你还是穿上你那身军装吧！"单一海从她话中听出许多无奈和失望，但他不语。这种东西应该有，如果没有，那倒显得有些不正常了。两人相继下楼，一路上，竟都沉默了。

他们到达时已是晚上九点左右，那家伙住得挺远，可也真别致。他家的房子悬在海滩边儿上的一座土山上，独门独院，全由石头垒就。

邹辛按响门铃，轻声向他介绍："这是他们家的老房子，父母都在加拿大，家里就他一个人住这么大一幢房子，这房子几乎有上百年了呢。"

单一海摸摸石头上的青苔，那些石头在月色中闪烁着冷光，月亮低在楼头。只有楼上低缓的若有若无的音乐，擦洗着深深的夜色。

片刻，门自动开了，并无人出迎。邹辛熟练地踏进门，在树丛间几乎看不见的小径上来回曲绕，似乎对这儿很熟。

他们刚走近楼前，门后的灯悄然亮起，灯光中早就站定了一个人。单一海认出那正是中午来看他的那个男人，他的头发向后梳着，身上随便穿件白衬衣，感觉又干净又绅士。

"怎么到现在才来，大家都以为你不来了呢。呵，还有个小跟班呢，你的绿马王子今天可真敢穿，我就佩服这样的大兵。来，咱们上楼。"他侧立一边，双臂相拥，话语热情，脸上却丝毫没有表情。

邹辛笑笑，那一笑似乎已经打过了招呼。两人亲热地向楼上走。单一海忽然觉出，自己像个多余的人。

客厅里的灯全部熄灭，隐约有几束淡淡的烛光，在角落里四处摇曳。一曲低抑而又舒缓的萨克斯仿佛从四面流过来似的，令人心动。他凝神倾听，居然是那支著名的《归家》，他循着乐声，坐在邹辛的身边。

邹辛一直与那个男人私语，单一海不知道他的姓名，现在更不想知道了。有时候少知道一些东西，也许可以少受一份打扰，何况……他抑制自己往下想，抬眼扫视屋内，目光很快便适应了这种灯光的幽暗。他看到，在暗色中围拥着七八对男女，他们都醉了似的相互挤拥着，仿佛一个人。单一海头次经历这种阵势，内心中涌动许多狂躁，额上的汗液迅速挤出。他觉得胸闷不已，取下帽子，松开扣子。

邹辛似乎无意中递过一方手帕，身子却仍与那个男子凑在一起，喁喁低语，仿佛有说不尽的话。邹辛跟自己在一起时，可不是这样啊！他接过来，抹去汗液，把手帕放进了自己口袋里，点燃一支烟，把头扭向那群在舞池中挤拥着不动的暗影。

这时，那曲《归家》已轻轻消失，新的舞曲又流出来，灯却被那个男子按亮了。一瞬间，单一海看到那些紧拥在一起的人立即分开了。这只是一间略大些的客厅。桌子上面摆满各种酒类。片刻，灯又熄灭，人们重又相拥到了一起。

单一海虽沉默着，却感到暗处射来的目光。就气质而言，他是今晚这些人中最佳的。可后来，他觉出来了，他们看他，并不是他的沉默，是因为他的军装。意识到这一点，他有些下意识地缩缩身子，他再次觉出不协调，甚至寒酸来。这身军装此时竟是如此的尴尬。这时，邹辛被一个男人邀走，邹辛用目光瞥了他一下，便消失在了暗中。那男人站起来，递给单一海一杯酒。

"单先生，别客气，来我这儿的都是些朋友，你可以放开去跳舞。"

"哦，谢谢。我休息一会……"

"单先生在部队常跳舞吗？"

"偶尔跳跳。"他递给那男人一支烟，"也就会些国标吧！新疆舞也会一点儿。"

"没想到啊，军队上也这么开放吗？"

"当然不是，那儿不会有这么暗的光，而且也不允许跳这种舞，这种舞似乎这儿也不让跳吧？"

"现在谁还跳那种舞，只是消遣而已吧！何况现在谁还管谁？"那男人忽然咯咯地狂笑不止。单一海有些恼怒地盯视他："你笑什么？"

"哎哟，我真服了邹辛。不过也算她有眼力，还可以找到你这么个古典的男人。"

单一海轻啜一口酒，那酒的味道有种异味，他含住，半天才咽下去，心内仿佛被触碰似的不适。

"怎么，喝不惯这酒吧！"那男人有些抑郁地看他，"这是纯法国杜松子酒，一瓶要一百多美元哪！"

"还行，这酒的纯度不够，有种樟脑味，似乎打开过，可能存放的地方不够好吧！"

这回轮到那人吃惊了："你也懂这酒？许多人都喝不惯呢。"

"慢慢就惯了。人哪，什么都该尝一尝。不习惯的尝过就可以永远不再去动它；习惯了，可以让它成为自己的一种习惯。"

"讲得好，可单先生似乎对今天的这一切并不习惯，按你的说法，也该尝尝哪，尝过后可能你就会习惯了。"他压抑着笑意，刻薄地说。

"是吗？不过，有的东西我永远也不会变，永远也不。"单一海有种狠狠的坚决，他这会儿似已习惯了那种昏暗，刚才的话又让他恢复了自信。妈的，我是老土，就给你老土个样儿出来瞧瞧。

那男人看了他一眼，似乎在掩饰什么，搂着边儿上的一个姑娘就摇晃起来了。单一海用余光寻找邹辛，发现她也那样半依半靠着，但似乎竭力克制着什么而保持着隐约的距离。单一海觉出一种深深的孤独，内心泛出一种强烈的悔意，今晚真不该来，这里似乎并不属于自己。

这时，邹辛似乎意识到了什么，过来拉起单一海。单一海有些不自然地说："你跳吧！我有些……不舒服！"

"你怎么了？"邹辛靠近他坐下。

"没什么，只是有些不太适应这种黑暗。"单一海点起一支烟，感觉自己这样，邹辛也没法跳下去，而且会破坏她的情绪，她似乎兴致蛮高的。他站起来，"我去阳台上坐坐，一会儿就好！"

"用不用我陪你去？"邹辛似乎担心地问。

"不用了，我想一个人待会儿。"说完，快步离开邹辛。那面阳台真大，爬满各种绿色蔓状植物。透过夜色，他认不清楚它们，手搭在绿叶上，他的心可以听到它们在不安地颤抖。这时他听见对面哗哗的涌浪声，凝神瞥去，只见水浪在月波中翻腾着鱼肚白色，它们暗暗地涌溅着种细微的呻吟。单一海没想到，在这儿还可以望见海。他的眼睛在暗中抚摸着想象中的大海，独自沉浸其中，内心也仿佛被洞开似的，传达出某种意境。不过，这种意境却让他不宁，不知道是自己变了，还是周围的世界变了，一切变得好像哪儿出了差错，又找不到原因。这种现象最可怕了，因为对对方的不安，甚至无法看清，反而使两人都在某些问题上回避着。而这种回避，其实只是暂时的隐藏而已。而隐藏愈深，暴露出来时也愈会像匕首一样，扎伤对方……

身后骤然响起激烈的摇滚乐曲，那急匆匆的重鼓震得他的内心哗哗摇颤。蓦地，他从音乐中听到了荒野沙暴的节奏。戈壁的风暴也是这种旋律啊！他仿佛发现什么似的转身冲进客厅，客厅里被暴烈的节奏淹没着，能够依稀辨清的只是人们疯狂跳跃和抖动的肢体。那些来回闪动的人形如同一些风中抖落的红柳的残枝。他被音乐抚摸着，内心似乎找到了某种依靠似的，一下子安宁了。他拿起一杯酒，坐在沙发上，闭目，深深地呼吸着那些暴烈的韵味。此时的风暴是一些音符的风暴，这种风暴一下子让单一海呼吸到了那种以前厌恶到极致的干燥和无奈。连他也奇怪，自己竟一下子陷入进去，并且就寻找到了那些暴风留给自己的美感。他发觉，自己其实一直在心底里下意识地爱着它们。发现这一点时，他的手几乎有些抖颤，戈壁一下子变得幽远而清晰……

"怎么，单先生，你好像对这种乐曲很感兴趣。这种节奏刺伤了你，你似乎挺伤感？"

身后音乐的风暴悄然退去，房内亮起柔和的灯，流水似的音乐哗哗轻淌。这种骤然来临的清晰的平静，反倒没让单一海觉出异样。因为风暴过后，戈壁也是如此的清幽和平静啊！

单一海从沉静中醒来，他看到那个男人正略含笑意地盯视他。人们都停止了跳舞，坐在一边，谈笑着什么，但更多的人却显得沉静了下来，每次疯狂的发泄过后只会是更深重的失落啊！他抬眼瞥见邹辛，她正与一个女孩子谈着什么，但从那个女孩子不断飘来的目光中，他觉出他们正在谈论自己。他点上一支烟，深吸一口之后，淡淡地说："这种音乐很像沙暴的声音，我想起了戈壁。哦，戈壁你知道是什么吗？"

"戈壁……不就是连根草也没有的地方吗？听说那儿连水也没有，全是石头，你们就在那儿保卫石头？"那男人略略夸张地耸耸肩，旁边的几个人都附和地笑笑。

单一海被刺疼："是的，还有那些可怕的风暴。"

"你就在那儿服役？中尉，听说西北都是黄沙、勒勒车、戈壁……过去流放犯人的地方。你们当兵的就在那儿生活……哎哟，真让人不可理解。"朦胧中一个女孩子的声音飘过来，似乎很同情地抛给单一海一个媚眼。

单一海觉出种无奈甚至好笑，他辨出那女孩子似乎只有十几岁，即使在夜色中也无法掩饰住她的青春。单一海见惯了这种对大西北一知半解的人，西北在人们的心目中，真的太远了。在许多人的心中，兰州也许只是一个小镇，而他说出自己所在的镇子时，却似乎连村庄也算不上了。也难怪这些整天蜷缩在父母羽翼下的小鸟儿们对西北的误解了，他有些敷衍地笑笑。

"所以你觉出很失落，是吧……"那个男人略有些嘲弄地看他。

单一海被再次刺疼，原来刚刚好一点儿的心情丧失殆尽。他不明白，这些人不知从哪儿来的这些莫名的优越感，似乎都有权对他表示同情似的，似乎他在西北从军本身就是一种值得可怜的经历，他心中悲哀地想。可你们配吗？

"是吗？在真的沙暴中挣扎？哦，天哪，你真的见过沙暴，我在电视中看过，真是太可怕了，黄沙弥漫的，不过一定很刺激吧！"那女孩儿喷着满身的香气凑过来。

单一海略略一笑："是太刺激了，三个月前，我们那儿刮过一次沙暴，把三只羊和一头猪给卷走了，还有一个战士至今下落不明……"

"真刺激。简直……"那女孩子神往地说。

单一海被她的表情给弄得有些愕然，残酷的东西居然被她当成了刺激的。这就是这些人和自己的区别吗？他们的生活不正是自己所希冀的吗？自己却正好又成了这些人的梦想或者寻找新的刺激的替代品！

单一海有些抑制不住地看定他们："不应该是刺激，小姐，西部永远不会是一种刺激。西部只是悲壮和博大，同时也是牺牲和死亡的代名词。"

"中尉先生，我觉得你真优秀，优秀到了像一个过时的人，我在生活中都见不到这种样子的人了，你好像是从另外一个世界回来的……"那女孩子愣怔地看他，继而瞄向邹辛，"你是怎样把他给找出来的呀？"她的话音刚落，四周就响起一阵哗哗的低笑。

邹辛脸一红，不再说话，单一海觉出，她似乎感到很不自在。他低低地在心中冲她喊，你有什么难为情的呢？同时，内心有种受到戏弄的不舒服："小姐，我想告诉你，其实生活并不仅仅是你过的这一种。你没资格去评论另外一种你不了解的生活。"

"就像你过的那一种，保卫石头和沙暴，等待死亡。听起来真浪漫，可恰恰最浪漫的往往就是不真实的。"女孩子似乎被激怒了，狠狠地说。

这时，邹辛这时用眼神示意他，别再说话。单一海故意装作没看见，顾自讲道："可以很坦然地告诉你，我喜欢这种生活方式。只有这种生活，可以让我觉出生活的真实感觉。"

"可军人只是一种时代的点缀，你不觉得你只是一种点缀或者所从事的是一种可笑的职业吗？"那男人冷冷地看着他。

单一海的内心波涛般的汹涌："在军人不是点缀的时候，你们还会在这里过这种生活吗？很不幸，我喜欢你们的这种生活，但却不会去追求它。我只会欣赏，远远地去欣赏。"

话毕，众人都有些愕然地沉静了。单一海在这种短暂的沉静中，有种发泄之后的淋漓的快意。他从来没发现过自己在生活中的样子，如果军外的生活更真实的话，那么他永远都无法适应它。那一刻，他悲哀地想到，他其实天生只属于一种生活，那就是军队。以前从来没认清这个问题，现在，他反而一下子看得更清楚了。他的这种不适应是因为有另外一种生活更牵扯着他啊！想到这里，他的心竟有些淡淡的颤抖，脑际蓦地浮出戈壁的奇景，那些看得过多而显出平淡的各种景色都呈现出新的感觉。此时，那些枯荒的火和巨大的戈壁仿佛成了一种意境，媚眼儿似的一伸一缩。他下意识地想到，该回去了，只有那儿才属于自己，也只有到了那里，才会让他坦然而自尊。一个人应该终生在属于自己的地方，而不是像今天的自己。他的眼睛无意间寻找到了邹辛，邹辛的眼睛罩在他身上，可她的眼神更多地显示着一种失望……乃至淡淡的不自在。

单一海凝视她片刻，站起来，轻轻地对那些人说："对不起……告辞。"说毕，转身走到邹辛面前，期待她走。邹辛似乎有些抱歉地冲周围那些人笑笑，咬咬嘴唇，随他走下楼梯。

街上空旷得可怕，那些楼在夜色中如同一个个黑色的墨块。幽静的暗色仿佛是它们放射出来的一种结晶。它们彼此依靠着，传递着某种深长的情意。单一海有些感动地看着那些楼群，低声对旁边的邹辛说："这街上真静，好像只有我们两人的声音……"

邹辛似乎还浸在某种情绪中。她只是略略笑笑，就又退到沉默中去了。单一海被她的神情给撞了一下，这种瞬间的感觉总使他觉出一种陌生甚至距离。女孩子的沉默和客气都是一种可怕的先兆，你见过哪个恋爱中的女孩子是冷静的呢？单一海用眼睛瞥瞥她，不再说话，内心泛起许多波涛般的感受。他蓦地发现，自己今晚上似乎一直都被一些东西刺激着。他是个一遇到刺激就浑身散发魅力的人……可她却一直远远地看着他，一晚上都在冷静地倾听，仿佛从不认识他似的。也许是自己让她吃惊了，可她的表情告诉他，她似乎很冷静，甚至增添了许多他不熟悉的东西。

"你在想你的西北……"邹辛似乎不经意地说。

"你怎么会有这样的感觉……"单一海狐疑地看她。

"你晚上的话已经告诉我了。"邹辛顾自向前走，话语平静得让人觉出冰凉，"很奇怪，我居然头一次听你这样谈西北。我还以为自己很了解你。可我却发现你变得越来越陌生，陌生得令我觉出可怕。"

"也许他们会笑你选择了我……"

"他们不会听懂你的话。"

"我其实有许多的话只是说给自己听的。当然，我没想到你也听出了我的内心。邹辛，你理解我为什么不愿意回来吧？"

"理解，可正是这种理解让我心寒。"邹辛停住脚，"我的心里很乱。我说不清自己了，或者看不清自己了。我感觉累，以前与你在一起时，也许分享到的是浪漫，所以我们都是快乐的，可现在呢？"

单一海内心轰轰作响："你后悔了……"

"没有，或者说不清楚。我现在似乎才体会到，我们也许在精神上彼此锲入得太深，可在生活中其实有着巨大的差异。这种差异让我一下子变得无所适从，我头一回觉出尴尬，不是为你而是为我。我这几天不得不面对一个问题，我似乎越来越不懂生活了，或者是不懂你了。"邹辛看着他，轻声说，"走吧！夜已经深了。"

单一海看到月亮正站在头顶上，黑暗的大地被蒙上一层晦光，一切都变得晦暗而迷蒙。单一海轻声叹息，她居然如此冷静。他平息一下自己的呼吸，忽然站住脚。

"也许，我该回去了。在这儿再待上一段日子，我怕自己都会给捂得发霉了……"他努力笑笑，试图让自己的神色变得自然些。

"你已经决定了，才告诉我的吗？"

"是的，我想也许我该回去了，到了那儿，我也许会冷静下来，在这里，我无法安静。"

"你果真是你。"邹辛动容地看着他，"其实有的东西真的不会变啊，永远不会变。你走吧！我们都需要时间思考一下彼此的生活，也许时间可以帮助我们认清，什么东西属于自己，什么仅仅只能成为回忆……"

"什么东西才可以成为回忆呢？"单一海有些愕然地看着邹辛，他没想到，他们俩在谈这个问题时，居然如此的平静，似乎早就会料到这种结局似的，竟都没有半点儿的诧异和惊讶。

他深深地看她一眼，竟发觉一些彼此熟悉的东西，他的心里沉了沉，低语："走吧……"街上响起两人冷静的脚步的回音，听上去像有无数的脚步在伴他行走。他在那无数的脚声中，寻到了自己的。

18. 戈壁之海

单一海驱车赶回师部时，已是晚九时。他在吉普车驶入师部大院门口时，才把方向盘交给司机。他不想让人看出是自己在开车。师里严格规定了不准干部驾车，即使是车技一流。他很遗憾这个规定，一个军官按规定必须会开车，可学会了却又不准开，他怎么也无法理清这其中的逻辑。那个司机在车后座上正舒服地打着鼾。他蒙眬着睡眼，看了一眼师部大院，不由得有些惊呆了。"这么快就到了，我以为还在半路上呢。"他抬腕瞥了一眼表，"才三个小时，360公里，你这是咋开的哪！"

单一海笑笑，不语，坦然接受他的惊讶和赞美，要放在平时，他会趁兴大讲一番开车的各种经验。他最拿手的一种调侃对方的方式便是用外行的身份，大讲比对方的专长更深刻的东西，这叫以子之矛攻子之盾。但现在，他的内心正被一股莫名的担忧扰得心绪不宁。他有些奇怪地长叹一口气，试图让自己平静下来。他从未如此深地担忧过一个人，哪怕是——他的脑子中迅速闪过邹辛——也没有啊！

他以为自己已经把女真忘掉了，从她平静地把那一切告诉他之时，他便有种无法忍受的痛苦，许多事情永远该是隐藏着的啊！不应把它说出来。男人最不能容忍的似乎便是这些了，哪怕她的以前与自己无关。他很奇怪，自己一想起女真，便会想起那个人。那个人的身影他根本无从见过，可每次一想，却清晰如真。他被这种无由的情绪挤压着，几乎无法忍受。爱情有时真是一种病啊！他想。干脆把自己搞得累些，让自己的心整天充满各种事儿。果然，他的心结茧般的沉默了。但今天上午，他从冯冉处得到女真失踪的消息之时，内心却充满一种针刺般的疼痛，被一种无由的担忧揪紧着。他几乎是奔跑着回了连部。

他把那张随手携带的 1∶5000 的军用地图，摊开在帐篷外的枯地上。他立即面对另外一片戈壁，这片戈壁因为充满各种暗示般的图形符号，而突显出全新的感觉。这张图精确地标示出了各种单纯细小的沙包和稍高些的独立物。他的目光绕国境线的蔚蓝边线行走，估计着由他们师负责的防线范围内的各个哨卡、瞭望塔到师部的距离。戈壁在图上呈现着深凹的平坦，感觉似乎是一个巨大的圆锅。戈壁其实只是一种深深的盆状体，而不是感觉上的过分平坦呀！他的目光越过十几处标明独立物的略高些的圆丘状的戈壁高地。那些高地有上千个，彼此相连又彼此重复，相像得让人轻易看不出任何通道。仿佛从哪儿都可以走过去，其实又都不是。他悚然了，如果迷路很可能是在这儿。戈壁上根本没有路，全凭司机良好的识路能力和指北针加纬度行进，他用目光测量那块地域，居然是在这片戈壁的中央。这片地距师部 162 公里，而距团部 160 公里，距国境线 70 公里。他又审视自己与女真的距离，仅仅 100 公里。他刚好处在团、师之间的三角地域。如果寻找，从他这儿将是最佳的方向。他为自己的这个发现兴奋了，方圆上百公里，仅他这一支连队，如果师里派人寻找，那么他绝对有可能被委以寻找任务。但他同时担忧，万一师里想不到他这支连队呢？

他亲自口授命令，让电台值班员，将他的电文直接传回师里。按规定，他只有权与团里联系，但他已顾不了那么多了，宁肯回来后面对团里的处分了。他悲壮地口述：我是某团二连连长单一海，我的方位在戈壁正西，师医院失踪人员据我估计有可能在戈壁 126 号地域，我距 126 号地域较近，我请求首长考虑派我带部分精干人员，从此方向参加寻找。

值班员请示："发给谁？"

"师作战值班室。"那儿有他的一个同学，沙化，他是作训科参谋。他坚信他会处理好此事的。他转身离去，走到门口，又改变命令，"直接送达师长本人。"

电文发出后，他便陷入一种难耐的等待之中。单一海命令二班全体作好准备，携带武器和一周干粮。冯冉默默地遵照命令准备着，他预感师长会批准他的这个计划的。

回音直到下午五时三十分左右才到，作训科的沙化参谋直接通过电台与他讲话。电台的声音十分清晰，沙化粗糙的声音在电流中十分逼真。

"一海吗？我是谁？听出来了吧！我先讲好消息，师长老头批准了你的这一计划。"

"我知道他会批准的，我只是提醒他尽快批准，别到最后才想起我！"单一海大声对老同学喊。

"再讲坏消息，你小子这封电文开创了本师由连队直发师长的纪录。"

"你怎么处理的？"

"我刚才值班，截下了电文，改为由你团直发过来的，并让你们团长签了字。你们团长的脸都成紫色了，不过，还算给他挽回个面子。"

"谢谢。"

"还有一点，师长命令你今晚九时前赶回师里，当面领受任务！"

"让我回去干什么呀，回去不黄花菜都凉了？"单一海没想到还有这样一个意外，心内气恼不已，嘴里还夹杂了三两句国骂！

"你呀你，怎么还是那个老脾气。"电台中传来沙化伤感的声音，"可以给你透露一个情况，军区副司令员要当面为你们动员……好，还是立即动身吧。"

"你四个小时可以赶回来吧？"

"三个小时就已足够了。"单一海恢复平静，不等沙化说再见已把电台关闭。

那个司机早已等候在车上，旁边站着子老和冯冉。单一海无言地望他们一眼，转身上车。车绝尘而去，身后拖起的尘雾也没能挡住他们的身影。

单一海坐在驾驶座旁，心中一直晃悠着某种影像，每当他试图看清一些，一种想不透的心境便扰得他内心充满不安。他忍不住不断地催促司机把车开快些，司机不作声，只是咬紧嘴唇，把油门踩到底。他还是觉得太慢，干脆自己接了过来，一抓到方向盘，内心中的焦虑似乎一下子集中到了向前奔驰上。他在飞驰中体验到极度轻松，精神也逐渐平静，直至接近师办公大楼。

作战值班室在师办公大楼的顶楼，占了整整一层，全部是各种便于作战的指挥设施。从大门向前走时，他看到顶层灯光大开，人影幢幢，清晰的发报声、喊话声不时挤破夜空。作战室越是紧张，越说明女真他们情况不妙，越证明寻找不太顺利，他有些无奈地想，快步爬上顶楼。作战值班室两个边门大开，沙

189

化正一手挟一个电话在讲什么。他抬头看到单一海，用下颌示意他先坐下。片刻，沙化把情况说完，撂下电话，有些夸张地走过来："你可真够快的啊！怎么，又是你开车？还有十五分钟会就要开了，正担心你来不及呢！"沙化把他领进一个休息室，边给他打水边故意夸张，"女真真幸福哪，摊上了你这号情种，要是再看到你为她牵肠挂肚的劲儿，今生绝对非你不嫁！"

单一海把头泡在凉水里，足足有两分钟，凉森森地让心跳加速，觉得头脑清晰了。他这才把头从水中拔出，深吸了一口气，抓过沙化的杯子大口喝水，直到这会儿他才觉出了饿。"哎，先来点儿可以吃的，我八个小时滴水未进，妈的，连我都以为是奇迹。"

沙化打开抽屉，扔给他一个馒头、一根香肠。单一海大嚼起来，馒头估计是昨天的，已有馊味。

"先对付着吧你，我又不知道你小子没吃饭，你先忍忍，我让人给你找盒碗仔面来，保证塞饱你。"说完，已拿起电话让通信员去商店里"抢购"去了。

"说说他们是咋丢的。"单一海边催他，边翻开桌子上摊开的作战日志，上面逐日记着这个师的各种大事，此事肯定逐日有记载，可以与沙化的情况对照着理解。

"上月，师长老头儿去边防一些哨卡回来，讲那儿艰苦，许多战士有病，让师医院派他们去巡诊！"

"不是说演出吗？每年都去慰问的，例行公事而已。"

"以宣传队的名义去的，中间有师医院的医生，演出、巡诊，两边都沾点儿。中秋节前两天，师里组织了六个小组，分赴十八个哨点巡诊，以示上边的关心嘛！"

"女真去的是哪个哨区？"

"他们组负责井泉子哨区的十二个哨点，她是在最后一个哨点巡诊完向回赶时失踪的。"

"是哪个哨点？"

"达拉哨点。按预先规划，他们组去得最远，路况最为复杂。师里为安全起见，让他们每去一个哨点都向师里汇报，直到归队。他们从达拉哨卡巡诊完往回赶的准确时间是十四日下午，可到今天了，他们仍杳无音讯，追问达拉哨卡，也证明他们在预定时间出发了。"

"有井泉子哨区附近的地图吗？"

"有。都在会议室挂着，师里找齐了所有这片戈壁的详图。"沙化抬腕看表，"再有半刻钟，人员就会到齐，我们先去会议室等着吧！"

他点点头。

师会议室里，烟雾如云。一张周围戈壁的军用大地图高高地悬在迎面的正墙上，几乎与墙一样大。这样的图几乎囊括了整个戈壁。师长和衣卧在一张行军床上，右手夹着一支仍在轻燃的雪茄，胸上是一张情况报告，看样子，他是在工作时睡过去的。他鼾声如雷，一呼一吸，几乎牵动着室内的空气。

"师长已三十六个小时未休息了，他太累了。"沙化似有些怜惜地低语。

单一海放轻脚步，轻轻走到地图前，以免惊醒师长。他迅速地在图上找到了达拉哨卡的方位。空阔无边的戈壁在此被一条黑线一拦两段。这边是我们的，那边则是邻国的领土。他用手大概一卡，直线距离 320 华里，曲线是多少？他们乘坐的新解放 141 轻型大卡车，时速 100 公里的话，在空无一人的戈壁上也就四个多小时吧！可曲线呢？他惊讶地发现，在这片戈壁上还标识了许多突兀的凹状坡地和凸状高地，这儿居然不像别处的戈壁一样平坦，可以很舒坦地望到尽头。他皱了皱眉，慢步退出。

沙化轻轻地把师长燃了一小部分的雪茄取下，把一块毛毯盖在他身上，动作像与他说话一样自然。"看出什么来了？"

单一海阴郁地说："我觉得十二号哨区很像个陷阱，你发现没有，那儿的戈壁不平整，全是大坡度的坑和高耸的残余的风化物。女真他们估计迷路了，再有一种可能是他们的车坏了。"

"这两点与师首长估计得一样，要是车坏了或者迷路了，倒也好了，问题是，他们在戈壁上找了三天，到现在了，还没有见到他们一点儿影子，更别说他们的车了。"沙化有些无奈地摊摊手。

"你怎么知道的，派出去查找的人已回来了？"

"恰恰是没有回来，你想象不到，师里一下子丢了五个人，简直像捅了马蜂窝。他们失踪当天，此事便捅到了军区，司令政委每天要求直接向他们报告寻找动态，军区黄副参谋长亲临师里，驻着督促寻找，难怪一向镇静的师长老头也躺在了作战室。"沙化感叹一声，瞅他没什么反应，又接着向下讲，"师机关从当天宣布进入紧急状态，各部轮流战备值班。师里已成立了救援指挥组，第一批寻找人员共一个连，分成六个搜索小组，已出发三天了，至今无任何进展。"

"那怎么办？这帮脓包，肯定没下力气找，十二号戈壁才多么大点儿地方，一个石头摸一次也用不了三天，摸了三天还摸不到点儿人影子，你说不是废物是什么？"

"唉，你别自个儿不舒服骂人家开心哪。侦察连的素质你又不是不清楚，那帮兵都是我训出来的，哪一点儿技不如人？"沙化喊冤叫屈为他们鸣不平，"估计明天先撤回来，他们的补给跟不上。"

"那就这样算了，师里敢放弃这五个人？"单一海大惊。

"少杞人忧天，师里已申请军区空军出动直升机，重新组织人出去寻找。要不，你还能回来？"

单一海忧虑地问："女真他们带了多少食物？"

"两天的……不过，据通报，十二号地域有大批狼群肆虐！"沙化故作无意地说。

"是吗？"单一海内心一惊，"你是指他们有可能……"

沙化赶紧挡住他："我只是推测……副参谋长到了。"

单一海似从刚才的愣怔中惊醒过来，环视四周，会议室已经被挤得满满当当，各路搜寻人员已经到位。师长不知何时已醒过来，陪同军区副参谋长端坐在前排。室内一片肃然。会议免除了往日的琐碎，参谋长致几句话，便开始通报情况，介绍和布置各分队的任务。这次将分为八个搜索分队，呈扇面全线拉开，军区空军还将派出一架直升机从空中协助，地面分队配属了四条军犬。方案扎实而又可靠，几乎无懈可击。单一海留意着自己的任务，他们组将负责60公里范围内的正面搜索，配属一个司机，一部电台，一辆越野吉普，人员组成由他从连队内挑。沙化对他耳语："你计划带几个人？"

单一海放心地舒了口气，搜寻人员名单和方案已经在他心中草拟完毕："我只带一个人就足够，带的人越多，麻烦就越大，何况我们只要找到他们就可以了。"他讲到此时，忽然隐约觉得，这次行动如此庞大，肯定有更深层次的背景，便捅捅身边的沙化，"这么兴师动众，难道仅仅因为女真他们失踪了？"

"并不仅于此，第一批查找人员未有结果后，更引起军区震动，现在人们担心的不是他们失踪了，而是是否还在境内！"

"你是说上面怀疑他们越境……"

"小声点，达拉哨卡前边63公里与某国毗临，女真他们在境内未有任何踪迹，这样怀疑并不过分……"

"这不可能！"

"为什么不可能？军区这回下了死命令，死要见尸，活要见人。要不，会有这么大动作？沙氏怜悯地看他一眼，用手拍拍他，像在安慰。然后把头抬向前排对面的少将身上，专注中有种深切的凝视。

单一海顺着他的目光，作倾听状，脑子里却一句话也无法容纳。他一下子就被沙化掏空了，一切都是空白，满满的空白。

戈壁……海。

暗黄色的如同浸满毒液的天空，低暗着。

各色杂种石头的沙地。

单一海坐在越野车前座，有些心惊地看着一掠而过的戈壁。他绝对没料到，外表看似平静甚至空旷的大戈壁，会有这么多让自己坐立不安、心惊胆战而又躁动不宁的感觉。起初，戈壁像个不动声色的巨大空洞，越往深处走，越让人难以捉摸。先天的石头，被一种神秘的力量操纵，均匀地摆放在干硬的沙土上，呈现着各种各样的形状。它们辽远地向前延伸着，由于没有明显的路标，汽车的快速驰进仅是一种感觉，仿佛仍在原地，令人无法区分是在前进还是在后退，感觉像驰行在一个偌大的空洞中，没有时间，也没有距离，甚至没有终点。天际开始蒙上一层暗褐色的黄，伸手摸去，感到满手都是灰尘。浮尘的颗粒像空气一样浮在戈壁上，不往下落也不上浮。鼻腔中一会儿便呛满了这种干燥。他忍住不咳嗽。这种浮尘他经历过，没想到刚一进入戈壁，便遇上了它们。

戈壁让他再次感觉出自己的渺小。

自打进入这块戈壁，那辆破吉普车就像个冷热病患者，全身风吹似的抖晃。先是方向盘一遇到个大坑，就抖得无法握住，只得熄火后重新启动才能恢复正常。就这样走走停停蹒跚了一整天，还没走出100公里。他都快被这破车给气麻木了，他只是尽可能地把目光瞄向夜间中的戈壁，只是这种期待中的奇迹随着夜幕的降临，已变得越来越不可能。

单一海抬头瞥了一眼一直飘在浮尘中的那颗太阳，它就挂在车窗的左边，似一只失去了电力的灯泡，散发着一点点粉红色的光。戈壁上散生的红柳、沙蓬、被染成暗红色。他的心里咯噔了一下，已经出来十二个小时了，但到现在却似乎仍是漫无边际。他抬手示意，司机吱地把车停下。

单一海回过头，冲坐在后座上守着窗口瞭望的冯冉和王小根说："放水。"他便打开车门走了下去，脚一落地，全身便舒服地酸疼着，身上的骨节咔咔作响。

"这狗日的戈壁都快把人抖散了。"仰躺在粗硬的戈壁上，冯冉有气无力地咒骂着，敞开的领口被风沙打得肮脏不堪，毛茸茸的胡子上全是尘土，一双大眼睛此时在浓眉下清澈洁净。才十多个小时，戈壁就让这家伙粗野了起来。

单一海想：再过几天，这片戈壁还会让你变成真正的男人。当然，也有熏成女人的时候，如果你害怕它……

他凌晨五时赶回古城遗址，冯冉早就等候在他的帐篷前。单一海看到他已把自己的行李打好，干粮堆放整齐，心里隐约闪出一点儿满意之色，当下就定了带他去，再带一个，那就是王小根吧！人越少，麻烦就越少。他希望带去的都是可以干活的人，而不是人数。实际上，我一个就已足够，他在内心里遗憾。

单一海回望四周，焉支山已远远地隐去了自己的身影。戈壁四周是一层层雾状的东西，它们穹隆般的覆盖着戈壁，像一面翻扣的大锅。没有一丝风，到处都是骇人般的寂静。这之前也许有一队驼队或野狼走过，干硬的粪便在脚下，比卵石还硬。从来没有什么征兆预示时间，这里没有时间，这里太空了，空得似乎只有他们自己。

王小根翻出一只高倍望远镜，认真地四下瞭望。他忽然发现什么似的，用望远镜凝住一个方位，嘴巴惊讶地张开着。

单一海看出异象："发现什么了？"

"妈的，这鬼地方居然还会有牛啊！你看，那牛多大啊！还有红色的毛发……"王小根惊奇地低呼。平常在家里见惯了的东西，到了这儿，却几乎成了罕物。

单一海拿过望远镜，向前凝视。高倍望远镜中的景物真清晰，他赞叹着，那片遥远的景物立即被拉了回来，镜中闪现出一片小小的胡杨林。那个被王小根称作牛的畜生，此时正伫立在胡杨的边儿上，耸着一双瘦耳，似在倾听般地望着他。他被那种凝视给惊住。牛的眼睛不会这样充满着深深的欲望。单一海调动焦距，那双眼睛更近地出现在他的眼前，几乎可以听清它的呼吸。他深深地在心底与之对视，因为处于一种侵略般的注目而使其更像一种窥视。他不由得感叹望远镜的另外一种功能，便是给人多了一种视角而且不会惊动对方。

那双眼睛闪着琥珀色的光，它此时温和地眨巴着，继而，被什么惊动似的，仰天嗥喊，扁长的尖嘴原形毕露，长牙尖刺着。天，这居然是一匹狼，是一匹如此硕壮的狼。他被那狼的孤独打动，镜中的狼连啸片刻，身上的毛发哗哗颤抖。他感动地倾听，因为他也长啸过，尤其是一个人的时候，那才是一种对孤独的由衷的吟咏啊！他看到那匹狼迈着小碎步，从容地向远处走去，直走到旷野深处，他才把望远镜放下。他坚信这一幕将永远被自己铭记，黄昏中，他注视了一匹狼的孤独。蓦然，他想起自己偶然看到过的一句话:孤独像老鼠，它出洞了。其实孤独更像一匹狼，它消失了，身上奇怪地披着火红的色泽。

冯冉征询地看他 :"那头牛真好看吗?"

"是好看，不过它是一匹狼，一匹绝无仅有的狼。"

"狼? 这片戈壁上居然有狼?"

"当然。"单一海冷静地说,"咱们再走走吧! 再过两个小时天就会黑下来。"他的脑际闪过那片胡杨林和那匹狼，"争取在那匹狼在的地方宿营。"

冯冉伸手把王小根从戈壁上拽起来，坐车太累了。全身给颠得又疼又麻木，肌肉都开始神经性地弹跳了。

"躺着真舒服，像按摩一样，这些石头硌得人全身都快舒坦死了，以后累了，建议大家就找堆热石头，把身子往地上一搁，疲累皆无。"王小根捶着背，爬上吉普，似乎留恋万千地大叹心得。

"收起你那一套鬼理论吧！"冯冉把他往边上挤挤。这家伙块头大不说，还占了近一半的面积，身上又热又燥的，全是咸咸的汗臭味儿，"有这种闲情，我宁肯花钱去按摩院享受一下'马杀鸡'。"

"只怕'马杀鸡'没做成，早被别人揪着耳朵回家抱孩子去了。人说从小看老，我从现在就可以看清你的以后，肯定也是个怕老婆的主儿。"王小根点起根烟，轻轻地蔑视冯冉。

"怕老婆有什么不好? 只要怕得有理，那就怕出了感情。就怕个别人想怕老婆还得过段时间哪。"

单一海坐在车前，听着这两个小子逗嘴，脸上蕴着一丝笑意，内心却莫名地浮动着刚才那匹狼的身影。他有种莫名的预感，自己还会遇到它。

吉普车在戈壁上哗哗地抖动着，随着暮色的深暗，方向感越来越差，似乎四下里都是同一个方向。起初车似乎向北开，后来有些偏西。反正戈壁上没有路，只有方向，单一海在车子的急驰中，眼皮有些涩涩的发黏，毕竟两夜未睡了。他的眼睛直视着前方，头脑中却木木地开始了休眠。他就有这种本事，睁着眼睡觉。车内可怕地孤寂着，只有发动机干燥的轰鸣和汽油味的弥漫，司机在这种单调的急驶中，也终于麻木般的打起了盹儿。在西部的公路上，常常可以见到这样一幕景象，许多坦直的大路上，不时有许多车辆开着开着就偏离了公路，而在那些崎岖多险的地域，却很少出事。其实，长久的驾驶比崎岖的路段更危险。车在司机的手下胡乱地奔驰，单一海并没觉出危险正在来临。他的眼睛木木地看着车向一棵孤零零的红柳身上撞去，才下意识地抓紧了保险杆。车身在撞到红柳身上的同时，他才被惊醒。车撞到树上后，又翻了个过儿，碰巧又颠倒在了一块石头上，车一侧，就翻在红柳旁的一个大深坑里。在车来回翻腾的过程中，单一海头脑清晰如水，并没有体会出害怕，相反倒觉出一种特别刺激的漂浮的快感。直到车门啪地打开，把他甩出汽车，他才有些后怕地觉出恐惧。站在车边儿上，有片刻，他竟有些呆了似的木讷，头轰轰地直响，半天听不到一点儿声音。那位司机沮丧地揉了揉眼睛，这位老兄的脸给窗玻璃划出个大口子，血缓缓地从脸上渗出。冯冉的右腿给夹在车门旁，司机这会儿变得又可怜又可气，他忙不迭地把冯冉从车上拖出。冯冉气得直喘气，刚要骂娘却又疼得呲牙咧嘴。这时，司机怪叫着说，怎么缺了一个人。单一海也赶紧拉开车门，果然没了王小根。刚才一慌，竟忘了还有个人。他不由得急促去喊，却听见不远处传来王小根有气无力的呻吟："我还没死哪！"声音中不见难过，倒有些淡淡的惊喜。

单一海奔过去，看到这小子被甩在红柳边儿上，估计车在翻过来的同时，他就被抛了出去。单一海去扶他，他立即杀猪般地叫起来，双手抱着小腿直喊疼。单一海帮他把裤腿扯开，看到半条腿可怕地水肿起来，裤管已经无法箍住他的腿了。

他用手敲敲，判断他的腿已经摔断了，便把王小根放平，从身上扯出急救包来，撕了两块绷带，折下两根红柳木棍儿，将他的腿给固定好。冯冉在旁边默契地配合他，他似被刚才的变故，一下子给搞得沉默了。

司机愣在汽车旁，一边检查汽车，一边偷眼观望着单一海。单一海知道他的内心紧张。他故意不理睬他，和冯冉把王小根扶到车旁，心里被一种不祥的阴影给笼罩着。这鬼戈壁，简直太不可思议了。他有些茫然地望着渐暗下来的旷野，这儿空旷得连个鸟毛也不见一根，甚至听不见麻雀的唠叨，怎么却鬼使神差地出现这么一棵碗口粗的红柳？遍野的小石头中怎么偏有这么一块硕大的青石？石头旁还有一个大坑？戈壁此时在浮动的云雾中，越发昏暗。它此时平静着，仿佛刚才什么也没发生，一点点地在逼近的夜色中浓缩起来。单一海恍惚间有种错觉，这片戈壁在某种程度上，更像是一个用石头垒就的巨大兵阵。那些看似平静无奇的每块旷野，其实都隐藏着深深的危险，只是这危险由于蒙着一层笨拙甚至过于冷静的外表，而更多地传达给人一种巨大的安全。真正的危机往往都蕴藏在巨大的平静之中，大平静其实就是大危险。他想，古代的那些富于攻击和杀戮的兵阵，与这种自然的兵阵相比，几乎不值一提。它仅用一种最平静的方式，就击败了所有的人。他迷惑地看着这一切，使劲地向地上吐了口唾沫，这时天已经唰唰地黑暗了下来。

冯冉拖着夹伤的腿，一拐一拐地打开车上的 125 瓦电台，"黄羊黄羊我是野狼"地乱叫着。半晌，他把耳机一扔，绝望地了司机一眼。"他妈的，全完了，这破机子也给弄坏了。"他有些无奈地看着单一海。

单一海无言，王小根的腿已经断了，与师里的联系也到此中断。这才真叫出师未捷身先……伤哪！他自嘲地笑笑。这时候，只有他不能倒下！甚至不能流露半点儿失望的神色。他现在才真正是这几个家伙的主心骨。他下意识地咬咬唇："今天先住这儿吧！天亮后再说！"

星星开始出现在雾气中，它们偶尔从浓雾中露出眼睛，看一眼他们，就把脸隐了回去，月亮也紧跟着照亮他们静静的脊背。单一海和冯冉张开简易帐篷，打开背包。司机不知从哪儿扯来一抱干柴，燃着，明亮的火光开始照亮他们的脸膛。冯冉靠在背包上，仔细地擦着携带的那支八一式冲锋枪，一下一下，擦得十分认真，擦完后，又开始擦子弹，三厘米长的子弹被擦得黄金灿烂，躺在他的掌心，像个宁静的婴儿，恬静美丽地呈现着温柔。司机熬了一点儿大米粥，每个人喝了一小碗，肚里有些温暖了。司机又跑回车上，打开录音机，乱七八糟的摇滚乐铺天盖地涌来，十分嘈杂，同时让他有种烦躁的感觉。

司机是个成都来的兵，这小子服役四年，浑身透着股老兵的油劲儿，对于军队上这一套似乎比谁都明戏。司机一般都较牛气，尤其在机关待久了，又透着股劲儿让人求，早把他自个儿垫得自己都不知有几两重。机关就这种怪事，兵比有的科长还牛。你还不敢得罪他，明里暗里他都会利用手里这点儿实权整你一下。一路上，看他把车开成这德行，单一海早就憋着口气儿，只是一直忍着没发火。到了这时候，他还耍出这股劲儿，真是不识时务。不过他也理解，在平地上开车，人更容易疲劳，开了一天多，他能挺下来已不容易了。这小子挺识趣，看大家都没好气，早早把碗一扔，到了一边修车去了。

冯冉没好气地哼了一声，故意不去帮忙，一发一发地往弹匣里压子弹。这次他们携带了两支枪，一支手枪，再就是这支八一式自动步枪，基本上是为了防身。单一海喜欢冲锋枪的感觉，就把手枪丢给了冯冉。人不管什么时候，身上背支枪，就像背着种安全一样，心里有底，更不会害怕了。他拉了拉枪栓，这支枪太新了，连膛音也亮着股崭新的韵味。这时真希望有敌人出现，最次也来只野狼吧！他只渴望用射击来打破这种无奈和寂静。他站起来，沿着没有风的戈壁随便行走，坚硬的卵石在他的脚下被踩踏得乱滚。这时的戈壁太宁静了，只有月光在空中悬照如初，大地一片银色的平静，似乎像遍布的潮水。

下半夜忽然起了风，哗啦啦地掀动外面的帐篷。他们三个人挤在一起，可恶的小个子司机卧在外面的吉普车里，猪似的打着呼噜。他还能睡着觉？单一海有些淡淡的愤怒。他侧侧身，辨听着风尖厉的呼啸。在戈壁上，这些风比狼更野蛮，更让人惧怕。有时是黑风，漫天仿佛忽然泼满墨汁，阳光不知躲到了哪里，风声挟着大块的石头，卷起地上的沙子，硕大的石块专砸营区的窗玻璃，夜晚起风时他总被窗玻璃破碎时的惊叫震醒，被那些蛮横的风，撕碎遮光窗帘，把沙子石头给你撒上一屋子。第二天，房子里到处是均匀万千的沙粒，嘴里一吐是一大把沙。而外面风平浪静，太阳明媚，天空湛蓝。这样的游戏几乎每天上演。

风越刮越大，可以听清石块被风抛起来像疯狗似的呜呜吼几声，之后，使劲儿砸在帐篷上、车上，叮当乱响，在帐布上发出沉闷的扑通声。单一海靠帐布太近了，一块石头隔着粗帆布砸中他的腰，他惊叫一声。王小根不满地嘟囔了几句，又呼呼睡去。

在这样的夜晚，他一边数着数催眠，一边想着女真他们。寒气浸透帐篷，更冷了，单一海裹了裹大衣，仍冷得不行，干脆坐起来。他忽然想起也是这样的黑风劲拂之夜，居然冻死了连队养的几只羊。那深秋之夜，戈壁已是零下三十多度，现在，外面也有零下二十几度了吧！

这时，冯冉悄悄捅捅他，抱着被子挤过来，塞给他一支烟。

单一海知道冯冉肯定不会睡，能在这样的夜晚睡着简直就是种本事。"还没睡？"有一点他没讲出，那就是他觉得冯冉与自己有某种默契。

"睡不着。"冯冉也给自己点上一支，"能睡着倒怪了，这样的鬼地方。唉，头儿，你说女真中尉他们现在会怎样？"

"我也不知道。"单一海闷闷地抽一大口烟。

"你是不敢想吧？"冯冉往他身边挤挤，"其实你现在就在担心他们，你在想他们是否能忍受这样的寒冷吧！"他诡笑一声。

单一海有些意外地向边儿上侧侧，这小子最大的毛病就是太聪明了。聪明有时可比缺点更让人不放心。单一海这时却有种无由的倾诉欲："这天是太冷了。"接着是长久的沉默。

"你们会结婚吗？"冯冉在黑暗中灼灼地看他。

单一海竟不知如何作答，他只好让自己更深地隐入沉默之中。

"那你以前的女朋友，邹辛怎么办？"他似乎并未察觉出单一海的不安。

单一海的内心针刺般的动了一下，他确实没料到冯冉会谈这个问题，他真的没有想过这一切，哦，他其实根本没敢想过以后。

"不过，你会跟她结婚的，我有种感觉。"

"谁？"

"女真。"

"为什么？"

"一种直觉呗，你的眼睛告诉了我，我现在才觉出，爱情其实是可以改变一个人的。"

"你懂什么爱情？"单一海故意岔过话题，"你才二十岁，二十岁会有什么爱情可言。"

冯冉似乎急了。"二十岁就不允许有这个年龄的爱情了吗？"接着他意识到什么似的低语，"天亮了！"

他俩忽然无话，就这样对坐着，各自抚摸着自己的心思。单一海感叹，还有什么话可说呢？当两个人都被对方触动的时候，最好的掩饰就是沉默了。

天光这时已透过小小的帐篷，把他们罩在一片黎明前的晦暗之中，单一海的心情仿佛也被这缕亮色给映亮了。他撩开帐篷，爬出去，竟惊奇地发现，外面满天空都飘着绒毛似的雪花。戈壁的天气就是如此，一天可以经历好几个季节，当然这是指夏秋之间，而到了春冬，则只有一种脸孔了，那就是令人恐怖的奇寒。

冯冉也钻了出来，看着雪光，竟有些短暂的激动。他仰起头，任雪花洒到脸上，一脸笑容，灿烂得像婴儿。

戈壁上的风此时已停止吹刮，雪埋住了石头，树上的冰凌晶莹透明，单一海用雪搓了把脸。天气的恶劣让他更加思念女真。这时，他看见帐篷周围有一堆乱七八糟的兽蹄印，不由得有些心惊。他仔细辨认着那些呈半梅花状的蹄窝，判断出是狼的足迹。他数了数，周围一大片雪地上竟都布满了杂乱的蹄迹。这群狼肯定是昨夜刮风时出现的，而奇怪的是，他竟没有听到任何声音，包括那些狼的呼吸。

他警觉地向四下瞭望，试图看到那群狼的身影，他有种直觉，这群狼肯定没有走远，它们也许此时正伫立在某个地方，深深地注视着他们。可旷野在雪中艳艳地白亮着，视力所及只是一片刺目的白光。

冯冉望着单一海的背影："在看什么呢？"

"那群狼。它们终于出现了！"

"在哪里？"冯冉似有些心惊地喊。

"它们肯定没有走远，我觉得它们就在附近。"单一海转过身，直视着冯冉，"把子弹装好，也许我们很快就会遭遇。"

"是。头儿，王小根怎么办？"

"他？……"单一海一愣。王小根某种程度上已成了一种累赘，他现在已经对这次寻找没有任何意义，他略一沉吟，"那架电台已经失去作用了吗？"

"是。"冯冉略带沮丧。

"车呢？"他抬头瞄了一眼吉普车，司机早就起来了。他此时呆呆地坐在那儿，眼中闪着绝望的神采。看到单一海走过去，立即站起来，同时无奈地摊摊手。"车完了，完了，油箱给撞破了，这他妈的咋办咧？"

他哭丧着脸，司机这会儿特可怜，一般司机都只是在车坏了的时候，使用这种表情。

"还有没有可能修补过来？"单一海内心一揪，看到司机无奈地摇头，眼中不由得迸出一股怒火。妈的，真是祸不单行，电台坏了，王小根受伤，车也坏了，在这样大的戈壁上，没有车几乎不可能走出去，"你昨天为什么

200

不告诉我？"

"昨天晚上天太黑，我没看出来。早上起来时，才发现油已漏光。"司机干巴巴地说。

"还有多少备用油？"他竭力压抑住自己的愤怒。

"还有二十公斤，只能跑一百公里，跑到了，我们就回不来了，一样没辙。妈的，这破车这回可把我们害惨了。"

单一海趋前，打开吉普车前盖，检查司机所说的损坏处，看到油箱上冒出个杯口大小的撞痕，被司机用棉花塞紧着，油珠顺着棉花悄然渗漏，即使不漏油，他们也走不出这片戈壁了。

他转过头："这车还能开回去吗？"

"能，估计可以。"司机急促地说。

得到肯定的回答后，他平静地望定冯冉："情况你都知道了，我们已经没有退路，我决定司机和王小根原路返回，我留下，继续寻找。你是随车返回还是随我去寻找？"

冯冉此时竟平静地说："我无权离开自己的连长！"

"可也许我们再也走不出来了。"

冯冉悲壮地说："不。我们会走出来，即使出不来，我也不会后悔！"

"谢谢。"单一海在内心中再次对他说出谢谢，尽管他知道冯冉会坚决地跟随着他。一个军官如果在关键时刻得不到士兵的忠诚，那这个军官就将十分的悲哀了。在这一点上，他永远对自己充满着自信。

单一海和冯冉把王小根抬到车上，接着又写了一封简短的情况介绍，让司机带回。那个小个子司机似乎没有料到，单一海还将去戈壁找寻。他有些伤感地握紧单一海的手，由衷地说："我回去马上就赶来，接你们。"

单一海拍拍他的肩，挥手示意他出发。王小根一直坐在车上，不语。单一海猜不透他的内心，只是凭感觉他在忍受着什么。单一海用手使劲握握他，他的泪水竟倏然而落。

吉普车一溜儿烟地离开了他们。戈壁上一下子安静了下来，似乎只有他们俩的呼吸和背影。

19. 狼的战争

　　早晨的戈壁奇寒，风像柔软的刀锋，缓慢地划过。雪已经停止飘飞，一轮红日奇怪地竖在一丈高的地方，仿佛一伸手就可触到。单一海有些费力地向前走。他和冯冉的背上都负着各自的背包。刚开始，单一海曾想一身轻装，只把武器带上就行了，但昨夜戈壁宿营，使他又改变了主意。这样下去不仅走不到底，说不定在半路上自己就会被冻死，别说去找他们了。

　　在戈壁上走路太累了，那些原先凹陷进戈壁很深的石头，在他们脚下奇怪地凸出着，他们不时被圆滑的石头绊倒。冯冉的心情却有种莫名的兴奋，他一路乱踢着落雪的红柳枝杈。一块石头被他踢中，一路呼啸着前进，碰着一棵硕大的沙蓬草，窜出两只灰色的兔子。它们惊立片刻，便像两道灰色的闪电，隐进了旷野，惹得冯冉大呼小叫着追了半天。

　　太阳这时已经爬到了头顶，它的脸不再是红色的娃娃脸，似乎有些什么东西发散，拼命放射着白色炽热的光芒。单一海有些燥热，随手把帽子抹下，掖进腰间。背包此时成了累赘，他有些懊恼，随手把背包在自己肩上放得更舒服些。冯冉在不住地哼着一首歌曲，挺简单，他听出是一首花儿。那花儿在冯冉略带些南方味的口音中，有种怪怪的味道。

　　圆不过月亮方不过斗，
　　十三省好好不过兰州；
　　麻不过花椒辣不过酒，
　　甜不过妹妹的小舌头。

202

单一海听出是支"酸曲儿"，那曲子他以前也听过。可此时听去，竟有些不一样的感觉。花儿在冯冉类似于喊的唱吟中，在旷野上弥散。他没想到冯冉竟有这样的激情，也许是愤怒吧！他深深地注视着冯冉，感到他在一瞬间距自己远了，又那么陌生。

马蓝花儿者蓝死了，
怀抱了瓶，
手拿了花盅了，
维我的花儿难死了。
你费了心，
我舍了真身子了。

这歌像一支火把，一下点燃了单一海内心中的炮捻子，他真切地听到了内心深处的爆炸。他想起这歌女真也唱过，那是他与女真一起散步时，她偶尔哼出的。那会儿，她一连唱了十几首，可唯有这几句话在他心中留下了印痕。许多东西其实是无法躲避的，哪怕是一支歌！他仿佛下意识地，哼出了这歌子的后面……

大燕麦摊的者场里了，
牛拉的碌碡碾了，
我你哈刻给者心里了，
昼夜天明地想了。

单一海嗓子哑着。他的脖子上青筋暴出，这几句词他觉得仿佛吼了几十年。那些嘶哑声音一粒粒地消散了，只剩下了他。那一刻，他忽然强烈地想，一见到女真，就把这首歌再吼一遍。

冯冉似被他的歌声惊动，他从未听单一海唱过什么花儿，这一带的老百姓几乎都会唱一口儿。冯冉无事时常溜出去，听那些放羊的老汉唱，一来二去就学了几十句，他觉得这些词和曲子都太美了。那些流行歌曲跟这些描写爱情的花儿一比，几乎不值一提。这才是真正的流行歌呢！只是他不知道，单一海为

203

何唱得这样怆然？

单一海唱完，便陷入到深深的沉默中去，脚下的雪已经化净。裸露的沙土上平净潮湿，风暂时没刮。偶尔爬上一块高些的沙丘，就会看得更远些。戈壁仿佛永无尽头似的，在视线的尽头苍茫着。

走在前头的冯冉忽然驻足："头儿，我们怎么又走回来了？"

单一海站定，看到雪上有一大片杂乱的脚印，还有两道清晰的汽车印痕，旁边是那棵已被撞毁的红柳，这正是他们早晨出发时的地方。走了一上午，又走回来了，单一海懊恼地卸下背包，身上一下子失去了力气。早上他记得，他一直向太阳升起的偏北方向走的啊！他站到一片高地，茫然地看着巨大得令人失望的戈壁。他有极好的方位感和辨图能力，在学校野外生存时，他仅凭北斗星的位置，便可以找到走出森林的路径。现在，似乎他的这种能力在瞬间消失了。

单一海竭力让自己镇静下来："冯冉，把图拿来。"

冯冉无言地递过去，他知道在此刻所有的埋怨都是多余的，甚至是一种伤害。

单一海只一眼，便找到了自己在图上的位置。他凭记忆将早间走过的那块戈壁的地貌和图上对照，不由得有些呆然。这块戈壁竟是椭圆形的，在地理上极度偏西，太阳其实只在偏东南方向，从戈壁上望出去的太阳，并不在正东。单一海有些无奈地说："我们上太阳的当了。"他用手在地上随手画一条弧线："顺太阳提示的方向走，只是一种错误。当太阳从低处到达我们的头顶时，我们其实刚好又回到起始处。我说自己的方位怎么会出错！"

"极好的方位感也是种错误，头儿，太阳和你的感觉都没错，错的是常识。"冯冉为单一海的发现惊奇不已，"听上去简直有些奇异。"

"没想到我们无意间发现了戈壁的这个秘密。看来，下次我们野外生存训练时，这一章又该改写了。"单一海兴奋地自语，同时迅速用指北针测出他们的方向，拍拍冯冉的肩，"走吧！小伙子，走到天黑再宿营，我预感到天黑肯定会有奇迹出现的。"

"但愿如此。"冯冉嘟囔着，负上自己的背包，踢踏着向前走。戈壁忽然失去了平坦，忽高忽低，有一片竟然不时出现一些深坑或用小石头垒起来的坟堆。偶尔有几根白骨，在石头丛中，白晃晃地闪着异光。翻过一道深沟，一条戈壁上几乎见不到的深沟，他俩开始爬一道极陡的高坡。

冯冉有些吃惊地说：“以前我还以为戈壁只是一片平坦呢，没想到，里面与外面其实是两种感觉。”

单一海喘口粗气，忽然有些诧异地使劲皱皱鼻翼，一股奇怪的腥臭味正从坡上漫下来，他有些不敢相信地又使劲嗅嗅，味道越来越浓，还隐约听到一种怪异的低吼。那种低吼声带着声陌生又熟悉的旋律飘过来。“你听……”他捅捅冯冉。

冯冉似乎也已听到那怪异的低吼，他神情悚然：“头儿，会不会是狼群？怎么还有这么臭的味道。”

单一海凝神听听，从肩上卸下枪：“不知道，也许是它们！我刚说完它们就来了。”脸上神情肃然，“你从那边上去，我在这儿，一有危险，立即开枪。”说完，已经一把卸下肩上的背包，身子猫样地贴着坡面向上奔去。他的军事动作绝对棒。哧啦哧啦的声音不时让一条条细小的蜥蜴仓皇远离。还有一些微弱的树叶，一块小小的石头打动另一块小小的石头，一起滑下了坡底。

这时，他的头顶忽然响起一声奇异的嗓喊，那声音像从空中抖响的脆鞭，又亮又脆，撕裂人心似的击打着四周的空气。单一海和冯冉都被这种声响惊动，他们下意识地停止了向上的奔跃。

单一海抬起头。

冯冉抬起头。

两人被一种奇怪的景象震撼住了。

坡谷顶头，一个纤小的孩子正咧开墨黑的牙齿向他们微笑。他的右手有一杆十分长的红柳牧杆。阳光穿过蓬乱的头发，还未及照到他们身上，便被风吹散了。他的身边簇拥着几十头硕大的黑猪，正观看他们的爬行。那些猪们一溜儿排开，堵死了他们的去路，只用一双双没有感情的眼睛，凝视着他们。

单一海被这幕景象给惊呆了，他下意识地想起一幕梦中的景象，这一切仿佛末日来临时最后的昭示，上帝派他的牧猪使者来到多灾多难的人间，那些善良的人将骑着这些猪到达天堂。上帝，他的心里低叹一声，这时，他看到那牧猪小孩手中的长鞭一抖，似乎一把刀子似的，将那些猪驱开一条通道。猪们士兵似的后退着，只剩下那个小孩，站在阳光中，向他们微笑。

单一海意识到这孩子在示意他们上来，他给冯冉摆摆手，冯冉似乎已被这个小孩的出现给震惊了，也有些发呆地看着他，手中的枪温顺地垂着，仿佛一条手臂。见到单一海的手势，他才清醒似的缓过神来，一个漂亮的跳跃，已经蹿到顶头。单一海也赶紧爬了上去。

顶头又是一片平坦无垠的戈壁。大大小小的石头同样均匀地在沙地上井然有序。唯一的区别是一个神秘的小孩，站在这个谷顶微笑着，盯着他们的绿色军衣。

那孩子脸孔肮脏破败，手上积垢成甲，羊皮袄上有几粒羊粪。脚下的猪们在悄悄翻动石丛中的草根，十分仔细，像一群虔诚的寻宝者。

那男孩向他们笑着，他的笑又神秘又灿烂，眼中闪着温和的光。

单一海用眼凝住那男孩，他的心里被一种神秘的感觉攥紧了。

"你从哪里来呢？"他抬头看看空旷的戈壁，望酸了眼也找不见一点儿人烟的样子。这个小孩的出现本身就像一个传说或者又太不像。他弯下腰，企图得知他的由来，也许他见过女真他们！

"你见过一辆卡车吗？上面有五个与我们一样的人。"冯冉有些急切地凑近他。

那男孩坚持着沉默，他似乎对冯冉和单一海的问话并不感兴趣，只用一双谜样的眼睛打量着他们。单一海忽然意识到，那男孩其实与他们一样，对他们的出现同样充满着疑惑。在这儿，其实每个出现的东西都是一种暗文啊！他感叹，看到小男孩伸出那只脏手，轻轻地抚着吊在单一海胸前的那支冲锋枪。他几乎没有任何羞涩，甚至不安，仿佛他伸出的手只是一种友好的表示一样。单一海再次惊奇，人类其实天生属于枪，哪怕是一个神秘的没有来历的孩子。他把子弹退出，验枪，交给那男孩，那孩子的眼里蒙上了一种兴奋。他用手缓缓抚摸，像摸一头猪的绒毛似的，小心中透着种好奇。单一海看到他只用单手就把枪举起来了，兴奋地向远方瞄瞄。忽然，他像是想起什么，把枪掷还给了他，伸手操起那支红柳牧鞭，匆匆奔去。

单一海看到，两只硕大的牛似的猪正在撕咬。它们的战斗很激烈，一只猪压着稍小些的，血盆大口正咬紧在那弱者的喉间。那孩子隔几米远，便抖开牧鞭凌空甩去，只听半空中一声厉鸣，那只正在逞凶的猪已被一鞭给抽到了地上，身上立即现出一道鲜红的血棱，疼得满地乱窜。那孩子却不依不饶地追着那猪。那只猪不论跑多远，都被那孩子的鞭子给抽到。它哀鸣着，一次次地被抽翻在地上。单一海惊异地看着那孩子，不明白他一瞬间怎么会变得这样残酷。

206

那只猪似乎已被抽打得没有丝毫力气，乖乖地跑回猪群中，周围的猪立即围上去，吮着身上的血。这一切，让单一海看得毛骨悚然，半天回不过神来。这个小孩太让人看不透了，他甚至有种隐约的恐惧。对于无知的陌生的恐惧其实是人类的弱点啊！他想。

冯冉一直不动声色地看着那孩子，似乎对那小孩的鞭技很感兴趣，他兴奋地低语："太棒了，简直是神鞭。妈的，我可从未见过这么神秘的孩子，简直像是从天上来的。"

"但愿是天使。"单一海低语，看到那孩子已经回转身来，他似乎很兴奋，脸上的笑容更灿烂了。单一海却怎么也无法把这个孩子的弱小与刚才的残酷都放到一个人身上，"这孩子也许可以帮我们找到他们。"

"我也有这种预感。"冯冉兴奋地低语，"可他好像不懂我们说的话。"

"我直觉他听懂了，可却不知如何回答我们，也许他不会说话。"

"你说他是个哑巴？"

"一会儿就清楚了。"单一海大步迎向那孩子，伸出大拇指，说，"你可真棒呀！"

那孩子脸上闪过一丝羞赧，他还会害羞哪，似乎他还在因刚才的表演兴奋着。他张开嘴，哑哑地发出细弱的声音。那声音稚嫩，又带着杂乱的卷舌音，手中有规律地比画着，他的左手画了一个大圈，右手做成一个向前走的姿势。他真的不会说话。单一海失望了。

"他好像在说这块戈壁有个什么东西一直在追我们，或者是一大堆东西？"冯冉迷惑地自语。

"你是说一大群人吗？"单一海惊奇地问那孩子，"还有一辆卡车，那车有四个轮子……"他的手上下舞动着，似乎一下子找到了表达方式。对一个哑了的孩子，你又可以说清什么呢？

那孩子不住地点头又摇头，他的脏脸上一派庄严。这时，一头纯黑的猪走到单一海脚下，咬住一块他脚边的石头，叽哩咔嚓地咀嚼起来。这种怪异的声音，让单一海感到一种恐惧，它的粮食居然是石头？

那小孩在单一海有些迷惑的注视中，手上下舞蹈着，有点儿巫术的味道。单一海竭力辨别他手舞动的含义，想从中找出某种他所熟悉的暗示。他越看越觉出神秘，他根本不懂那些手势，他失望了。与一个也许掌握着他要找的秘密但却不知如何表达的人对话，几乎是一种探险。

那孩子终于停止了手势的舞动，他注视单一海片刻，眼中竟蕴着一层失望。他脸上掩着深深的无奈，忽然拿起那支红柳牧鞭，仿佛沉思般地沉默了一下，在地上唰唰地画着。他画得很仔细，周围的石块不住被他碰飞。他的牧鞭在手里如同一根竹枝，轻巧地来回摆动。那支鞭杆上的红缨随着他手的抖动，来回晃悠，如同一束小小的火焰。单一海被这孩子瞬间聚涌起的这种类似于疯癫的行为给吸引了。那孩子一直低着头，似乎他的画仅只是一种即兴的表演。他的脏发忽悠、闪动着，他的背影本身更像是一种图画。可他要用画来告诉自己什么呢？他试图看清，却被那孩子搅起的黄尘遮没。

片刻，那孩子把牧杆收回，仔细地看了一眼他刻画的那些线条，仿佛在看有什么疏漏，直到终于满意了，他才收回目光，转身甩出那支长杆牧鞭，仰身在空中一击，一声裂帛般的脆响鸣起。那群猪仿佛受到召唤，从四散的地域抬起头，寻找着那孩子，仿佛寻找着自己的主人。那些猪从四面向他的身后聚拢，簇拥着他向落日的方向走去，他的背影在下午的阳光下一点点变小，顷刻间便消失不见了，仿佛从没出现过一样。

单一海有些惊骇地注视着那孩子飘去的方向。他怎么也无法相信，他会从自己的眼际深处消失。刚才那孩子居然没有回头看他们一下，整个过程仿佛他们根本不存在。那孩子对他们很失望？他想，内心中涌起一丝疼痛。

冯冉已经走近刚才那孩子刻画的地儿，他蹲在地上，似被打动："头儿，快看，这孩子画的简直像幅传说图，太让人奇怪了。"

单一海仔细向那图瞄去，干硬的沙土上是一大片粗线条的图画，画的似乎是一大群羊……不，是狼，有十几只，前面站着两个人。在狼与人的中间，隔着一些河流似的曲线。那图真简洁，透着动人的稚嫩。狼群好像在急促地追寻着什么。最前面的那只，只用线条构出了它的轮廓。它可真大呀！只是那轮廓传神得表现着一种无法掩住的尊严与凶残。他忽然想起，似乎在什么地方见过这样一匹狼。至于在哪里，却一下记不起来了。前面那两个人，他有些奇怪了，那样熟悉，会是谁呢？

"头儿，前面这两个人好像是我们呢！你看，那个高些的人，手里提条枪，你提枪的姿势不就是这样吗？哎呀，太像了。"

单一海也看出来了："这孩子画我们干什么，还有一大群狼？"他略略沉吟，

"这图好像在提醒我们。"

"提醒什么呢？"冯冉疑惑地看看四野，"我当然希望他提醒我们了，可他却什么也不说，就留了这么张图，我都快被弄糊涂了。这孩子太奇怪了。"

"这群狼似乎在追什么？"单一海沉思片刻，猛一拍腿，"是在追我们。这群狼一直在跟踪我们！"

"你是说，这孩子告诉我们，有群狼在跟踪我们？"

"我想是这样。"单一海若有所思地望着那孩子消失的方向，无言地在脑海中寻找着那孩子的踪影。奇怪的是，那孩子竟化为一团模糊的影子和一杆裂帛般响起凄凉声音的牧鞭。

那鞭子上的红璎珞火焰似的轻拂着。

天黑得十分特别。

先是太阳被一片片乌云遮住，接着有一颗明亮些的星星从地面上升起。巨大的圆盔式的蓝色天宇紧紧包住这块戈壁。许多星低得几乎就站在地平线上，如同一盏盏电灯一样，一晃一晃地耀人的眼。

单一海第一次体验这样的黑夜，巨大的深蓝色的天宇闪现出迷人的深邃。天气不太冷，他们就没有撑帐篷，都靠在睡袋上，身子舒服地放平。两人疲倦得话也不想说了，一天的急步行走已使他们疲累不堪。单一海对照地图，今天走了 40 公里，比强行军还累。行军速度按正常规定，也只有 45 公里。他们已经走到了戈壁的腹地，再向前走 60 公里，就会看到国境线了。他有些莫名的沮丧，已经两天了，却几乎没有发现女真他们的任何踪迹，冯冉甚至已开始失望了，他的头发沾满了泥灰，结在了一起，两只手十分脏，身上全是灰土。他从身旁摸过水壶摇了摇，绝望地把壶扔到了一边，壶声凄厉的哀鸣传出了很远，在孤寂的夜空中又深又孤独。

他们的水已用完了。单一海无言地望望冯冉，他的唇干裂着，白花花的唇白沾了满嘴。他有些心惊了。在戈壁上失去水，意味着什么？他没敢深想下去。现在，他们有两个敌人了，一个是干渴，再一个就是那群未知的狼。冯冉伸直了两腿，懒懒地衔了一根草，在嘴里嚼着。良久，他忽然望定单一海："头儿，你说女真医生他们会不会已经回去了？"

单一海似被这个问题给问住了，他愣怔了一下："我直觉他们没有回去！"

209

"万一他们回去了，我们说不定又成了师里要找的人。"冯冉认真地望定单一海，"我们如果找不到他们怎么办？"

"再坚持一天，我有种预感，也许他们就在附近。他们应该在这一带！"单一海努力让自己镇静下来，他无论如何也不能首先陷入慌乱中，可他仍在心中低语，"我一定要找到她，一定……"

冯冉轻微地点点头，转身起来，去找了一些干草和枯红柳枝杈，堆在地上燃着。那团红火抖动着，像一匹火焰的舞蹈。单一海感到一阵温暖扑涌过来，全身暖热着。在火光中，他才觉出自己不再孤独。

冯冉钻进自己的睡袋，他的上半身都露在外面。单一海感动地看着他，这才像你嘛。这家伙在某些方面竭力让自己成熟，可一旦真正陷入困境，面对这无处不在的恐怖时，他才是他，他毕竟还是个孩子。

"哎，头儿，你听……"冯冉惊醒般地低呼。

"什么呀？"单一海被冯冉的神情惊动，他屏息寻找那声音的出处。夜空中除了这堆火焰的呻吟外，没有任何声音。"你别是听错了吧？睡吧！你也许太累了。"

"不是，我真的听到了一种声音，那声音真怪，我一闭上眼，它们就出现了。"冯冉喃喃低语，"像有许多心跳似的嘣嘣声。"

单一海疑惑地望一眼冯冉："那……你先睡吧！我来守一会儿，下半夜我再叫你。"

冯冉欲言又止，重新把身子缩回到睡袋中。不一会儿，他就打起了轻微的鼻鼾，他真的太疲惫了，单一海轻轻地帮他把睡袋往上提了提。

戈壁陷入更深的寂静之中。

他抽罢一支烟，和衣靠在睡袋上。头脑立即有些昏庸般地被一阵疲倦淹没。在昏睡中，他的眼前不时晃动着一个人。这个人安详地笑着。刚开始似乎是邹辛。她摇晃着模糊的脸孔，晃动着向他走来。他有些惊异地盯视她，其实只是凝视内心深处的那个遥远的感觉。那个影子摇摆着，终于清晰了，却是女真。他有些莫名地感受她的注视，她的脸上有一道黑影，似乎渗着一丝黑色的血，缀在她的脸上，如同一只小小的蚯蚓，曲延着一种暗淡的形状……他刚要伸手去抚摸她，女真却一闪，消失在暗中。单一海的手空旷地伸着，他看见女真在前边不远处一闪，不见了。他惊叫一声，觉得自己在轻盈地奔跑，他像画省略号似的省略掉一些不时冒出的小树、山石、土沟。这时他看见一辆汽车在前面急驰，它偏离了太阳的方向，快速地接近一个坑，他清晰地看见一个熟悉的人坐在车上。他低呼着女真、女真，一边伸出手拉她……他抓到的手臂毛茸茸的，有一种说不清的气息在他的手上滑过，似乎像一只柔软的舌头在轻轻地舔吸着。单一海被这种气息唤醒。他轻轻地睁大眼睛，看见一匹小牛样的动物正在轻嗅着他的手，它的眼中闪着一种单一海不熟悉的光。单一海蓦然睁开的眼睛，似乎吓了它一跳。它愣怔着盯紧单一海。居然是只狼！他旁边的背包已被撕得遍地都是，冯冉的身边也围了几只，它们闪着绿幽的光，阴森森地盯视着他。单一海内心一激灵，几乎同时，已下意识地迅速跃起，一个翻滚利落地滚到了狼的外围。他拔出手枪，随手已扣动枪机，子弹掠过那只狼的耳梢，发出尖厉的啸鸣。单一海暗自庆幸昨夜睡前将子弹上了膛。

枪声清澈脆响，划破寂静的夜空，冯冉在枪声中已然惊醒，这小子比单一海还机警。他把头往睡袋里一缩，转身滚出几米，爬在地上，就拉开了冲锋枪的枪机。突如其来的枪声使几只狼受到莫名的惊吓，它们迅速逃散。

单一海继续向那几只狼散开的方向鸣枪，他知道遇到狼群不能打其中任何一只，否则它们会一拥而上。冯冉已经靠过来，他似乎还浸在刚才的惊吓中，竟莫名抖动着。单一海瞄一眼他，看到他的左肩已被狼撕了一个口子，汨汨地淌着血。

单一海打开一个急救包，帮他裹上。冯冉似乎此时才觉出疼，呲着嘴呼疼："妈的，简直像场噩梦，差点儿没命了。"

"都怪我，刚才迷糊过去了。"单一海冷静地往弹匣中装子弹，心中隐隐有些许的歉意，"把子弹压好吧！这帮狼不会放过我们。居然跟我们这么多天了！"他想起那个牧猪小孩，他可真是个天使哪，他不由得感叹。

"没事，算又多了吹牛的资本吧！咱哥们儿也差点儿死过一次，这机会可不是谁都能遇上的。"冯冉竟有些短暂的快乐，他兴奋地往弹匣里压子弹，"让那些杂种来吧！"他看看单一海，"我有种直觉，这回得开杀戒了。"

"那你就小心点儿，子弹节约着打吧。"

单一海说毕，心中又倏然惊住。他看见那些逃散的狼又围了上来，站在远远的地方，或趴或站地盯着他们。一匹豹似的狼迈着稳健的步伐在狼群的身后徘徊。月亮此时玉盘般地清冷着，暗幽的光线照着它蓬乱的毛发。偶尔，它会停住，仿佛沉思般地睥睨着他。单一海被它那种奇异的冷静吸引，甚至有种暗暗的欣赏。这匹狼壮如牛犊，两双瘦耳竖着，头却是奇怪的小。一双瘦眼镶在那张长条形的坡脸上，精光迸射。光是那双眼，也一下让它与所有的狼区别了出来。单一海以前在城市公园见过许多只狼。它们在深深的桶状的沟里，萎缩着一种可怜的形状。它们即使愤怒时，也像一只狗，最多像只还未驯化的野狗。现在越来越多的狼，更像狗了，只有在旷野里狼才可以找回自己的精神哪。真正的狼永远只属于这些荒原、戈壁，甚至高山，它们是天生的孤者。

这时他看见那匹狼已蹲坐在他的对面，它似乎故意让单一海看着他。它把自己放在单一海的面前，那情景似乎在说，我将站在你的枪口前。那只狼的表情深深激怒了单一海。明目张胆地蹲坐在人类的面前，何况是枪口的面前。就冲这，单一海也觉出一种动人的悲壮和愤怒。这时，他忽然觉出一种莫名的熟悉，尤其是那双琥珀色的眼睛。他稍凝神，回想起在望远镜中看到的那一幕。这一切，其实早就开始了，只是它到现在才露面，它可真能忍耐啊！

"那只狼好像是个首领？"冯冉低声嚷道，右手同时已把枪瞄向了那只狼，在冯冉枪口举起的同时，群狼有些骚乱地站起身，它们不安地相互抖动着身子，有的前爪飞快地刨动地下的沙子。只有那只狼不屑地看着他们，保持着那种沉静的姿势。

单一海摆摆手："先不要动它。我们还没打死它，估计就会被这群狼给分吃了。"

"你是说它们惧怕我们？"

"应该是，我们永不射击，它们就永远不敢进攻。我想，狼与人类一样，它们也怕那不知射向谁的第一枪，它们也许都心存侥幸呢！"

"好像挺有趣，不过，这样一直让它们跟着也不是个事儿呀！我们什么时候才能摆脱它们？"

"它在一直跟着我们，我估计只有一个结局！"

"什么？"

"不是把它们杀死就是把我们的尸骨留在这里。"单一海悲壮地掂掂手中的短枪，"这会儿，只有它才是我们最忠实的朋友！"

冯冉淡淡地说："还有我。"

"当然。"单一海望一眼冯冉，内心涌满深深的感动。他深看他一眼，说：

"谢谢，兄弟，我将会把你完整地带出去，不让这些杂种伤你一根毫毛。"他把冯冉扶住，走到一个高土丘的边儿上。狼们不动声色地追踪着他们的脚步，他们退一步，那些狼就跟一步。它们小心地保持着一种距离，并且不超过它。那个距离单一海目测，估计有六十多米远，正好适于进攻，但更适于转身逃散。

单一海让冯冉持枪盯着狼群，他则点燃周围的野草，扯下旁边的红柳枝放在火焰的上面。狼们看见火光开始后退，片刻又向前涌，这样不住地循环，只有冯冉紧握冲锋枪，死死盯着那些狼，他在寻找那个撕碎他的血肉的畜生。

漫长的对峙开始了。

狼一步不敢上前，他们也一步不敢动。那些狼似乎是些极有耐心的优秀分子，它们都慵懒地趴伏在那里。只有少数几只狼张开灯笼似的眼睛，瞄向他们，其余的竟都在那儿休眠。这时，单一海注意到那只狼的眼睛几乎从未闭上过，它一直蹲在远处，不动声色地注视着他们。它偶尔呲出一口尖牙，在蓝色月光中，闪着利刃的光芒。单一海觉出一种威胁，甚至失意。这么好的狼，居然是敌人，而不是朋友。他忽然有种驯服它的欲望。尽管他知道这几乎没有可能，但他还是强烈地被这种想法打扰。他甚至坚信这只狼此刻也有类似的欲望。既然不是朋友，那么就只能是敌人了。他依偎着这种感觉，像依偎着支坚强的步枪，静静竖在那里。

夜开始了蒙昧状态，强大的寒流四处弥漫。那颗月亮瑟瑟了几下，抖落到了地平线上，像一滴苍白的露珠。群狼的身上蒙上了霜样的白色绒光，它们的面部黑黑的，单一海看不清它们的表情，似乎它们与夜色一起隐入即将苏醒过来的蠕动中。

他抬眼看了一眼东方，那儿已显出了鱼肚白一样的天光。黎明就要到了，到了白天也许就有办法了。他舒口气，疲倦像被唤醒似的漫过来，柔柔地抚着他。冯冉斜依在背包上，眼皮在不住地下坠。此时正是人最容易失去警惕的时候，即使对面站着一群虎视眈眈的狼群。但漫长的等待比那些远远的恐惧更强大，等待会让原本清晰的一切消失，也会让那些恐惧只成为一种漂浮的害怕，而不是危险。

他捅捅冯冉，递给他一支烟："这会儿可不能睡过去。"冯冉深吸一口烟，眼中的疲倦似已被烟雾擦去。

"头儿，我都有些崇敬这群畜生了，妈的，还懂围而不攻，只把恐惧扔给你。

嗨，简直就像一群战士！"

"真正的战士，其实更应该像狼。"单一海把烟蒂弹出，看暗红的烟头在空中画了一个漂亮的圆弧，消失了，"与这群狼在一起多待会儿，我都觉得有种被感染的感觉。我好久没有这样了，血性喷发，全身强硬，内心中强烈地想出击。"

"一种杀戮欲？"冯冉举起枪，又瞄住那只狼，半晌才放下来，"它是我瞄准具中的第一个活物，群狼刚开始出现在我的瞄准具中时，我都有些不习惯，甚至不敢扣动扳机。"

"其实这不是你一个人的悲哀，我们已有多少年未这样面对活着的敌人击发了，哪怕是群狼。"单一海似被触动，"妈的，死了算，也算经历过一次战争了。"

"与狼的战争？"

"人与兽吧！其实更是纯动物间的战斗。不过我觉得屈辱的是，竟然不是我们主动发起攻击，而是这群狼！"

"并且还把两个战士围困在了这里。我们真的退化到了连狼也蔑视的地步了吗？"冯冉的话语颤抖着。

单一海显然被他的话触动，他注视着对面的狼，恨恨地然而是坚定地说："是我们该蔑视它们。这群狼只会成为我们的尸骨。英雄该是我们。你知道我想起什么了吗？"

冯冉认真地看他："天亮后，我们必须把它们解决在这片戈壁上，我们没有时间了。这些狗杂种。"这时太阳悄悄显出一抹红晕，它睁开半只眼睛，慵懒地看着人间。戈壁上立即显出一种仿佛被过滤干净的墨青气象。大地上毛发毕露，狼群倏然显现在天空中。它们仿佛被唤醒似的，都不安地站立起来，有几只狼来回驰跑着，它们单调的脚步声打在晨间僵硬的沙土上，居然没有丝毫声音。

单一海吃惊地注视那群散乱的野狼，这群狼沐在阳光中，竟不如夜晚那样令人不安了，它们都散漫在那里。白天的狼更像是一群狗，它们的长尾拖在地上，甚至连偶尔露出的尖牙也令人觉出柔顺。单一海凝神数去，正前方三只，左右两边三只，正北方八只，共十七只。他数了一次又一次，连他也震惊了。居然有这么多的狼，而他们只有两个人。这种悬殊的对比让他产生极大的不安，更令他不安甚至难以容忍的是它们居然表现得那样肆无忌惮，有两只狼也许被这种对峙给搞得兴味索然，干脆在一起互相撕咬。还有两只紧靠在边儿上，相互

214

亲昵！它们不像是在随时发动攻击的狼群，倒像是在度假的狗，临时聚在一起，在搞某种"party"。

他隐忍着内心的剧痛，转眼去寻找那只狼。那只狼此时蹲在他右侧一片小小的山包上，两只前爪前伏在地上。它的身子伏在日光中，如同一尊石狮。更令他惊讶的是，这只狼的浑身披着一片长乱的红色毛发。那些长毛被微风掀动，像掀动着一片红色。它的眼睛依然柔和宁静，凝神望着他们。它的眼几乎不眨动一下，阳光柔和的光线穿过它身上，鲜红毛皮像披上了层圣光。单一海觉得，它一定打心里看不起自己，甚至连手下这群狼他也不满意。他从它的眼睛里读出了这一切，内心中不由得涌起一种复杂的心绪。他盯视着它，心想：也许你才是极好的对手。有个好对手等于为自己的勇气找了一种理由。我，定会杀死你的。他的手下意识地摸摸那支枪。

太阳很快升在空中，它冷静地传达着热燥的意志，狼群开始变得不安。几只也许非常小的狼似乎已耐不住漫长的等待，不住地用锐利的前爪刨挖身前的沙石，那种不安的咆哮牵动着满天的空气，只是它们不断地向前蹿着，又返回来。单一海注意到它们返回去，只是因为那只狼。那只狼一直不动，它只是用沉默来压制它们。

单一海暗自喝彩，只用一种姿势就可以震住手下。除了他，居然还有它。

冯冉站起来，活动着手脚。50米开外。那群狼仿佛受到某种暗示似的，倏地停止了各自的嬉戏。它们都警觉地看着冯冉，有几只狼已开始低啸。

"这些杂种想把我们困死呀！头，我看咱们不能这样等下去了，等也是死，不等也是死，干脆跟这群杂种拼了吧！"冯冉喊。手中的冲锋枪在他的紧握下，发出了轻微的呻吟。

"等一等。"单一海站起来，环视四周。这时他瞥见不远处有一大片干枯的沙枣林与野草。真是天无绝人之路呀，"我们先到那片树林去，总得让我们的背后，没有后顾之忧吧！"

冯冉点点头，两人拖着背包，背靠背地向远处的沙枣林移动。

狼群紧张起来，他们向前走，它们就后退，这些狼其实更怕死。单一海手中捏紧那支八七式手枪，这枪类似于手提冲锋枪，握在手中，像镶着的某种依靠。他竭力控制自己不开枪。他知道，此时打死一只狼，其他的群狼就会在你还未来得及放第二枪时把你撕碎。他听说过驻地附近的一个牧人，在遇到狼群时，开枪打死了两只狼，其他的狼则趁机把他扑倒，连尸骨也未留下。他紧张地注视着那群狼，其实他只在寻找那只红色的狼。那只狼此时失去了平静。它隐在群狼的身后，来回不安地奔跑着。它的后臀一晃一晃的，它扑到哪儿，哪儿的狼就会被扑倒在地，发出一阵尖厉的长啸。啸声激烈而又孤独，像牛鸣，只是比牛叫传达出更多锐利。

他们距那片小树林只有百余米，单一海觉得仿佛走了有几个小时，那片树林早已枯死，只有沙枣树上的枝杈、树刺让人怵头，正好是一道天然防线。他们还未放好东西，那些狼似乎已看出了他们的企图。它们散乱开一片，乱哄哄地奔驰着，有几只甚至已经逼近了他们身边，又像受到什么召唤似的，返回去了。那只红狼此时变得凶残不安，它似乎召唤什么似的，仰天长啸。那声长啸钝钝地击破周围的空气，群狼响应似的向前涌来。

单一海被这些狼的气势震惊了，他的手因紧张而把手枪柄润湿了。狼继续靠近，冯冉把枪支在一棵沙枣树的杈上，他的枪晃动着瞄准那只来回行走的红狼，单一海的枪也大致套住了它。他想只要群狼一涌来，他首先就会把它打死。

那只狼似乎已意识到了危险，它开始向左、向右不住地奔跑，显然它在躲开单一海的枪口。单一海不动声色地随着那只狼的移动，变换着枪的角度。枪在他手里移来移去，枪口始终套在红狼的身上。那只红狼终于累了，它有些迟疑地停下奔跑，一双亮亮的眼睛愤怒地向他张望，周围的狼也在瞬间停止了奔跑。这些狼就在他们面前五十余米左右，单一海已经可以清晰地看清它们的獠牙与棕色的眼睛。

但狼们的举动让人怀疑，它们身上的野性并不是什么东西可以制服，这时那匹红狼忽然双腿并立，站得比一个人还高，仰身长啸，周围的狼，似乎接到冲锋的号令，凶猛地冲了上来。

红狼的啸声未断，冯冉与单一海已将子弹同时射出。红狼打了一个滚又站了起来，单一海又开了一枪，枪打中它完美的左耳，立即有片叶子一样的东西耷拉下来，遮住红狼的眼睛，强烈的哀鸣加快了狼的进攻。一只狼已靠近了他们，隔着树丛，冯冉冷静地射击着。那些狼在快速地奔驰中，像沉重的布口袋，一只只哗哗倒地。单一海打中了一只跑得最快的小狼，它的脑浆当即迸射，哀鸣一声，竟蹿出两米多高，又在空中哗地落下，挂在沙枣树下，血溅了单一海一身。这只狼的勇敢几乎惊呆了单一海，冯冉似乎觉得趴在树下射击不过瘾，血红着眼睛，站起来，嘴里哇哇地叫着，向那群狼泼去稠密的子弹。那些狼像急刹的高速列车，相继倒下。但狼群似乎没有丝毫的后退，它们密集着，更勇猛地冲了上来。这种令人深觉骇异的自杀式的进攻，让单一海有种深深的悲壮，同时预感到一种极深的恐怖。

那只红狼此时已像一道红色的闪电，它疾速地奔驰过来。在逼近树丛时，凶猛地跳跃而起，一个跟头翻过高大的树枝，在落下的同时，已把单一海扑倒在地。单一海已来不及开枪，与狼扭在一起。枪身横在红狼与他的肚腹之间。他的右手觉出一阵硌疼，下意识地触动了扳机。一串子弹尖啸着从红狼的腹部斜穿而过，一股烫热的液体喷涌在他的手上。枪在击穿那只红狼的一刹那，斜插在它的腹部。红狼似被突如其来的一击震惊了，它剧痛地低啸着，利刃似的尖牙锐利地插进单一海的肩部。单一海被那只红狼挤压着，红狼柔软滚热的身体压在他身上，他几乎听到了红狼因为剧烈奔驰而狂烈的心跳声，那些咚咚的心跳声一下一下撞击着他。他觉出一种短暂的宁静，单一海的右肩立即失去了知觉。一股被扯去心肺般的剧痛，一下子注射进了他的血流。他怪叫了一声，右手已从腹下伸出，一拳击在那只狼的右眼上。红狼的头如同旧铁一样，发出沉闷的钝响。那只眼睛立即充血斜歪了，它再次被激怒，利嘴一歪，单一海只觉得右肩撕裂般地发出压抑的断裂声，皮和一大块衣服已经全部被扯了下来，露出粉红的肉。奇怪的是，那一刻他脑中清晰如水，竟未觉出疼来。他再次疯狂地伸出右手，伸向那只眼睛。那只眼睛柔软如同一只鸡蛋，在他的撞击下，他清晰地听到了一声破裂的声音，接着是水样的液体溢溅而出。他一咬牙，眼珠哗地被他抠了出来。红狼疼得一激灵，一声悲恸的异类的低鸣响起。单一海被这声低啸惊呆，他看到那红狼怪异地转身，张开血盆大口，向他的脸上扑来。那条陡坡般的扁嘴中，鲜红的舌头，如同一把红色的利刃，坚硬地伸缩着。单一海在红狼扑跃下来时，头脑中片刻空白。他被压倒在身下的左手，闪电似的伸进那只狼的口中，左手奇异地触到了那条舌头。他下意识地一把拧紧，同时用力向前捅去。那只狼一下子失去了活力般地从空中扑落下来。它奇怪地张开嘴，两只尖牙嵌在单一海伸进它的口中的手臂上，血汩汩涌出，它痛苦地扭动着身子，瘫软在地。

那只狼全身抽搐着，似乎一下子失去了力量。这种奇怪的战斗方式连单一海也觉得奇怪，那条舌头在他手里温软如同一把面条。他忽然觉得，狼的舌头竟然是凉的。这时，一只狼疯狂地向他逼近。冯冉情急之中，一个点射扫来，那只狼扑倒在单一海的身边。就在此时，另一只狼疯狂地掠过他，扑倒正在射击的冯冉。那支冲锋枪被撞飞，挂在树梢上，冯冉右臂被它紧紧噙住。一种异样的痛呼从口中涌出。另一只狼也扑倒在冯冉的身上，他竭力挣扎着，身体在与狼的来回击搏中，渐渐地没了力气，偶尔他从狼身下闪出一双亮目，看了单一海一眼。那眼中蕴含着的绝望使他内心一颤。他的眼睛绝望地一抖，他一激灵，浑身竟充满一种奇异的力量，他大吼一声，左手下意识地在红狼嘴里扭了一圈，他听到红狼的身体内发出"嘣"的异声，它痛苦地在他身上摔着。单一海又用力向它的喉咙捣去，他的胳膊被刺进臂肉的尖牙给刺破。那只狼终于停止了挣扎，软软地伏在他身上。单一海把手从它的口中拔出，他的左手烂污般地冒着血渍，那条舌头还被他抓住手里。他挣扎着站起来，那群狼似乎被刚才那一幕景象激怒，更加疯狂地向前扑来。

单一海狂啸一声，把那条舌头往那些冲过来的狼群掷去，红色的血渍溅得满天空都是。他被一种神秘的悲伤攫紧，伸手从树枝上抢过那支冲锋枪，疯狂地向扑压在冯冉身上的那两只狼冲去。狼与人挤滚在一起，冯冉的全身已被血渍涂满，但他挣扎的欲望仍使那两只狼无计可施，单一海无法开枪，便用枪托没命地扑打着那两只狼。一只狼从冯冉身上跃起，没命地扑咬着单一海。单一海有些异样地狂怒着，一枪撞在狼头上，那只狼哀嚎一声，掉落在地，冯冉似也被单一海的举动唤醒，他扼住那只狼的咽喉，使它没法动弹。单一海一枪，又把那狼砸伤，那狼软软地压在冯冉的身上，冯冉仿佛力竭般地一松手，晕了过去。

单一海把那只狼从冯冉身上拖起来，举在手中，余下的三只狼又扑拥过来。单一海的右腿被撕咬了一口，他悲凉地一呼，抢起那只狼向它们砸去，狼体相撞时沉重的扑扑声，仿佛一声异样的鼓点，击打着寂静的戈壁。

三只狼在单一海可怕的举动中，显出短暂的惊慌，另一只已经闪现出了片刻的犹豫。单一海狂怒地把那只狼向它们抛去，趁它们稍稍愣神的瞬间，捡起冲锋枪，向狼群射去，扳机在他的手指中清脆地空响一声，便失去了声音。没子弹了，单一海悲凉地想，同时迅速把枪抢起，向那几只狼挥去，远看很像一个孤独的人在跳一种奇怪的舞蹈。那三只狼在他疯狂地追击中，终于显示出了一种深深的恐惧，靠左边一只狼，被单一海用枪撞倒之后，另外两只终于向后退去了，它们张皇着哀嚎两声，散逃而去。转眼，刚才杂乱的战场一下平静如初，周围死一般安宁，如果不是那些堆在一起的狼的尸体，似乎什么也没有发生。

单一海在这种寂静中，显现片刻的茫然。他呆呆地看着散堆在一起的狼，身子竟然一下子虚弱起来，到现在，他似乎才觉出一种累和深深的恐惧。他疲惫地拂一下干枝似的乱发，看到躺在狼中的冯冉，还轻轻地蠕动身子，似要挣扎着起来，单一海赶紧过去将他抱扶住。

冯冉的全身血肉模糊，左肩被狼撕去一块，右手露出偶尔的白骨。他的身体很虚，单一海无言地把他抱扶起来，冯冉的手痉挛着抓紧单一海，似乎要说什么，嘴嚅动了半天，却什么也没说出来，只有两行泪水悄然滑落。

单一海抬起眼睛。冯冉的泪水令他无言而伤感。他望着这片巨大得令人失去信心的戈壁，觉得心中也越来越空茫了。

这时，冯冉喃喃地说："他又来了……"

单一海努力爬起来，视野里，脏黑的牧猪小孩静静地站在红狼刚才蹲着的地方，他的脚旁几十头猪静立巡望。牧猪小孩手中仍紧握着那根很长的鞭子。他又出现了，单一海内心一动，望着那孩子，眼里湿润了。

那孩子伸出满布脏垢的小手，轻轻地抚着单一海的伤臂。单一海在他的抚摸下，觉出一阵难言的心疼，此时才顾得上去审视自己的伤情。肩骨一带已成了糟烂一片，臂肉和布条相互翻搅着，凝结成了一堆干痂。他的左手已经麻木，他试着用力，竟然无力抬起，他有些绝望地看一眼冯冉。冯冉呆望着孩子，似乎仍沉浸在刚才的搏斗中，对于这种短暂的伤感，竟显出了迷茫。他的伤奇怪地反而不重，除了胳膊不便活动，右肩上麻木着之外，竟还可以走路，也真是奇迹。

单一海轻声叹息，变故来得太突然了，一切简直如同梦。只是这梦醒来后，让人无法正视，让人无法清醒。他再次叹息，内心涌出片刻的柔情。那孩子把鼻子凑到他的伤处，似乎在嗅着什么似的。单一海心中竟产生了一种依赖，听任那孩子察看伤口。人其实都需要依靠，有多大的失落就需要多大的依靠。那孩子的脸紧绷着，从身上抽出那只斜挂着的皮囊。单一海嗅到一股极浓的酒香，从味觉上已知道那是青稞酒，此时他可真想喝酒，似乎只有饮酒才可以表达他此刻的心情。

他伸过右手，抓住那只皮囊："孩子，让我喝一点儿好吗？"语音中充满了恳求。

那孩子无言地摇头，眼里布满执拗的拒绝。

"我就喝一口！"单一海几乎是在哀求了。

那孩子不语，坚持地抓紧那只皮囊，眼睛亮亮地看着他，单一海被那双眼睛给灼伤着。半晌，他终于松开了手。

那孩子往嘴里含了一口酒，对准他的肩部，哗地喷去。他的鼻翼上溅满了酒液的浓香，他贪婪地嗅着，继而一阵巨疼让他皱起了眉头，酒精冲干了那些干痂，新鲜的皮肉上沾满着醇醇的酒香。单一海忍住不出声，听任那孩子麻利地用一块不知从哪儿扯来的布给裹紧。这个过程里，他奇怪自己表现得那样温顺，而那个给自己包扎的人，却只是个十岁左右的孩子！

给他包扎完毕，那孩子笑着坐在他对面，把那个酒囊递给他。单一海接过那只酒囊时，已有些迫不及待了。尽管他嗅到一股腥味和让人呕吐的臭味，但酒香仍使他有种莫名的兴奋。他含住那只囊口，仰脖饮下，酒液清凉地穿过喉管，感觉如同有把滑滑的刷子，一下子把那几天来蕴积在一起的干渴给扫净了，他放下那只囊时，那只皮囊只剩下一点儿底，空空地晃荡着。那孩子似乎被他的酒量给震住了，小脸上带着婴儿般灿烂的神情。他兴奋地看着单一海，像看一个陌生人一样。

"这酒真好！"单一海有些感激地冲那孩子一笑，同时用手摸摸他的小脸，那孩子脸上温暖光滑。他真的是个孩子啊，可却怎么让人以为是天使？

那孩子羞赧地把脸晃离单一海的抚摸，随手把酒囊塞给了冯冉。早已干渴得嗓子冒烟的冯冉，拿起就往嘴里灌，谁知一口没喝完，他的脸就被呛得通红，不停地咳嗽，半天才缓过劲儿来："怎么全是酒呀？"

那孩子已高兴得惊叫起来。单一海感动地看着他，居然是这样一个孩子救了自己。他从裤带上解下一支笔筒式的照明小手电，那手电是太阳能的，白天在太阳下晒晒，夜晚可以持续放电四小时，是侦察兵专用的。单一海在侦察大队工作时，拿了一个，算做纪念吧！

他轻触开关，一小圈光射了出来，那孩子奇怪地看着那支小手电。单一海递给他，教他使用，那孩子被那手电给撩弄得玩兴大发，他来回地看着，试图找到那光的来历。许久，他才不舍地把那只手电还给单一海。单一海又给他，并比画着手势送给他。那孩子才又兴奋地拿过来，放在贴身衣袋里，脸上更加灿烂地望着单一海，手中同时还来回比画着，似在向他道谢。

冯冉凑过来："这孩子太神秘了。他总是在我们绝望时出现，并且还是个哑巴，他是从哪儿来的？"

"他不说，我们将永远没有答案。"单一海把脸转向那个孩子。

那孩子一直静静地坐在边儿上，似乎对他们的议论很不感兴趣，把玩着那只小手电。

"是他预言了那群狼对我们的追踪。居然真的应验了，这孩子好像具备了某种神秘力量。"

"可他并未觉得，他也许只是与我们一样的一个普通孩子！"

"可我们并不知道他从哪里来？"

"这并不重要，也许他会帮我们找到女真他们！"

"可他不会说话啊！"

"但他却会画出来！"单一海坚持着。

"但愿如此！"

单一海拿来一根枯枝，在地上用力刻画。转眼，便描出了一辆卡车和几个人的形状，不过他画的可没那孩子生动。那孩子一直看单一海在那儿画着，眼睛一刻也不离开那些绘就的图形。

"这些人，你见过他们吗？"单一海用手上下比画着，他此时才觉出语言的贫乏和无力，他甚至不知该如何表达了。

那孩子凝神看了一会儿单一海，又看着图，脸上绽出一丝笑。他伸出手，在胸前拍拍，又用鞭杆指指远方，然后不等单一海说话，转身赶上猪向前移去。

单一海被一种强烈的预感击中。那孩子的表情似乎在说，他见过他们。他被这种莫名的发现兴奋着。

"他好像说他们在前面！"

冯冉仍抓着酒囊，脸上泛出油油的光亮，此时他竟冷静了："别是又有一群狼追了上来吧！我这次感觉不一定是女真中尉他们……"

单一海奇怪地："为什么……"

"头儿，你觉出没有，他们就像被这块戈壁给藏了起来一样，我都在担心他们还会不会活着！"冯冉冷冷地望着单一海，嘴中呼出大团酒气。

单一海竭力控制着自己的情绪，似乎未听见，愣了愣，转身追那孩子去了。

冯冉拖着背包，醉醉地跟在后面。

猪群在他们的身前缓缓移动，那孩子低声咿呀着一种他从未听过的旋律。那声音如呓语般飘在周围的戈壁上，连空气中也似乎浸满了那声音的气味。单一海倾听着那声音，感觉中似有一只钝钝的手正抚过心壁。他忽然想起子老吹的那支"嘶啵"的音律。尽管一个是吼出的，另一个是吹出来的，可却传达着一样的意境，似乎连音乐的感觉也神秘地重合着。

猪群在翻过一片稍高些的缓坡后，站在一个小小的沙丘前不动了。那孩子停止了哼唱，一脸灿烂的表情。他指着土丘的前方，咿呀着比画两下，用手指着眼前那片凌乱的地域。

那块戈壁仿佛经历过巨大劫难，地上的石头被胡乱搅成一堆，裸出沙土的质地。在靠近单一海脚边的地方，竟有大团泼墨似的血迹，它们已经干黑成了一种皮肤，蒙在戈壁表面，不仔细看，还以为是厚厚的垢。

冯冉指着那片戈壁兴奋道："头儿，这儿像是个搏斗过的现场。"他向前走走，"呀，这么多脚印，还有车印呢！这不是大卡车的轮印吗？"

单一海惊讶地走过去，被翻搅成残迹般的地面上，踩满了许多凌乱的脚印，似乎是一群慌乱的人的心情。他仔细辨看，在那些凌乱的鞋印周围还覆着一层乱乱的、深深的爪印。那些爪印交叉错横，相互踩叠，已经无法辨清了，只隐约呈现某种轮廓。而那几道阔大的汽车轮印，似乎是在遭受到某种惊吓般，临时倒车和紧急刹车出现的，戈壁上印着深深的黑胶印。

一瞬间，他似乎醒悟过来似的明白了，头轰地一响："这肯定是他们，他们居然也遇到了这群狼！"

"你是说这里是他们与狼搏斗过的地方？"

"应该是，这些残迹比他们亲自讲还要残酷，我……"他颤抖地说，"我几乎不敢想出那个结果。"

"头儿，我觉得他们也许还没我们想象的这样惨，他们不是还有车吗？他们可能就在前面。"冯冉安慰地说。这时一只猪哼哼着不知从哪儿衔来一团绿色的布。那孩子从猪嘴里取出，递给单一海。

那团绿布居然是一只小挎包，已被撕成了许多布条，上面残留几滴血渍，一大块绿布上凝着深深的血痂，单一海捏着那只挎包无言了。他们真的在这儿遇到过狼群，一阵虚弱的感觉漫涌过来。他忽然觉出深深的、巨大的担忧，那担忧以前只是极小的，这会儿那种感觉像座山似的压着他，仿佛一大团乌云。

他已经在竭力镇定了，他闭上眼，努力不让自己表露出丝毫的脆弱。即使内心中脆弱,但外表也绝不能暴露出来。所以,他的镇定更像是借来的一个面具。

"你在担心？"冯冉敏感地看他一眼。

单一海不语，佯作沉思，这小子的聪明有时真让人讨厌。

他用手拍拍冯冉，表达某种连他也无法说清的意图。

这时，那个一直呆立在一边看他们私语的孩子，忽然发出一声怪叫般的呻吟。他的那声惊叫太突兀了，以致单一海和冯冉立即就被惊得一愣，同时把头转向了他。

那孩子像被某种神秘力量凝住似的，站在那儿呆痴着，眼睛里闪射出恐惧的光芒。单一海被那孩子的眼神惊呆，他诧异地向那孩子奔去，那孩子畏惧地抱紧单一海的双腿，脸却从腿间扭过来，用手指向远方的天际。

单一海凝神望去，天际深处混沌一片，弥漫着某种巨大的暗云，几乎什么也没有呀！太阳还在半空斜照着，戈壁上寂静得连风声也无。他奇怪地看那孩子，那孩子把他的腿抓得更紧了，单一海觉出种被箍痛的难受。这孩子莫名的恐惧让他心惊，他轻轻地拍拍他，心中暖暖的。只是不知他为什么忽然间表现出这样巨大的恐惧。

身边那些猪都不安地哼哼着，有几只在地上不停地深拱着，沙土被它们拱得到处乱飞，其余的则全部温驯地卧伏在地上，眼中隐着某种不安的神色，似乎在被某种遥远的暗示惊吓着。单一海忽然想到，这孩子也许得到了某种暗示吧！也许是预感。可这回又会是什么呢？

他迷惑地看看冯冉，冯冉似乎仍沉浸在那孩子的惊吓中，眼睛一眨不眨看着那片混沌的天际。

"看，那块黑云……"冯冉忽然叫道。

单一海循声望去，只见西北方向陡起一团巨大的黑云，其势类似于原子弹爆炸后的蘑菇云，那团黑云所过之处，如同一团棉花似的不断膨胀，又不断裂开。半个天际立即处于一片奇异的浓黑之中，仿佛一道黑幕墙似的，直直地向前涌来。一股气流远远地扑涌着，戈壁上立即像开锅似的响起令人惊骇的异响，钝钝的回荡着沉闷的呻吟。

那孩子忽然松开他，脸上的恐惧使他几乎跌倒。他跪伏在地上，头深深地垂下，仿佛迎接什么似的，嘴里发出呻吟般的呓语。他的话音未毕，戈壁便像被人掀动起来似的，剧烈地颤动着。单一海像被人推了一下，跌倒在地，接着又被颠起来。冯冉死死地趴在地上，把头压低。单一海爬过去，抓住冯冉，他俩立即被一种神秘的力量抖开。戈壁像一个正被翻动的黑锅，沉重地摇摆着。那些石子此时都被颠摇了起来，在地面上跳舞般地哗哗地颤动着，单一海被这种异象震惊，接着地面又裂开无数条缝。他下意识地想到，估计是地震。天，他在戈壁上遇到了地震！

他的思绪还在转动，那道巨大的黑幕已唰地压过来。他觉得那团乌云像一大团神奇的抹布，一下子抹去了刚才还灼亮着的太阳，接着，就像听到召唤似的，被拉进了那块黑云中，眼前立即一片暗黑。仅仅片刻，戈壁便在他的眼前消失了。

狂风挟石而至，周围不断传来猪们被击中的惊叫，他的鼻子被按紧了般地抑制着喘息，实际上他根本不可能再大口呼吸了。暗黑的狂风抖落着无数的沙粒，它们针尖样降落在他裸露着的皮肤上，又刺又痒，还有种涩涩的干疼。他摸出一只手绢，堵在口上，隔着一层布，他立即嗅到一种难言的干涩，喉咙里像塞了无数只小手，来回抓挠。他忍不住剧咳起来，他的咳嗽立即被更多的沙粒掩住，胸中难受异常。单一海眯着眼，看着黑乌一团的天空，有种呆了的感觉。这种异象他还是头一次遇到，并且是在戈壁上。

这一切多么像是末日呵！他的喉咙中咕噜着，大口吐出一团泥沙，转身向刚才冯冉倒下的地方爬去。风声更大了，掀着他的头发，头发被吹得向后倒去。脸上不时被一两粒石子击中。"冯冉。"他低呼着。

"我在这儿！"冯冉不知什么时候已爬到他的身边，他的手用力抓紧单一海。像抓着一根绳索一样，抖个不停。两人虽都看不见对方，但却都有种无言的踏实。

"这鬼天气，太奇怪了，感觉像是发生了某种巨大爆炸。唉，头儿，别是在核试验吧！这么大的能量，要是那样我们就彻底完了。"

"别开玩笑了，核爆炸不可能在这儿出现，好像是大沙暴。"

"大沙暴？"

"嗯。我八年前来这儿时，也经历过一次。不过那次没像这样剧烈，风也没这样大，哦，并且还似乎伴有地震？"

"你是说是地震引发了大沙暴？我说怎么刚才戈壁像个摇椅似的，晃个不停呢。"

"地震不可能引发沙暴。可沙暴却会诱发地壳的某种潜伏的能量。"单一海又用力按住手绢。他的话语从手绢中飘出，又被风撞散。到了冯冉耳中只是几种不全的意思了。

"几乎像传说中的末日！"

两分钟后，一阵狂风掠过，像是拉去了某种屏障，天色开始变红。天气闷热起来，似乎突然被注入某种能量。空气中飘浮着大团热气。戈壁开始显出短暂的昏黄。天色开始不断变化着。一会儿呈灰黑色，一会儿呈土黄色。橘红色的天出现时，隐约可见到戈壁上的红柳。这种奇怪的天象，每隔片刻变换一次。单一海看见冯冉用迷彩帽捂着嘴，头上奇怪地套着个不知从哪儿扯来的塑料袋。这小子可真会隐藏自己，他想。回转身去寻找那孩子。

却见四周一片空茫。那孩子刚才跪伏的地方只有半根鞭杆，似被刚才的狂风折断了。它此时依在地上，半面的新茬全被沙子给埋住了。单一海爬过去，拿起那半根鞭杆，看到一大片杂乱的蹄印随着一行孤独的脚印，消失在了风吹来的地方。

"那孩子又走了。"冯冉说。

"……他还会回来！"单一海干涩地说。他忽然对那孩子，充满了一种深深的期待。

20. 沙暴之怒

女真在剧烈的震动中惊醒，她倏然睁开眼，看到远处天际一块巨大得令人骇异的黑云团正急速压过来。大卡车在急风中像漂浮在海面上的船，左右摇摆。被颠醒的两个女兵惊恐地抓住车上所有可以扶住的东西。他们的恐惧此时在风中暴露无遗，车每剧烈震动一下，他们的惊叫就会向那个方向扑去，似乎惊叫声可以帮他们暂时驱走这种莫名的恐惧。

艳芳从车厢的另一头爬过来，她的手臂上扎着条止血带，散披的头发被风扯来扯去，但却都拽向一个方向，发丝缕缕地飘展着，在瞬间竟有种骇人的美。她此时似乎被吓坏了，猛地抓住女真的手，接着把身子依偎过来，全身莫名地抖动着。女真的右腿在她扑过来时，触电般地灼痛着。她不由得"哎呀"惊叫一声，手下意识地捂住那条腿。那里也裹着条大止血带。血迹已经浸透止血带白色的纱布，结成了干痂。

艳芳仍牢牢地依偎着她，女真的惊叫使她更加像只小兽一样，把女真依偎得更紧了，头拱在她胸前，把脸深深埋下去，同时用手捂紧了双耳。女真低头看她，内心中涌起巨大的伤感。艳芳受到的惊吓太大了，她叹息，脑际浮过那只棕红色的大狼，它居然一跳就把艳芳从车上给叼下去了，差点儿夺去艳芳的命。女真的心颤抖着，想起那个失去生命的老兵，是他换回了艳芳的命。艳芳从醒来后，就变成这样了。她只要一闭上眼，就会被噩梦吓醒。没有哪个女孩子可以不对那个末日般的时刻心怀恐惧，不管你是不是战士。她下意识地伸过手，把艳芳揽住，继而更紧地抱住。

那块黑云已成了一道巨大的黑幕，半个天空奇怪地暗下来，而还没被黑幕遮住的半边天空，太阳仍在明亮着。女真被这种异象惊呆，她莫名地看着那闪着骇人的沉闷呻吟的黑云，不知这块神秘的戈壁，又会带来什么样的厄运。

大戈壁表现出的种种奇异，已让女真觉出难言的震惊，以前她以为戈壁只是块铺满石头的陆地。那儿除了多如星辰的卵石外，就是更多的卵石，根本别指望会从中找到什么奇迹。可自从他们进入这块戈壁后，几乎所有传说般的厄运像一堆黏液一样，黏上了他们。先是迷路，在戈壁上迷路几乎让人无法相信，它原本就没有路，有的只是方向。可那司机几乎是捆着方向盘向前开的。奇怪的是，它却不动声色地一直把你留在一个地儿。你以为向前开，至少可以离开它，可一会儿却又神秘地返回了，仿佛大地一下子消失了距离，甚至空间。接着是那群狼，她的心抖颤一下，右腿和左脸下意识地抽疼着。她竭力忍住，不低呼出来，脑际立即浮过那只棕红色的大狼和一大堆呲着尖牙的群狼。那么多狼啊！它们似乎根本不怕他们，也不怕死，它们也许只怕饥饿，只听饥饿的命令。那种为夺得一点儿果腹之物的神勇简直像种传奇，那些狼追着他们的大卡车几乎有十多公里。她的心再次抖颤，能够跑出来，本身就是种奇迹。她轻抚着左脸，那儿厚厚的一层血痂，已经高高地肿着，连说话也有些艰难。她又看到了那只棕色大狼了，她将永远记住它，这只可恶的狼居然撕裂了自己的脸孔，接着是自己的腿。她几乎不敢想象，自己脸上堆放着类似垃圾一样的血痂的惨状。

　　那块黑幕在她的沉思中，唰地过来了。天际间立即一片蒙昧，她觉得自己被一种雾纱样的粉末给围了起来，呼吸已不通畅，稍一用力，满嘴都是枯黄的沙子。四周几乎见不到任何东西，风像一股暗流似的，在黑暗中疾速奔涌，石头、冰块一样唰唰砸落。大卡车上的玻璃不断在黑暗中粉碎。艳芳的身体哗哗抖动，如同一片正在飞速下旋的落叶。缩在车厢一角的两个女兵，在暗中传来尖锐的啸叫。那叫声又凄厉又无奈，颤抖着在风中绊闪，又立即消散。女真竭力挣扎起身，毕竟她还是这些女兵的头儿。她低声呼叫那两个女兵，嘴立即被堵住，左脸发出被撕裂般的呻吟，她疼得差点儿晕过去。那两个战士摸索着过来了，四个人立即抱在了一起，人总是在灾难中本能地紧依在一起，似乎这样，才可以免除对自然的恐惧。

　　天际瞬间被各种沙石塞满，女真把头深深地低垂在艳芳的背上，艳芳此时竟不再颤抖也不再惊叫，她的手摸索着抓住女真，女真立即握住了。此时即使这样伸过来的一只手，也给她一种无言的温暖，甚至感激。

　　风更大了，卡车像要掀翻似的，急剧颠荡，一粒石子啪地击在一个女兵脸上，那个女兵立即哇地惊叫一声，随即不语。女真伸手摸去，黏黏的液体沾了一手，还有种粗涩的摩擦感，从手感上女真觉出是额部，那个女兵已被剧疼给惊昏了过去。这时，天际出现模糊的暗黄，隐约可以见到一些物体的轮廓。女真迅速扯下手绢，给她揩净。艳芳半跪着，帮她包扎。她脸上神色安宁，麻木般地忙着，似乎恐惧一瞬间已尽消去，或者她根本就未曾恐惧过。

　　"把那个急救包给我。"女真命令着，有些诧异艳芳的神情。

　　艳芳麻利地撕开，递给女真："我们这样待下去，非被风给掀翻不可，我们谁也跑不了。"

　　女真艰难地回答："下去也不行，万一那群狼再来怎么办？"

　　"我们不能等死！风真他妈的大。我从来没见过这样的风，满天都是沙石，简直像末日。"她咬着牙，"我们一定会走出去的。"女真使劲握住她的手，可说出这话，她的内心却一忽悠，连她也对这一点产生怀疑，他们已经在这儿迷路四天了，没有了粮，没有了水。只有这样一辆不再能动的卡车，还有三个受伤的人。

　　"我们能出去，一定要出去！"艳芳低声说着，"一定会走出去，我刚才还看到他了，他在喊我，我一定要出去。"艳芳未说完，已经哭倒在了女真怀里。

女真无言地抚着她的肩膀，心情随着艳芳肩膀的上下抖动而动荡着。她没有想到，给予艳芳生存下去的勇气，竟只是那个人的一声呼唤，甚至只是一个念头。这时，天象已变成了一种枯红色，空中蒙上了一层炭红，热烘烘地穿透悬浮在空中的浮尘，那些沙粒在急风中，竟不再动，后来她发现，那些沙粒不动是因为有新的沙粒出现。它们悬荡着，如同一些散乱的奇迹。

艳芳的泪还挂在睫毛上，脸上被泪水冲出两道浅沟，她的面孔蒙着残碎的红光，世界似乎一瞬间已改变了颜色。空气越来越少，他们都蒙上了大大的口罩，旁边的两个女兵还套了防风镜。他们似乎都被这种异像给迷住似的，沉默了。

"真像梦中的某种神秘的景色。"女真用半边嘴唇低语。

艳芳帮她捶捶背，把头向车栏下更低地缩缩，狂风从他们头顶掠过，石子尖厉的啸声不时鸣叫。

"到这会儿还有闲情想这些！"

"不是想，是这种景象太骇人了，又与我的梦境太相似。哦，艳芳，你在想啥？"

"我？"艳芳稍一愣，"我在想，我要是可以出去，我最想做的一件事，就是立即找到他，告诉他，我答应他的求婚！并且立即嫁给他！"

"哦！"女真再次被艳芳震惊。

艳芳喃喃地说："我不愿意再等了，以前我总是被一些莫名的幻想吸引，向前跑，自己老以为会有更好的东西等着我，可到今天我才明白，人的生命有时太脆弱了，脆弱得一碰便折。我从昏迷中醒过来的时候，就明白了，人其实最该抓住的是自己一把可以握住的东西，而不是到死时空虚、后悔。"

女真望着她，忽然无话，她用眼角捕捉着艳芳的神情。她想，人的态度甚至人生的改变，竟只是因为某个微小的事件啊！

"就冲这，我们也要走出去！"女真胸腹间鼓涌起大片激情，"哪怕走到戈壁边上倒下，我们也要走。"

"你是说要弃车？"

女真悲怆地说："生命比车更重要，等这场沙暴过去，我们就向前走。再不能等了，等待就是自杀！"

那两个女兵木然地望着她，几乎连说话的激情也消失得一干二净。

"我背你，你的腿……"艳芳热烈地响应着。

女真感动地："你们结婚时，不介意我瘸着腿做你的伴娘吧！"

"哎，女真姐，你是不是也在想你的那个'绿马王子'？"

"什么呀！我哪像你那样幸福，有个人等着娶你。"她用手摸摸自己的左脸，心内掠过单一海，"谁会爱我呢？"

"别打岔了，谁不知道单一海那小子在喜欢你呢！那天在靶场我就看出来了，他的眼睛只望着你一个人，连说的每句话都似乎只是讲给你听的，我们这些旁观者哪！可以听但不可以往下想啊！"艳芳故意尖笑着。

风在她的笑声中缓缓减弱，天际又变换成了一种土灰色。阴阴的，令人产生抑郁心情。空气滞涩着，越来越压抑，呼吸已经不太顺畅。女真低头咳嗽，剧烈地抖动着左脸，她忍住疼："那只是你的感觉，其实，人有时候并不因为有爱情就行。我们其实是不可以的。"她想到那天单一海离去时的冰冷，心际涌起冰一般的感受。

"你不喜欢他？"

"我说不清。"女真低语，脸上浮动着令人诧异的灰暗，自从那天在戈壁上把自己的一切倒尽后，她的内心就已明白，他们之间已经永远不可能了。有的事其实真如他所说，永远只应该成为一个秘密，哪怕是一个人的秘密。可她却在莫名的心绪中，把这一切倒给了他。那天她再次体会到幸福，却不知为何要说出这一切。她知道，自己等于把一枚刺抛给了单一海……她想到这里，脸上浮出一丝残笑，"我不会再去见他，我一回去，就将离开这里，永远不再回来！"

艳芳不明白她为何突然这样伤感："你想回避他？"

"不，我想回避我自己。"

艳芳笑笑："离开也不是办法，如果他伤你太深，离多远了也没办法躲过那种思念。"

"是啊！我能躲过那些东西吗？"女真低语。

片刻，天际忽然像被什么搅动，浮尘哗哗地来回飞旋。风响着炸雷般地在周围奔啸，沉沉的呻吟如同有几十头牛，踏动着地平线，啸叫着涌压过来。那些雾纱般浮涌的沙尘倾斜着，向前压去。天像不断地变换着各种颜色，巨大的风再次滑过来。

女真从沉默中惊醒，她把防风镜扣在眼眶上，沙粒吱吱地击打着防风玻璃。

艳芳用上衣把头包紧，伏在车厢板上。天际又成了一锅正在炸煮的热粥，只是这粥的颜色却呈着一种褐色，厚厚的，远看如同一张巨大的绒布。女真似乎要看透这一切，使劲儿捂住鼻孔，向远远的风吹来的方向望去。云块在布上像遇到了一只神奇的手，那个无形的感觉不断地变幻着云的形状。云在扶摇中被剌开、击碎，接着拼成一些奇异的图像。她从未见到过这些云的异象，它们不断地呈现着她几乎从未见到过的一些奇怪的物体。有一大片云一忽儿竟成了几千只奇怪的羊，披着长长的白色毛绒，低头向一个明亮的地方走去。它们太庞大，大得让人看不见头尾。后来她看清了，那不是云，而是真正的羊，它们脚下是大片的绿草，那是真实的草原哪！女真惊异地站起来，那群羊前边有个孤独的牧人，他手中捏着支长鞭，似乎有隐约的牧歌传来，但却被那些风吹散了。那些散乱的音符也是真的啊！她奇怪地听着那牧歌声。这儿哪来的草原！她的想法还未及抖落，那群羊不见了，一大片黑色的云遮住了她的视线，她揉揉眼睛，自己刚才一直是清醒着的啊！

这时，她的耳际传来一片夹杂着噪声的隐约的喊杀声，声音如同一丝丝针尖，扎着她。她循声望去，在群羊游荡的地方，云彩不见了，一大片奇异的光亮照得那儿出现迷彩般的灿烂。她凝神注视，那居然是一大群正在挥戈交战的战士。天际间晃荡着的阳光照亮他们的戈尖、剑尖，闪出炫光。那些交战的战士都戴着奇怪的、从未见过的甲胄。他们排着一列奇异的队形，大步压向对面骑马驰来的战士。他们似乎全无畏惧，手中的长戈有力地挥动，血肉在戈尖的砍击中迸溅。血很快布满了戈壁，石块压着那些伤倒在地的战士。女真被那种残酷的交战方式震惊了，每倒下一个人，她的心尖儿就晃摇一下，那种奇异的战争令她连惊叫也失去了。她只是默默地注视一场亘古的，不知道为何对她来说几乎犹如奇遇的战争。

她仔细地辨认着，那队在戈壁上步行作战的战士，引起了她的注意。他们都长着奇怪的长须，脸上双目深陷，闪现着蔚蓝色的光环，个子又高又壮。关键是他们作战时，那种令人惊恐的方式。他们仿佛根本不怕死亡，头、身子被砍中了，仍继续爬起来，直到战死。那些步兵人数虽少，但气势却如潮般地向前扑压着叫阵的敌军。

女真被那些军士感动着，这时，她看到在云的边儿上，浮现出一座奇异的古城堡。那城堡硕大高耸，黄土一律闪着毛茸茸、黄艳的光泽，那些步兵就是从这里涌出来的。女真凝视那座城，心中闪过一些熟悉的暗影，似乎这城自己在哪里见过。她凝神沉思，忽然看到城边儿上的那座高耸的校阅台。她恍然大悟了，这不是那座古城堡吗？它显出一种沉沉的感觉，威逼着每个瞄向它的人。那台上屹立着一位将军，正单手击鼓督战。他的手一下下地敲着进攻的鼓点。女真听不见那声音，心中却响着进攻的鼓声。那个将军盔下一撮长髯飘动，双眼闪冒着金属之光。她再次诧异，此人居然是子老。她有些怀疑地看着那些殊死拼杀的战士，难道这就是单一海所要找的那些战俘、战士吗？他们居然真的存在过，并且出现了。

她木然呆立，一瞬间，她似乎感受到了单一海血液中追求的某种东西，如同一种物体般明晰，甚至不用抚摸也可以感受到那种质地。她在心里低语：我看到了你没有找到的。

这时，天际忽然滚过一阵剧烈的沉鸣。大地打摆子似的晃摇着。似乎地下有某种巨兽正试图挣脱压抑般地一耸一动。这会儿不是风在掀动汽车了，而是大地在剧烈颤动。卡车上下颠摇着，像被人撬动一样。女真被某种可怖的预感攫紧，内心激动而又惊慌，但巨大的好奇还是使她坚持着站了起来。这时，她清晰地看到，那座城像被一只手轻轻托起，来回晃动着。那些交战的军士们都在这突如其来的变故中，惊慌地抛下戈枪，跪伏在地。只有那队步兵，却站着目视古城，手中奇怪地在胸前画动着十字。城堡在大地越来越急的喘息中，像一个体弱的老者，轰然塌毁。古城所在之处，立即腾起一股尘烟。接着，大地暴怒般地猛烈颤动，那些战士也被迅速滚涌过来的尘烟蒙住，刚才灿烂的一片天际迅速黑暗下来。风暴怒吼着又把那里遮严。天空中奇怪地暗红着，像那些战士的血一样。

那片古城轰然倒下时，女真几乎下意识地惊呼："不！"

艳芳被女真的惊叫惊动，在风中大声喊道："怎么了，快蹲下吧！风这么大！"

"那座城倒了，那些战士们也被埋到了地下！"女真死盯着刚才古城出现的地方。她几乎不敢相信，但她确实看见了那座古城。

艳芳奇怪地看着女真视线的前方，那里只有漆黑一团："什么也没有啊？"

"它真的倒下了……可为什么只有我才目睹了它倒下的过程？"

大风在凌晨停止吹刮，天空中呈现着一种浸满毒液般的暗黄，风中那些细小的浮尘来回缓慢飘浮着。女真一夜未眠，躺在风中，整夜被一种心情抚摸着。那种感觉一直在她的心里边，直到她醒过来，那就是见到单一海，把昨天那幕怪异的景象告诉他。哪怕只是一种幻觉。何况，自己当时是真的清醒着呀！

她在晨间暗淡的天光中抬起头，身上蒙着厚厚的一层灰尘，头发糟乱干硬，已经与粉尘混在一起，干干地爬伏在她的头上，像几条缠结在一起的绳索。她稍微一动，头竟有些晕眩。她不由得靠紧车厢板，轻微呼吸。她的腿仍肿胀着，左脸的肿胀已经挤压着她的左眼了。她的那只眼睛，肯定可笑地肿着，中间只有一条细微的小缝了，在那小缝中她已觉出了注视的困难。她暗自感伤，自己肯定很丑。以前从未想过的丑，这会儿竟真的成了自己的了。同时想到，也许我们等不到别人来救，自己就已经躺倒在这里了。她的脑际再次闪过单一海，心中凝起一个疑问，他现在在哪里呢？

她从挎包里找出日记本，她记日记已经有十多年了。那些日记本像另一个她的影子一样，忠实地追随着她。记日记其实是与自己的对话，每当她经历某种心境，或者遇到让自己难以克服的困难时，她最好的排解方法，便是孤坐一隅，独自在日记本子上倾诉。这种倾诉由于是面对自己，所以更多了几分动人的色彩。她可以放肆而不必有所顾忌。每次书写完毕，她都会感觉出莫名的欣慰快意。那些郁结的事实化成了一种文字和心境，当她重新审视时，只把这当作别人的心情去咀嚼，于是许多看不清的事实便有了新的视角，许多伤害现在看去竟只是一种误解。

日记本捧在手中，掉下许多沙土。她凝神静思片刻，在本子上写下昨天的一些感觉："今日遇沙暴……我们迷路已进入第五天，食水皆无，仍没见救援人员。我的腿已化脓，脸上仍痛。艳芳和其余两位战士已近于崩溃边缘，我们再也不能等了……"她落寞地写毕那十二行字。手抖得厉害，胸腹中传出咕咕的饿鸣。她咬住笔杆，似乎在用这种古老的动作来帮自己减轻饥饿的侵袭。

太阳这时如蛋黄般浮起，它一跃一跃地在沙尘间飘动，天际呈现着深深的土黄，深深地吸引着女真。那些景象此时清晰地浮出来，她竭力捕捉那些一闪即逝的记忆。回忆越来越清晰，那些战士呐喊着冲向对方时，她已决定把那些东西记录下来了。

她旋开圆珠笔，用文字太贫乏了，那种传说般的景象几乎没办法用文字来表达，何况那些东西如同一种幻觉，也该用幻觉般的东西来呈现。她下意识地想，还是用图来画吧！把自己见到的那些东西，用图存起来。女真被这种计划激发得兴奋起来，胸腹中的饥饿似被挤到了一边，手也不抖了，哦，激情原来是可以帮助人精神起来的啊，至少可以替代饥饿。

她再次打开日记，纸坚硬光滑，正好适于绘画。女真想起那队死神般勇敢的战士，几乎不用思索，便绘下了他们拼杀时的身影，那些战士的头像在她的脑际交替出现，挤涌着，出现在图板上。女真感觉不是自己在画，而是有种神力在帮她运笔。她在那种惯性般的思维中，恣意画去，心际畅快得如同在淘洗某件生锈的器具……不到一个小时，她已绘完四种场面，那些画都呈现着一种幻觉般的激情，但所有的细节却都呈现着惊人的逼真，连她也觉得惊讶。这时，她逐次审视，发现竟忘了绘出那座古城塌毁的情景。古城也许仍在，可它为什么却倒下了，并且只成为一堆尘烟？这种倾倒像一个谜，在她的内心旋转。不知为何，她有种莫名的担忧。她真希望这城不倒，这城的倒下更像某种象征啊！如果让单一海，不，还有子老看到，他们将会作何感想？她知道，这座城其实永远不该倒下去，因为它已像他们寻找的理想一样矗立着了。

而她却看到它倒下了，并且毁成了一座残垣。

她叹息一声，同时下定决心，把它的倒毁给画出来，她想，也许这城的倒毁是另外一种奇迹呢？或者只是一种她的幻觉吧！她挥笔在纸上疾画，城的轮廓惊人逼真。它的残碎更像某种诗意画，残缺也是一种美，一种残碎的意境。

"呀，这些图你画得真……动人。"艳芳不知什么时候已醒来，一直远远地注意着女真的神情，"怎么都是些士兵相互打架，还是些古代的兵，还有这样一座废城……"

她可真敢想，士兵在打架！

女真仍浸在刚才的激情中："这些就是我昨天看到的。"

"简直像是幻觉，女真姐你是不是发烧了，你看到了我们没有看到的？"

"不发烧时我也可以看到你没能看到的东西，甚至更真实。艳芳，你相信吗？他们是真的！"

艳芳惊笑道："喝醉酒的人才会说自己不醉！尔那些东西充其量是在做梦

吧。那些古怪的兵，现在到哪儿去找？"

女真似被触动："可有人一直在找他们。"

"你是说单一海吧！听说他们是去那儿挖什么宝贝的，他们找这些人干吗？"

"有时候人的寻找只是想找到一种依托，精神上的依托，而不在乎那些东西是否真实。"女真若有所思，"像这些我昨天见过的场面，也许就是他们要找的人，可他们也许一生也看不到，却让一个不信他们的人撞见了。"

"你是说单一海他们在找一支军队？"

女真耸耸肩："寻找一队失踪的古罗马战俘！听起来就像一种传说，可实实在在地有人为找他们，甚至用了一生的精力！"

"听起来真感人，不过太悲壮。"

"有时候你以为是笑话的东西，有人却当成了一种事业。而我们所认为的生活，却被嘲笑着。"女真叹息一声，"人总是只在为一些自己不懂的东西发疯啊！"

"女真姐，今天你怎么这样伤感？"

"不是伤感，是难过。"女真的头略微垂下，"艳芳，我们要活着出去，就不能再等了，我们只有一条路，那就是走出去。"

艳芳有些惊异地看她，不知她今天为什么表现得这样决绝："现在吗？"

"现在。"女真把日记本放好，想想，又取出，在那几幅画背后，注上一行小字，标明时间。

那两个女兵虚弱至极，摇晃着站立起来，她们的憔悴几乎让女真不敢正视，脸上是一层层皮肤样的黑斑，眼睛深凹，连说话都带着颤音。毕竟还是孩子啊！过度的饥饿让她们失去了说话的渴望，甚至变得木讷起来。

女真强忍疼痛，这儿身体好的人只有她和艳芳了，艳芳已卸下车后挡板，站在车下，接那两个女兵。那两个女兵抖晃着，身子贴到车厢板上，一点点地向下滑。轮到女真了，她的右腿钻心地疼。她轻轻地滑过来，一个趔趄，几乎要摔倒，急得艳芳差点儿惊叫起来。

这时，那两个已经站到地上的女兵，忽然惊呼起来："听，飞机来了，飞机来了。"过度的惊喜使她们的低呼如同嘶喊。

女真抬起头，一架直升机梦游般地在浮尘中滑行，声音几乎被浮尘给隔离开了，传到耳朵中时只是一些碎裂的呻吟。女真奇怪那两个女孩子居然可以听到，人也许在绝望中，对一切的声音都太敏感了吧！她眯住眼，看到那飞机爬得太高。它也许是在躲着什么，一忽悠一忽悠地在太阳附近徘徊。

女真兴奋了，下意识地惊呼起来，她们在地上大声冲那架飞机呼喊着。艳芳在戈壁上胡乱地奔走，边跑边舞动手中的一件白色的罩衣，白色的衣服在她的挥动中，无力而又耀眼。但那架飞机却在空中盘旋了一会儿，像没发现她们似的侧身转向西北方向，一会儿，便消失在了暗黄色的天空中。

正在大声呼喊的女兵，一下子呆在了原地。艳芳手中的白衣服，此时降旗般地垂落在身边，她的眼里蕴满了无言的失望。那两个女兵忽然抱头大哭，一种强烈的被遗弃感漫了过来。女真自己滑下汽车，她奇怪自己的性格，似乎越是强大的失落越能激发起她的激情，甚至愤怒，似乎连身体也是这样。

她很满意自己的心境，但这样的场面也太让她伤感了。她忽然暴怒地冲那两个女兵喊道："哭什么哭，给我站起来！你以为哭就能救你们吗？不，现在能救我们的只能是我们自己！"她使劲地瞄一眼艳芳，"我们就是爬，也要活着出去，这片戈壁不配做我们的坟墓！"

那两个女兵似被她的暴怒给吓住了，她们的脸上凝着某种悲壮，略显稚嫩的眼睛，似乎一下子塞满了与她们的年龄不符的成熟与坚毅。

女真略有些内疚，但她知道，历经这次生死之后，她们将会迅速成熟，将会因为她的严厉而感激她，并且会悟出更多超出她们的同龄人的不一样的人生感觉。

她拐着腿，捡起她那天用来保护自己的红柳棍，此时它正好可以做一根不错的拐杖。她们把许多物品放在车上，只拿着一点儿路上也许用得着的药品，一切都轻装到了极限。女真示意她们先走，望望那辆大卡车，失去了人的卡车只是一堆死了的钢铁。她绕到驾驶室，那儿大团的血已染红了座位和车门。她们走了，而那个司机留下了。她无言地向他告别，心想：我将一辈子记住你，我要回来为你举行一次最隆重的葬礼。

她回过头时，眼里已经蕴满了大滴的泪珠，干涩的嘴轻轻吸着眼泪的涩味，已经有三天未饮水了，竟然还有眼泪。

她们一直在向着太阳升起的方向行走，太阳落下去的地方就是异国的领土。女真想，只要向前走，一定就会走出去。

时间像她们的行走一样，又缓慢又痛苦。此时的戈壁在脚下可怕地绵软着，每走一步似乎都让人付出巨大代价，双腿颤悠。女真用力捣了捣戈壁，戈壁坚硬地回应着，震得她的手一阵酸麻。她明白了，是自己太虚弱了。她有些艰难地望望身后，已经走了有两个多小时了，那辆卡车似乎仍在身后清晰着，好像她们并未走多远。她觉得眼睛发紧，头昏得要裂开。有几次她几乎要躺下了，但还是竭力控制住自己。她把手伸到嘴里，使劲咬去，剧疼使她一下子清醒了过来。但随之却是更剧烈的疼痛，那条右腿也像被唤醒似的，沉沉地传送着一种剧痛。她不由得停下来，大口喘气。

　　艳芳听到身后的异样，松开扶着的那个战士，向她奔来："没事吧你？"

　　女真张开嘴，艰难地呼吸着，左脸的肌肉针刺般地抽搐，她的左眼几乎看不见任何东西了。她摆摆手："走吧！我不会有事的。"

　　艳芳几乎要哭了："你的脸肿得太厉害了。女真姐，你可要坚持住呵！"

　　"我会的，我还要做你的伴娘呢！"女真努力让自己镇静些，"天黑前我们一定要走出这一带，否则，遇上那群狼就糟了。"

　　"妈的，我跟它们拼了。"艳芳的脸上闪出短暂的愤怒，手下意识地捏着手中的棍子。

　　女真抚抚她的手臂，向前蹒跚着走去。艳芳用手扶着她，犹豫道："女真姐，你说师里会派人找我们吗？"

　　"当然会。一下子丢了这么多人，部队比我们还会着急。"她抬起头，望望天空，"刚才那架飞机也许就是找我们的。"

　　艳芳忽然愤怒地说："别提那架飞机了，刚才我都快失望死了，你知道吗？一个溺水的人想抓住一只河边的手，而那只手却没事似的，抽走了。该是多大的难过和愤怒。"

　　"也许他们没发现我们，今天的天况这样差，也许我们在他们眼里只是几块大石头哪！"她的头忽然剧烈眩晕，向地上软软倒去。

　　她在倒下去的时候，看到单一海正焦急地向她奔来。他低呼着她的名字，她想答应却说不出一句话来。

　　女真感到自己一直在晃动着，身子像浮在一条船上，左右漂浮着，被奇怪地摆来摆去。她下意识地睁开眼，看到自己居然伏在艳芳的背上。艳芳正吃力地低着头，脖颈上沁出微微的细汗。旁边的两个女战士帮扶着艳芳，跌跌撞撞地向前走。

女真的泪水轻轻涌了出来，内心被一种明媚的感动擦洗着，她的泪水打在艳芳的脖子上。艳芳惊喜地回过头："呀，你醒过来了，刚才我们真担心哟。"

"快放下我！"女真轻轻地拍打艳芳，身子出溜着向下滑，"我自己可以走，你会被压垮的。"

艳芳坚持着："我能行。"身子却一松，女真被那两个女孩子扶住，艳芳眼里含着泪，瘫坐在地上，大口地喘着粗气："你真重呵！我还以为你比我轻呢！"

女真歉意地笑笑，一阵虚弱向她扑来，她支持不住地坐在地上，她有些惊慌地试图起来，但试了几次，却都没能起来。艳芳惊慌地扑过来把她扶住。女真靠在艳芳怀里，内心浮起一团阴影。忽然觉得也许自己再也不能走出这片戈壁了，这个念头嗡地盘旋在她的心头，但却没有一点儿的难过和不安。她示意艳芳把她的那只小包拿过来，艳芳有些狐疑地看着她，听话地把那只小包递过去。女真从挎包里取出那本日记，打开那几幅画，再一次看去。那几幅画暗淡地贴在那里，此时已失去了刚绘就时的那种凸凹的质感。她摸摸它们，把头转向艳芳："有笔吗？"

艳芳无言地把钢笔递过来。

女真有些费力地旋开笔帽，在纸上抖抖地写着：

谢谢你爱过我，我也爱你。再见。

想想，她又画掉。她还想写下去，一阵风吹来，只好停住。她咳嗽一声，再次看去，眼中泪珠闪烁。一切真情竟要在最后，才会表露出来，哪怕是爱情。这几句话，其实多么像是一篇遗嘱啊！艳芳奇怪地看她，忍不住流下了泪水，她似乎预感到了什么。半晌，女真脸上泛过一阵红晕："你见到单一海后，把这交给他，我的那些日记以后由他全权处理。甚至包括我……我的骨灰。"

艳芳激动地按住她："不，我就是背也要把你带出戈壁，把你交给他！"

21. 逃离戈壁

牧猪小孩是在中午出现的，他的猪群不见了。单一海只看见他一个人，慢慢地由一个黑点变成人的形象走了过来。

他的脸上因急走而流着一些黄色的汗水，这些汗擦过他脏污的脸流下来，像开了一个个小水沟，一道一道的，更像涂了迷彩。

单一海有些惊喜地望着他，他已坚信这个神秘孩子的出现，可以给他带来好消息。他有些惊喜地抓住那孩子的手，帮他擦去额际的汗，同时打着手势，那意思很明白：你发现了什么吗？

那孩子不等单一海的手势落下，已急切地吱哇吱哇地比画起来。他的一只脏手指向远处，一只脏手抚着胸部，头向天上仰了三下。单一海看着他那种巫舞般的手势，连比带画地猜测着。后来，那孩子似乎累了，有些失望地轻轻叹息，用手拉住他的袖子。这回单一海懂了，那孩子是让他跟他一起走。

单一海对冯冉说："我有预感，女真他们肯定还在这块戈壁上，他们就在这孩子带我们去的地方。"

冯冉点点头："但愿如此。"他受伤的右臂悬落在胸前，帽子已不知掉到什么地方，脸上溅上去的血已结成了干痂，头发肮脏蓬乱，那支八一式冲锋枪斜依在右肋，像个刚刚血战过的西部牛仔。

昏黄的戈壁闷热着，空气仿佛成了胶状，又黏又软。浑身燥热困乏，头昏得像不是自己的，汗水迅速蒸发，使他的喉咙又干又燥，单一海使劲儿拉开胸前的扣子，才感觉稍微舒服一点儿。

冯冉的厚嘴唇已经裂开干干的血缝，每走一步，都有些费力，但他强忍住不让自己出声，只是坚持着向前走。单一海抬头望望天空中那轮隐起来的太阳，心中浮起许多感受。那孩子似乎永不知累地向前走。他几乎从没向后边望过他们一眼，似乎他们不存在。他在翻过一道圆坡似的高坝时，停了下来。

他半躺在戈壁上，身子倚着块石头，一双眼半睁着，似乎根本不在意单一海他们，顾自休息了。单一海内心中一松，坐到了地上，躺着真舒服啊！冯冉在戈壁上摊成个大字，枪支斜压在身上，风中传来身上骨节咔咔的松动声。

单一海稍坐片刻，从挎包里取出一块压缩干粮，这是他们最后的一点儿粮食了。他默然分成三块，一块递给冯冉，一块交给那孩子。那孩子看了一眼，就又递了回来，仿佛对那种食品不屑一顾似的，又默默低头，沉浸在刚才的沉默里。

单一海把那块干粮放到嘴里，试图洇出一点儿唾液，但却什么也没有。干粮的粉末顺嘴角滑下，堵在嗓子眼里下不去，喉咙被咯住似的，发出咕咕的声响。冯冉转身取下那个干了的水壶，仰脖对准壶口，希冀再有一滴水出来，但那壶仰了半天，还是空旷着发出嗡嗡的回声。冯冉有些气愤地扭身把壶远远扔掉，壶掉在石头上的声音，干渴空虚得没有一点儿回声。

那声壶的异响惊动了那孩子，他似乎早已看出了单一海和冯冉的焦渴，这会儿，他取出那只酒囊，犹豫了一下，递给单一海。单一海转身递给冯冉，冯冉几乎没有犹豫，捧起酒囊大口猛喝。此时只要是液体，哪怕是毒液，他也不会有所顾忌了。但他只喝了两口，还没来得及润湿嗓子，那孩子便满脸通红地抓住那只酒囊，叽哩哇啦地喊着。那意思这回冯冉可看懂了，是叫他不要再喝了。看着那孩子略显执拗的神色，他无奈地松开了手，那孩子似乎并不在意他的神情，转身又把囊递给了单一海。单一海小心地含了两大口，像含住一种感觉，心内的热燥顿时消散。那孩子不等他喝完，已把囊拿走了，很珍惜似的用力摇摇，又吊在自己的后腰上。那只大囊几乎拖到了地上，可却一点儿也不妨碍他走路，似乎已成了他身体的一部分。

他站在那里，像要辨认出什么，向远方凝视片刻，对单一海打个手势，转身向前走去。单一海和冯冉站起来，默默地跟紧那孩子的背影。

一会儿，戈壁上便响起了他们轻微而又空旷的脚步声。他们走得十分缓慢。每一步都要付出很大代价，不一会儿已累得气喘不止。

单一海从冯冉背上拿过那支枪，冯冉已没有力气，只是喘息着，竭力跟上那孩子的步伐。

"哎，头儿。"冯冉忽然若有所思地问他，"女真中尉失踪的事儿，她家里知道吧？"

单一海略一怔，似乎未料到他会问此话："我不知道，我根本不知道她父母是谁，只知道她家在北京，其余的我与你一样，对她一无所知。"

"你真的不知道女真中尉的父亲是谁？"冯冉略感惊异地看定他，满脸的怀疑。

"不知道，怎么，你小子又有什么新发现？"单一海望望身前的那孩子，他似乎根本不在乎他们的话，沉默着。

"我还以为你早就知道呢，只是隐藏得较深而已，没想到……"冯冉怪异地看他，似乎很失落，"其实，不知道比知道好啊！我看出来了，女真中尉是真心喜欢你！"

"可这与她的家庭有什么关系呢？"

"我说出来你就知道有没有关系了。"冯冉一脸凝重，接着说出他的名字，那是个在军事作战方面很有建树、威望甚高的将军。

单一海内心一沉："你怎么知道这么多？"

"全师几乎所有的人都知道，但似乎与她有关的人，却被蒙在鼓里。除非是你故意瞒我，否则我都有些不相信了。"

单一海略感震惊，他真的没想到。女真含糊其词的家庭背景，竟是如此。

"你还爱她吗？"冯冉问他。

单一海低语："我一直在爱她，爱情比将军重要。我将努力忘记她的家庭。"他的内心中翻腾起一些莫名的情绪，是什么呢？却又一下说不清，仿佛他与女真这件事本身，就让人说不清一样。

走过一片红柳丛，那孩子忽然停住了脚步，脸上浮着一层灿烂的笑意，伸手指向前方，抬眼望去。前面暗昏的天空中，隐约着一个庞然大物。

"汽车？汽车！我看到了汽车啦！"冯冉忽然惊呼着。那个庞然大物果然是一辆大卡车，在昏黄的天空中，暴露着淡淡的暗绿。冯冉已扔掉背包，跑了过去。

单一海认了出来，那正是女真他们出发时所乘的大卡车。他疯了似的奔过去，却看到冯冉呆立在一边，惊诧地不语，车上空无一人，车身暴溅着许多的血迹，车厢板上还夹着许多兽毛，驾驶室的玻璃已成碎片。地上可怕地摆着一些凌乱的衣服的残片。血腥的气息暗淡地弥漫着。单一海呆了一般木立着，难道他们……他内心因这种可怕的想法刀划割似的疼痛。这时，冯冉已爬上车厢，他虚弱的身体这会儿竟灵活异常。他忽然叫道："头儿，快看，这儿有他们的东西！"

单一海跳上车，看到车厢角整齐地摆着一堆物品，心内一松："他们肯定还活着，只要活着……就好。"他激动地低呼。

"可他们人呢？"

"他们真的遇到了狼群，你看到没有，他们堆放的东西都是无法拖出去的重物，并且很从容。"

"他们是不是已经回去了？"

"我不敢肯定。哦，有了这辆车就好了，有了车，我们就可以找到他们。"

单一海兴奋地打开驾驶室，那串钥匙悬着条红穗子在风中来回晃。车座上可怕地积着一摊厚血，居然还没凝固，单一海极度震惊，一股不祥的阴影涌浮过来。他强自镇静，坐在那片血迹上面，拧开电门，加大油门，车轻微地呻吟，片刻，又自动熄灭。他跳下车，查看油箱，两个油箱已经滴油无存。这时，他似乎明白了女真他们走不出去的原因了。

冯冉和那孩子却离开车，在车前左右搜寻着什么。

那孩子忽然停住，嘴里呜哩哇啦地喊起来。单一海知道他肯定又看到了什么，他总是可以看到他们看不清的东西，他跑下车。顺那孩子手指的方向看去，干硬的沙土上居然有一堆乱七八糟的脚印，向偏东方向逶迤而去。

他激动了，抓住那孩子的手。"他们肯定就在前边！"转身便向前走去，冯冉和那孩子稍微怔了一下，也快步走了上来。

单一海焦急地向前走，内心仿佛被人推动一样，竟觉不出了劳累。他似乎是信步在走，把冯冉和那孩子抛在了后面，脚步如同他的心情，又乱又蒙着一层焦虑。他抬头望着空旷得近乎一无所有的戈壁，空洞的世界似乎不断地呈现着希望，但等他兴冲冲地扑过去，却抚摸着深深的失望，失望过后又是巨大的希望。他被这种心情来回替换着，全身都快一分为二了。

他喘息着，低头在缓坡上行走，石头们冷静地散放着。这时，他看到前边不远处，隐约着一团抱扶在一起的浓雾状的东西。

单一海凝神注视，那团雾状的东西逐渐清晰，分明是两三个纠结在一起的人呀！他们相互挽扶着,向前行走,背影昏暗而又伤感。他的头有些嗡嗡地低鸣:"女真。"他喃喃低呼。仿佛那一声低语,已被他们听到,他看到那团挤涌在一起的人,立即转过了身。

一瞬间,那几个女兵呆了样地木立着,不相信似的看着急奔过来的单一海,脸上的麻木和木讷令人心碎。单一海出现得太突然了,也许他们与他一样,历经过多的失望反而对于出现在眼前的真实不敢置信,至少还没法在心理上看清这一切。

单一海看到艳芳艰难地弯着身,她的身上伏着……哦,女真竟伏在她的身上,手无力地吊在艳芳的胸前,那两个女兵扶着她,这幕雕塑样的情景让单一海内心泛起无言的感伤,一种巨大的悲壮扑压过来,喉间涌出无数涩涩的感觉。

"艳芳,我是单一海呵!"他抢过去,从艳芳背上把女真抱扶下来,女真软软地躺在单一海的臂弯里。她翻转过来的面容,几乎使单一海一惊,差点儿把她抖落。女真的脸部因为肿胀,已变了形,眼睛深陷在那可怕的发面般的深肿中,紧闭着,全身又凉又轻,几乎如同一枚羽毛。

艳芳木讷地听任单一海把女真抱在怀里,半晌泪水哗地涌溅而出。她仿佛一个受尽委屈的孩子哇哇地哭了起来,那两个女兵也被感染般地抱在了一起。他们此时似乎才找回女孩子的感觉,尤其是在这种突如其来的惊喜中,似乎只有哭泣才足以道尽自己的心情。

单一海轻轻地把女真抱紧,他很奇怪,多天来的想念,到了真正见到她的时候,自己竟只是这样一种深深的冷静和心安的感觉。

这时,冯冉走过来对他低语:"那孩子又走了。"

单一海抬起头,看到那孩子手里捏着牧鞭,正在向他们来时的方向独行。他的身影在昏黄的灰尘中越走越小,直到变成一个黑点。这时,他看到在自己的脚边,那只酒囊孤独地蹲着,单一海的眼睛湿润了。

单一海把女真平放在地上,拿过那只皮囊,拧开塞子,想想,又把那只囊中的水,倾进自己的口中。他在艳芳和冯冉有些惊异的注视中,轻轻地把嘴伸进她的口中,水带着他的气息滑进女真的嘴里。他入神地看着那张怪异的脸,内心掠过一丝酸楚。他低声喊着:"女真,女真,你醒醒,我是一海啊,你醒醒啊!"

女真仍处在昏迷中,嘴角紧紧抿着,一动不动。

艳芳停止了哭泣,脸上仍闪着泪花:"女真姐流血过多,她的身子太虚弱了。"

稍顿，她的语气里浮出一丝喜悦，"没想到是你来救我们。我差点儿以为自己走不出去了呢！"

"我也没想到。"单一海抬头看着她那几乎变形的模样，"你们遇到狼群了吧？你们好像还受伤了，那个司机呢？"

艳芳悲痛地说："司机为了救我们，被狼咬死拖走了！"

她把头转向单一海，指着那只皮囊："那是水吗？我们已经渴了好几天了！"

单一海默默地把囊递过去，这几个女战士浑身呈现出来的狼狈和极度的憔悴令他心惊。

艳芳和那两个女战士捧着囊，轮流一小口一小口地啜吸着，似乎在品味着某种极醇的美酒，脸上渐渐地平静了。艳芳把唇角的几滴水抚去，似乎回想起什么，开始慢慢讲述他们的遭遇。

"那是四天前的下午。我们向回返，汽车跑了一天，不知为什么老转不出这个圈儿。我们感觉已经离开这儿了，可车却一会儿又走了回来。仿佛我们只是行走在一个圆盘中。到了晚上，汽车忽然熄了火，没油了。在戈壁上无油意味着什么？我们都有些呆了。但却又无可奈何。那司机罪人似的缩在地上，不语。见他这样，我控制不住地骂了他。唉，那会儿我可真不该。"艳芳叹息一声。

"到了后半夜，就遇到了那群狼。那些狼凶恶之极，拼命地扑过来。它们跑得太快了，我们还未来得及爬上车厢，就被狼围住了。我们都吓傻了，我头一次见到这么多的狼，并且根本不知道怕人似的，就冲了过来。那个兵真勇敢，掂起摇把就向那群狼冲了过去，一边招呼我们上车。我和女真那会儿也急了，一看那司机扑过去了。我们也拿起那几根做拐棍用的红柳木棍，胡乱地抡着。那个没受伤的女兵爬上车厢，刚拉另一个女兵上去。一只狼就凶狠地叼住了她的脚。女兵上来了，脚却被叼去了一截。女真姐一见，像疯了般地狠命敲打那只狼。女真姐敲瞎了一只狼的眼，用手推我上去。我当时吓坏了，爬上车厢时又掉了下去。那些狼一拥而上，把我围了起来，我的左臂就是被那些狼给撕裂的。"艳芳把臂举起来，用手抚抚。

单一海动容地："那群狼你们也遇到了，我还以为它们只是撞见了我们。"

"你们也遇到了狼？"艳芳这时才明白单一海身上伤口的由来了，"女真姐和那个战士拼命地扑过来，用力抽打。那些狼根本不把女真和司机放在眼里，但又不得不暂时收敛。那个司机把我抱起来，猛地扔上了车厢，一只狼趁机咬住了司机的小腿，狠命撕下一块肉。司机一声惨叫，几乎摔倒，另一只狼也咬住了女真的右手，司机一摇把抢去，打死了那只恶狼。司机忍住痛，大声吆喝着让女真快上去。"

"是那个司机救了你。"

"是，我将永远记住他。"她的眼中闪过一丝异样的光，"女真姐也是被他救的，是我们害死了他。如果他转身就走的话，也许这会儿站在你面前的会是他，而不是我们。"

"他不会的。"旁边的冯冉嘴角浮起一丝悲意，"只要是个男人，就不会走，何况是个战士。"

艳芳注意地看他一眼，继续讲述："那个司机逼退了那些狼，转身招呼女真姐先上车。女真姐不走，让他先上。那司机回头，尖着嗓子嘶喊：'你他妈的快滚上去，要死也轮不到你啊！'那司机的嘶吼让女真受到极大震动。她略略一呆，顺从地向车上爬。她刚刚翻上去，那只狼，一只红棕色披着长毛的狼，一下就把她给扑了下来。那只爪子一扫，女真姐的脸就给撕裂了似的耷拉了半边。女真姐惨叫着摔到了车下。那只狼一回身，又叼住她的右腿。那个司机此时正被其他几只狼围困，一只狼似乎已咬住了他的右腿。他一声吼叫扑了过来，挥动摇把把那只红狼给敲翻在地上，趁那群狼们愣神的当儿，他一声吼叫，挣扎着把女真姐举了起来。我和他们一把把女真姐拉了上来，而那个司机转眼被狂悍的红狼扑倒。她一上车就昏了过去。我们把车上的仪器和药品拼命向车下撕拉司机的狼砸去，那些狼根本就不在乎，有一只狼甚至纵跃起来，试图跳进车厢，却终究没能跳上来，那司机无力地与狼打斗着，终于他被扑倒在地上了。他几乎是在我们的目睹中，被那群狼给咬死了。那司机死得真惨，他的惨叫声一直还在……我只要一闭上眼，就可以听见。"艳芳的眼里出奇地沉静，"我回去后，一定要寻见那只狼，我要亲手杀死它。"

单一海激动地："那只红狼……我已经替你把它杀死了。它死得太容易了，这个杂种。"

"它已经死了？"

"是的，我们也遇到了它，不过，是最后一次了。"他叹息着。

"我们能活着已经像个奇迹了，女真姐昨天还念叨着你呢。"

"她说什么？"单一海心头一紧。

"女真姐以为自己走不出去了，给你写了几句话，让我把这本日记交给你。她说，你会有用的。"艳芳从身上摸出那个日记本，递给单一海。

单一海疑惑地翻开日记中夹角的部分。那上面的图画立即吸引了他。他有些怪异地盯视片刻，嘴里喃喃着："这不是那座古城吗？怎么她把它画成了废墟……"他稍微沉思，把头转向艳芳道，"她画这些时你在身边吗？"

艳芳点点头："在，这图挺怪的，当时正刮沙暴，我们都伏在车上躲风。她却一个人呆站着。后来她叫醒了我，说看到了城啦什么的，我凑过去时，却什么也没有。我还以为她身体虚弱，被刺激后产生的幻觉呢，可她第二天，就画了出来，还说她看到的就是这些东西。"

单一海惊异道："太像了……太像了。"

冯冉凑过来，凝视着他："头儿，可那城我们出来时并无损毁哪？"

"也许她真看到了什么，我们回去后，就可以知道那座城的真相。"

"我们现在该怎么办？这回我们可不是两个人了，还有了一个重伤员。他们呢？一个个也到了崩溃的边缘了。"

"你去帮那两个女兵处理一下伤，我们马上就出发。"单一海说。

这时，艳芳忽然低下头，说："女真姐醒过来了。"

单一海收回目光，惊异地发现，女真的手在极微弱地挣扎。那只好些的右眼，正在怔怔地半睁着，似乎有些不信地盯着他。

单一海激动地俯下头，他的眼睛几乎压着她的脸："你醒了吗？女真，我是一海呀！"

女真的眼睛在他的惊呼中倏然睁开，那只眼睛深深地抓紧单一海的脸孔。继而，她呻吟般地说："一海……"她的眼睛湿润了，嘴角抽搐着，无法再讲下去。

"是我，女真，我们回家吧！"单一海下意识地抱紧她。

女真有些不习惯地动动，继而，双手哆嗦着，抓住单一海的右臂。"回……"话未说完，眼泪就已溢满全脸。

单一海拍拍她的肩。

女真忽然想起什么似的，把头转向艳芳。

艳芳低语："是找那个本子吗？"

女真费力地点点头。

单一海把那个本子拿出来："我都看到了，画得可真好！"

"那都是我亲眼见到的。一海，我看到了你找的那一切。"她喘息着讲不下去，半晌才回过神似的，"是真的吗？我看到了他们在打仗，还看到了那座城，它被震塌了。"女真梦呓般地说着。

"谢谢。"单一海喉头被堵住般地难受，"我也替子老谢谢你。"

"你们找到他们了吗？"

"还没有，不过，这已不重要了。"

女真用眼神询问他。

单一海把嘴贴在女真的脸边："我庆幸找到了你，你比那座城重要，在我的一生中。"

女真的泪水再次涌出，她轻轻地抓紧单一海的手，浸入了深深的忧伤。

夜色迅速淹没了过来，空气中已沾染极深的凉意。冯冉与那两个女兵把东西重新整理了一遍，其实已经没有东西可以整理，他们只剩下了那半囊水。

单一海无言地起立，把女真抱在怀里，六个人在夜色中向前缓缓挪动，女真仍处在昏迷中，身上一阵热一阵冷，偶尔醒过来，便用眼睛呆滞地看着单一海，她此时已讲不出话来。单一海强忍住不去看那双眼睛，尽管在夜色中，他也可以感受到那束目光的烫灼。

路真远哪！黑暗中的戈壁张着深邃的大嘴，慢慢地等待他们走进去，那种巨洞似的深暗让人产生阴郁的直觉。似乎他们只是在一步步地掉进一个深渊，那种坠落的直感一次次袭来，感觉几乎要醉倒般地漂浮着。单一海竭力让自己清醒过来，他知道自己太困了。困意像夜色一样涂着疲倦的颜色，一点点地漫过来了。他低头看着仍浸在睡意中的女真，身上涌出些许暖意。

他倒倒手，以便把女真抱扶得更舒服些。抬头望见空中，不知什么时候竟然浸满了宝石般的星辉。大地上浮出暗青色的光亮。这时，他奇怪地看到北斗星越来越大，似乎还夹杂着某种低弱的呻吟。

这时，那两个女兵忽然惊叫起来："飞机，飞机来了。"单一海顺他们的叫声望去，远远的暗黄中传出一两声低沉的轰鸣声。随着轰鸣声的逼近，单一海看清了，空中隐现出一架直升机的轮廓，它似乎在寻觅着什么，极缓地在空中踱着步子。

单一海心头一热，冲着那飞机动容地惊呼，冯冉也被那突然临近的飞机的轰鸣声惊醒。他有些发疯般地冲那飞机狂呼。那架直升机几乎像散步般地慢慢滑动，腹下不时闪过一道白刃般的强光，仿佛一只伸出去的眼睛般扫视着大地。

这时，冯冉哗地扯下自己的上衣，用打火机点燃。那件衣服颤抖了一下，又立即兴奋地灼燃起来。冯冉的手举着那件衣服，在地上跟着那架飞机狂跑着。在若明若暗的火光中，像个奔跑的取火使者。单一海被冯冉瞬间的举动震惊，他愣了一下，也扯下自己衣服点燃，举起来在空中摇晃着。那两个女兵也似乎被他们的举动给感染了，他们也扯下自己的军衣，伸到单一海的火把上取火。单一海惊异地看着他们，内心感动了，无言地帮他们点燃。

四束燃着的衣服，像四个大大的求救信号，在飞机下燃烧着动人的光团。那光来回晃闪，在昏黄的暗色中，异样地明亮着。但那飞机却未发现似的，仍在缓缓向前飘移。单一海失望了，他有些悲愤地看着那架飞机，手无力地垂挂下来。忽然，他被腰间的枪碰了一下。妈的，怎么将这支信号枪忘了呢！他装进一枚子弹，向飞机的左前方射击。天空中倏然出现一朵红色的光团，缓缓地降落。单一海又射出一发绿信号弹，接着是蓝色、白色，那飞机周围立即腾越起一团团花花绿绿的信号光。

那飞机似被这些突然射来的信号弹给惊动了。它摇晃了一下，悬住不动了，接着，那束灯光哗地从空中罩了过来。站在那白炽的照射中，他几乎有些晕眩般地站立不稳了。

飞机开始慢慢地向下滑降。

单一海疲惫地与冯冉四目相对，一时竟无言。他们默默拥抱，眼泪悄然溢出。此时只有一种虚脱般的疲倦淹遍全身。

那架飞机颤动着，一点点地挨近戈壁。他们几个人都呆了般不动，听任螺旋桨带起的大风拂着他们的头发。

单一海看到师长掐着雪茄，从机舱中走下，大步向他走了过来，他不由得把女真轻轻抱起，伏在她耳边轻轻地说："我们要回家了。"

军区总医院斜倚在黄河边儿上，黄河闪着金子般的波涛，绕医院而过。单一海大步走着，一边感受着黄河，一边奇怪，医院竟然在河边上修了条公路，但又架了个高高的铁栅栏，使黄河只在铁柱的缝间流淌。这简直类似于对黄河的一种亵渎。他想，当年规划这条大栅栏的家伙，肯定怕黄河，至少是恐惧黄河。依他，不建这个栅栏，而是植一大片花，把这河当成一道风景。让病员与黄河

247

赤裸相见，该是一种何等气派。医院这么一来，把本来健康的一种风景，也搞得带着某种病态了。

医院真大！单一海喟叹道。他头一回来军区总院，但凭直觉，他觉得女真肯定该在住院部。他寻找着那幢想象中的大楼，内心充满深深的期待。离开那块戈壁，昏迷的女真被直升机直接送入了这里，而他则和冯冉被送进师医院，等待救治。在师医院他一躺便是十天。十天里，他没有得到任何关于女真的消息。等待女真的电话甚至关于女真的病况，成了他整日里最难以释怀的事。直到昨天，他终于无法让自己静静地等待了，便坚持着出了院。一出院，他的第一个念头便是在没回到连队报到以前，先去看看女真。

住院区在一幢白色的大楼。单一海拐入三楼的通道，他刚刚经过一道门，一个只露出眼睛的军医冷冷地挡住了他的去路。

"请把脚步放轻，这里是医院，不是操场！"

不是操场怎么了？单一海稍愣，不明白这女军医的冷漠从何而来，他强抑住内心的突兀，点点头："对不起，外二科在哪里？"

那军医冷冷地注视了他足有三秒，把门敞开："你好像不认识字，就在你眼前哪，我还是头一回见你这样的问路者！中尉。"

单一海抬眼扫去，那个女军医额头上方的门楣上，正悬着块牌子。他歉意地笑笑，为自己的唐突而不好意思，同时迅速把女真的病情和大致情况，结结巴巴说给她听。

那女军医听他说完，翻开一个病历夹，半天，忽然停住，继而，用眼罩住单一海，仿佛像被触动似的，态度陡然间转换了过来，问他："你是她的……哦，我明白了，男朋友是吧？"

单一海脸瞬间变红，但仅仅一刻，他就恢复了常态。女军医的态度至少证明了她就在这一层楼里，他沉静地点点头，同时下意识地问她："她没事吧！"

女军医含意不明地看着他："你居然不知道她的病情？这几天，我正在奇怪，这个姑娘在我这儿躺了这么久，竟然没有一个年轻男人来看她，我还以为他们都被吓跑了呢。唉，你倒是没被吓跑，但却不知道她的病。不过，你不会在知道她的病后，一去不返了吧？"

"有人已经一去不返了吗？医生，请你告诉我她的真实病情。"

"腿部的伤口已被控制住，她的左脸部感染了。"她顿顿，似乎在注意单一海的表情似的，"我指的是她的脸，她的伤好后，左脸将可能面瘫，同时将留下几道疤痕，你明白我的意思吗？"

这回单一海没等她说完就明白了："我明白医生，我是说，还有没有办法补救？"

"她是我的病人！她的植皮手术一个小时后将由我来做。我已经做此类手术三十多例，最好的一例便是在脸部留下针尖状的细线。可她的伤太特殊，我估计无能为力！"

"她知道自己会这样吗？"

"知道，只是不清楚术后的效果，不过她也是医生，我预感到她可能比一般病人更清楚自己的病情！唉，我真没见过有这么姣好皮肤的姑娘。她的皮肤真好，也真漂亮。这正是我的担忧之处，一个漂亮女人一下坠入丑女人的行列，她的心理上能不能承受？更重要的是你能不能承受？"她锐利地瞥单一海一眼，"都会对她是一种新的考验！"

单一海略觉愕然，这个问题太突兀了，自己居然没想到女真要动手术，并且还可能留下疤痕："医生，我还顾不上考虑这么多。我只想尽快见到她，能让我看看她吗？"

"再过半小时就要对她施行麻醉，你该去看她一下，她的心情一直很不安定。她没有多少朋友，一直处在孤独中。我希望你能让她愉快起来，至少在手术前。"她继续摆弄病历夹，仿佛无意地低语，"也许你是真实的。"

单一海愕然呆立片刻，转身离开她。

女真的病房在走廊中部的一间特护室内，房门半掩着。单一海推门进去时，竟有种恍若隔世的感觉，房间里挤满了可怕的淡白色。他吃惊地停住脚，墙上和房顶上，甚至连床也是白色。几缕光从薄薄的玻璃中过滤掉，只剩下白色的灰烬般的残光一片片掉落在地上。女真深埋在床上，手腕上扎着点滴。她的脸被纱布紧紧包缠起来，只有鼻子和眼睛露在额下。那双眼睛此时紧闭着。这种表情单一海太熟悉了，她想什么事或者被什么事困扰之时，必定使用这种表情。他深深地凝视她，心中充满痛楚。

终于，他的目光触动了她。她从沉默中醒过来，倏地睁开眼睛，继而定定地注视着他，目光中蕴满了许多的疑问，似乎在想：这个人是谁？

单一海被她的注视烧灼着，他的唇动了半天，竟然说不出话来。

女真终于确认出是他，眼睛竟然湿润了，兴奋地低声怨艾："我还以为你不会来了呢！你能来看我，我真很意外。"

单一海靠坐在她的床边："不该意外，我早就该来了。可我的伤情不够上总院哪，那天你一上飞机，咱俩就分手了，我被强按在师医院待了十天，直到昨天才出院，我是不是来迟了？"

"不，你来得恰到好处，我今天做手术。"她的眼神立即暗淡下来。同时左手摸索着从被窝中伸出，找到单一海的手，攥得他的手发疼。

单一海听任女真抓紧，内心涌起深深的柔情："我都知道了，医生告诉了我你的伤情。"他轻轻抚着女真的手，感觉像抚着她的心情。

"是吗！"她有些意外地看他一眼，头费力地又放回原处，然后隐入某种思索般的，再不语。

单一海在她的沉默中觉出一种针尖样的刺痛，女真的感觉令他感伤而又无言，此时说任何话都只显出多余。他默默地转过头，去看床头柜上一大堆说不出名的花朵。那捧花静放在一只广口大杯子里，有的已枯萎，斜歪在杯口。

"那是康乃馨，母亲托人送来的。"她轻声自语，脸上无丝毫表情，"我住院当天早晨，这束花就出现了，妈也住院了，心脏方面的病。她也许这两天就会飞来看我，我起初还以为是你的，我想它应该是你送来的，我多么期盼是你送来的呀！"

单一海神情恍惚地看定那捧花，忽然想起什么似的，随手从挎包中取出一个大袋子来。他一层层拆开，居然是一个大花环，花环上缀着一朵一朵的玫瑰。但此时它们竟可怕地枯萎着，甚至干裂了。有的花束之间已经折损，传出干燥的声音。单一海捧起那个花环时，地上雪片般地落满大瓣花片。他将花环轻放在女真的胸上，女真看着那个大花环，有些吃惊地伸手抚摸着。

"这花可真让人震惊，这是我头一回收到这么一个枯掉的花环，这些花都失去了生命，甚至只剩下了形状，它们简直是些花朵的残骸。"她喃喃地说，目光中已蕴满深深的寒意，"为什么要把这送给我，我真的枯萎了吗？"

"这束花是子老让我送给你的，我在去戈壁上找你时，他就拿给了我。可我却一直没有机会把它给你。现在，我想这个花环该送给你了。"

"子老？"女真轻抚那些干掉的叶片，花羽铺满了她的一身，"代我谢谢他，送我这么好的礼物。一海，也谢谢你，这几天，我总有些触物伤情似的，心很乱。

哦，子老他还好吗？那些图呢？"

"我已有半个多月未见到他了，自从离开他去找你，我已让冯冉把那些图送给他了，也许对他会有帮助……不过，子老可真是个汉子，有时，我真想他！"

"男人总是佩服比自己更强的男人，在这一点上，你输了。"女真忽然俏皮道，脸上下意识地笑笑，身体的抖动牵扯着她的脸肌，一阵撕裂般的疼痛扑了过来。她下意识地惊叫一声，额上豆大的汗珠不断沁出。

单一海有些慌乱地跑出去，迎面碰上那个女军医。她的口罩已经卸掉，暴露在外面的脸孔显出平易的笑容。他结结巴巴地把情况告知了她。她边听边走，听他诉说完，已走到女真身边。她用手轻轻拍拍女真，安慰似的对单一海道："没有什么，不过正常的疼痛反应而已，你现在可以出去了，我们马上要对她施行麻醉！"

单一海点点头，走到女真耳边，低语："我在外面等尔。"

女真仿佛从疼痛中惊醒似的，忽然从被中伸出手，紧紧抓住单一海，眼神中流露出某种深深的不安和恐惧："别走，我好怕！"

单一海有些吃惊地看着女真的眼睛，那里面蕴含的柔弱使他内心涌出深深的感动。唉，女孩子其实天性都是柔弱的哪！不管她的外表多么坚强。他拍拍女真的手："别怕，我会等你，你安心地去做手术吧！做完后，我就接你回家。"

女真很乖地点点头："嗯。"

单一海移步挪开，他真诚地望定女医生："拜托……了。"那医生似乎见惯了这种表情，轻轻挥挥手，示意他离去。

"哦，她的手术时间要多长？"

"十四个小时……也许十八个小时吧！"她面无表情地说。

女真被推至手术室门前，单一海一直远远地跟着，感觉到心也一直在随女真前进，直到手术室的门咣地闭紧，他才觉出女真真的离开了他。手术室的门在被闭上的同时，门额上立即亮起了一种小小的红灯。红灯无声地闪烁着，仿佛是某种危机的闪跳。单一海的心立即有些慌乱地跳跃起来。

单一海有些不知所措地看着那只红灯，内心慌慌的，就像有只蚂蚁在心尖上爬行，又痒又疼又难受。他控制不住地沿着走廊来回行走，走廊里立即回荡着鞋跟轻轻踩击路面的脆响。

一个护士从门内闪出，手里是一盆器械。单一海立即拦住她："手术怎么样，没事吧！"

那护士闪开他，望定单一海手中袅袅的轻烟："把烟掐了，谁让你抽烟了，这儿不让抽烟不知道吗？"看单一海讪着脸，把烟捻灭，她才缓移脚步，边走边说："那个手术还没开始呢！"

单一海盯着那护士远去的背影，抬腕看表，才半个小时，自己也太心急了些。他放缓心情，决定去楼下走走。这时，他猛地看到一个士兵向楼上走来。他似乎很焦急，额上全是汗滴，头低着，边走边擦汗。他一下认出是冯冉。

冯冉猛然看到他，略觉吃惊似的欢叫："头儿，我找得你好苦，没想到你在这儿！"

"别大声叫，这儿不是连队，哎，你来这干什么？"

"找你。"冯冉的表情瞬间转暗，眼中蕴满深深的潮湿。

"头儿，我们找个地儿谈好吗？"

"发生了什么事？"

"这儿不适于谈话，我怕你控制不住自己。哦，女真医生的伤怎么样了？"

"正在手术。"单一海奇怪地随他下楼，心内罩上某种不祥。

两人来到黄河边，黄河哗哗地涌溅着。冯冉从挎包中摸出一个绢包，递给他。他疑惑地打开，竟是一只胡笳状的乐器。他仔细辨认，这居然是子老用过的那只"嘶啵"。他吃惊了："子老让你把这给我干什么？"

"这是他遗下的，让转交给你。在你临出院的前三天，子老病逝了。"

"他病故了……子老死了……这怎么可能？"单一海愕然地低吼，双目死瞪着冯冉，"你胡说！"

冯冉痛苦地："是真的，他死在我把那些图送去之后。"

"他怎么死了？他还没找到那些古罗马人呢！"

"不用找了。"冯冉低暗地呻吟，"他再也不用了。"

"为什么？"

"那座城在沙暴中毁于一场地震，那次地震十分奇怪，只在方圆十公里内有感。那城现在什么也没有了，只是一堆粉土……"

"那座城果真毁灭了？"他再次愕然，想起女真呓语般的话，喃喃地说，"它真的消失了……她真的看见了，为什么是她而不是我呢？"

"你说什么？"

252

"我说……"他略一转话题，"他看到那些图了吗？我是说，他说什么没有？"

"他一语不发，脸上似乎早已料到般的平静，那种平静让人感觉害怕。他看完后，用火把它们烧了。"

"烧了……"

"他生病的缘由也让人生疑，他在那座城毁倒时，一直站在那儿，只有他自始至终目睹了那座城的倒毁。那城倒下后，他随即昏倒，其后一直昏迷，偶尔醒转来，说不上几句话就又昏迷了过去。医生对此束手无策，查不出任何症状，竟像是无疾而终。"

单一海长久地沉默，这一切太突然了。他的眼前，清晰地晃动着子老的脸。他奇怪自己竟没有什么过分的激动，激动被他按在了自己的内心，而不像激动了，从在戈壁上经历那场巨大的生死变故后，他的内心竟对死亡有了新的认识。哦，他颤抖着想明白了，子老为什么会死去。那座城的倒毁，其实正是老人依靠的某种巨大支撑物的塌毁。老人的全身都被病菌吞没，生命处于一根头发的维系中，他活着，只是因为他的心还没死，他还在期盼着某种东西。那座城的塌毁，只是一种暗示，而当那些图呈到他眼前时，只是为他的生命送去了最后的一点儿安慰。单一海被自己的想法吓了一跳。他忽然意识到，老人肯定也在那场沙暴中，看到了女真所看到的。所以，他敢把那张图烧掉，同时他也就为自己的生命画上了一个句号。

"他留下什么遗言没有？"

"临终前留下一封给你的信。另外，让我找到你，他希望由你来主持他的葬礼！"

"信呢？"

"在他的手里，我取不下来，他抓得可真紧。"冯冉喃喃地说，"他甚至已为自己选好了墓地！"

"那片玫瑰林？"单一海脱口而出。

"是的，他早就预料到了似的，那儿被他用粉灰圈出一大块地儿，与那儿的三座老坟遥相呼应。"

单一海略微看看表："他什么时候下葬？"

"明天中午，团长让我赶来征求你的意见。他讲，回留由你定。"冯冉征询地看他，"你能回去吗？"

"当然……"他瞥一眼手术室的方向，"当然……我真想见他最后一面。"

"那女真医生怎么办？"

"不管那么多了，至少我还可以解释。而子老，我即使解释他也没有机会听了。"单一海喟然长叹。

"那我们现在就出发吧！我买好了下午三时的车票，明天凌晨就可以赶到！"

"你怎么知道我会回去？"

"因为你……是个战士！"

22. 结 局

凌晨的焉支山蒙在一层低暗的云层中，到处一片压抑的薄暮景象。单一海和冯冉翻过那道山梁，坐在草丛中歇息。初冬的霜露太重，他们身上已被溅湿。鞋子此时又重又冻，令人产生深深的寒意。

单一海疲惫地把身子放平，昨天半夜汽车把他们扔到公路边儿上，两人便立即往山上赶。夜色中的山路坎坷得可怕，他们几乎跌跌撞撞地走了一夜。冯冉站在那道山梁上，费力地向下看。半晌，他惊叫般地长呼："头儿，你看，那片古城就在山下！"

单一海翻起身。薄云轻纱般地罩紧了那片古迹，偶尔的稀薄处，才显露出一片狼藉的土黄。他的心异样地抽紧，略微呆了呆，转身向山下走去。身上的疲倦顿时烟消云散，头脑可怕地清晰着。他内心觉出一种深深的召唤，仿佛有个人在他的心底里喃喃自语。他觉得，他的行进其实只是循着那种召唤在行进，他只是个被召唤的人。而那召唤他的又是谁呢？

终于站在那片古残迹的面前，单一海立即觉出一种逼人的宁静和新鲜的泥土气息。那座残迹……哦……它其实不该是残迹了。原先高耸而立的巨大城池已荡然无存，它神秘地隐去了原先令单一海深觉震惊和迷恋的土垣。它们恢复了本来的面目，泥土和泥土相互挤压着，甚至在瞬间就恢复成了颗粒。而那些原先组成这高大城墙的土呢？那梦境一样令人讶异的高大城池呢？它们为何在一瞬间就消失成了一堆平静的泥土？这些土……哦……这些土真的是组成那座城的土吗？它们居然是这些土组成了那座兵城。可又是它们，累了似的，把自己又还原成了粉土样的颗粒！单一海的内心狂跳，他禁不住双腿跪下，用唇去吻那些土。

冯冉吃惊地看着单一海的举动，继而，他把脸转向了那刚刚跳跃而出的晨阳。一个男人对大地的崇拜或者跪伏在大地上，这本身就让人震惊和感动。

初冬的土干硬着，它们居然不肯沾上单一海的唇。单一海深深地抠下一大把土，轻轻地嗅。这土居然有着极深的咸腥味和陈旧的气息，甚至死亡的气息。单一海的眼睛潮湿着，他轻站起来，这座城的倒毁比它站立时更让人震惊。那些残缺的土垣仍站在晨风中，它们身上的土粉被风来回揉洗着，已经有了新的风痕。那是另外一种战争啊！没有毁于人类的手中，反而被自然给打败了。它死去的样子可真独特，甚至悲壮，他忽然想起了一位诗人的话：他一生只呈现几种面孔，偶尔是新生，继而是成熟，再就是挣扎的生。

哦，那这呈现的就是一种挣扎的生了，单一海胸腹中涌出深刻的悲壮。他抬眼看见那座古阅兵台，它的半边也给摇开了，只有半边仍呈现着巨大的平静。它用半个姿势维持着自己的原状，可那半边垮去的部分，却悬崖般显出了奇崛。

单一海缓缓走上去，整个古迹只是一片残垣断壁。现在，它更像古迹了。隔几十年，甚至上百年，人们只会把这当成新的传说，而这传说的人又会是谁的呢？单一海脑中忽地闪过子老，子老像个巨大的悲伤压过来。他有些控制不住地仰天长啸，那声长啸类似于呻吟而接近了悲鸣。它在晨间的山谷间回荡冲撞，如同一头挣扎的闷狮。单一海的啸声震动了全连，战士们都惊异地从各处跑出来，惊异地看着他，待看清是自己的连长后，大家却都惊异地沉默。

单一海啸毕，感觉内心中的抑郁之气尽消，胸中空荡荡地回响着那些余音。他闭住眼，凝神片刻，又恢复了平静。冯冉担忧地凑近他："连长……"

单一海挥挥手："走吧，带我去看子老！"

子老的灵堂设置在残迹的边缘，他的身上盖着一床毛毯。旁边是一口士兵们自己打制的棺材，粗糙地放在一边，等着为他装殓。右边兀立着一位持枪的列兵，单一海很满意地瞥了他一眼。子老应该享受比这更好的待遇，尽管他没有级别，但没有级别那就按比有级别更好的待遇来搞吧！单一海叹息着，缓步靠近子老身边。子老的白发露在风中。毛发轻轻地抖动，如同一颗颗小小的心脏。单一海摘下军帽，在他的灵前默立。身后士兵们也唰地摘去帽翼。他们一直在等待单一海归来，似乎他的归来让大家松了口气。单一海暗中感谢着士兵们，看到灵前挂满了大家自制的各种花环，几乎要堆满这个小小的帐篷。

他看到老人的手斜伸出毛毯的半边，那儿坚硬地凸出一块，像一枚小小的刺。单一海瞥一眼冯冉。

冯冉凑过来，低声说："那封信就在他的手里。"

"哦！"单一海略一沉吟，轻轻掀开毛毯，老人的脸松弛着，满脸苍白，额上和眼角的皱纹全都舒展开来，脸上平静而又安宁，似乎没有任何缺憾似的，嘴角还遗有微笑的迹痕。他端详老人，内心波浪样翻滚着许多的感觉。他几乎有种错觉，老人没死，他似乎仅只是在休息，甚至是在沉思，稍不注意，他就又会回来！

可老人的神色凝固般地僵硬着。他战栗着，掀开毛毯，看到老人的手紧紧地抓着那个信封。他的手奇怪地翘着，半弯在他的胸前。单一海清晰地看到，那个黑牛皮信封上写着他的名字。

冯冉低语："老人死前一直抓着这个信封不放，即使死后，这个姿势也一直保持着，无法复原！"

单一海的眼角湿润，他深深地向老人三鞠躬，然后小心地伸出手去。他的手仅仅一碰，那封信便从老人的手中掉出，仿佛他根本没抓似的。旁边的指导员说："他一直抓得很紧哪，我抽了几次都没拿出来！"脸上蒙着不可理解的神色。

单一海轻轻地把老人的手从胸口放下去，那只手发出吱吱的鸣响，斜依在身旁，仿佛它原本就在那个地方似的。单一海最后看一眼老人，然后，重又把毛毯盖上。他的泪水悄然滑落，有几颗溅碎在那个信封上，发出低沉的呜咽。单一海手一哆嗦，轻声低语："入棺。"

几名战士轻轻地把老人抬起，放入棺木。这个过程，单一海始终背对着灵堂。太阳已然升起，它的红脸搁在山顶上，仿佛是在偷窥什么似的不动。这时，旁边走来几位穿便服的人。他们脸上挂满不自然的表情，甚至是笑容。指导员介绍说："这是他们单位上的领导，这位是王副馆长，这位是张研究员……"

单一海木然地与他们握手，内心中充满极大的不适，他们来干什么？倒像是来履行某种职责似的。

　　太阳已经升上了当空，老人的遗体被盛入棺中。在那个过程中，单一海始终不向身后看一眼，他怕自己忍不住流下泪来。从本质上讲，他无法接受子老离开他。子老已像一块铁一样，镶在了他身上。他真的不想看到，那个杰出的老人，只把自己的气息留下，而人却就此消失了。

　　他会孤独的，他想。这时，指导员过来告诉他："一切已准备好，开始吧？"

　　他点点头，尽力让自己平静下来，转身走到台前。先深鞠躬，然后摘下军帽，默哀。通信员不知从哪儿拎来台收录机，声音暗哑地播放着深沉的哀乐。

　　接着是那个王副馆长去宣读悼词。悼词诚挚而又中肯，充满深深的惋惜和悼念之情。在悼词中，老人的一切都显得辉煌而又灿烂，仿佛他生前就是如此似的。单一海仔细聆听，不知该感动还是痛苦。各种心情刀割般地刺着他，但他强忍着，听完那个副馆长的悼词。

　　他觉得再听下去，对自己是种折磨，便转身宣布："我们今天送的这位老人，对我们每个战士都是一种荣幸，更是一种不幸。因为某种意义上，他才是一位真正的战士。我想用真正的战士的礼节，来为他送行。"他站在战士们的目光中，"每人鸣枪十发，向子老致礼。"

　　他的话音刚落，如潮的枪声爆豆般的在空中炸响。那些子弹全是空爆弹，拆除了弹尖。它们的声音，带着某种尖锐的韵律，在空中来回游动。

　　那几个来参加葬仪的人，都被这种枪声惊得呆了一呆，继而，陷入深深的肃穆般的悲伤中。单一海被这种韵律擦洗着，胸腹中顿时涌出深深的悲壮，这才像个战士的葬仪哪！他神情静肃地看着战士们，挥挥手示意出发。

　　单一海走在抬棺木的战士们的前边。冯冉捧着子老的遗像，战士们自动排成两列，迷彩帽一律掖在腰间，黑青的头发楂整齐地蔓延，像是某种感伤的行列。

　　单一海的头半昂着，步子又深又稳。他沿着那片残迹的边缘行走，用自己的目光代替子老来巡阅，这是最后一次了，最后一次才显出更深刻的告别意味，他用后背去感觉战士们的表情。他想，这次送葬将让他们铭记一生，至少，他们无法从记忆中清除这次葬仪，只要他的血管中还流着战士的血。

　　绕过残迹，单一海转过身，代替子老向那块古迹告别，内心从容而伤感。尤其是代替一个把寻找当成自己一生的理想的老人来说，这种告别也许令人无以承受。他轻轻地叹息。看到战士们的沉默已凝成了某种固定的韵律。

战士们都尽可能地把老人抬得稳当些，他们头上浸满大颗汗液。每走十分钟，便有一班新的战士替补上来。老人一直在战士们肩上传递着，像传递着某种信物。单一海最后一个过来，把老人放上肩，他的心中竟立即有了种深深的宁静，仿佛与老人融为一体。

那片玫瑰林出现在视野中时，那种肃杀之气遍地扑来。单一海忍受着那些干枯掉的玫瑰不时碰折的叹息，内心中也吱的一声不断地裂开碰折。老人的墓已挖好，三天前，战士们按老人的遗嘱来找这块墓址，发现地上已被用灰粉画好，那些玫瑰被他踩断在地。他的从容和勇气让战士们震惊，他们从没想到老人早就知道自己要死，并且找好了自己的归宿。这种死的从容简直太不像死，倒像是一种对自己归宿的美好设计。单一海举目寻视，这块穴地四面都可以看到太阳。太阳不管在东面还是在西面都可以照见它。哦，他被老人的这种感觉再次震惊。愿意去死，并且把死安排得如此精微的老人，竟使人怀疑这种死的本质了。

他瞬间被一种感觉给吓住：他早就预知到了自己的死。他有些抖颤地触触口袋中的信，那封信里也许隐藏着某种他难以知晓的秘密吧！他下意识地抽出那封信。信口没粘住，他刚打开，一页薄薄的信纸便雪片样滑出，如同一片羽毛，他吃惊地蹲下身，打开那张纸：

一海：我走了，我该去我选好的地方了。谢谢你在我临走之前，帮助我寻找到了我寻找的东西。它们出现时，也就是我的生命消失之时，我知道，生命的能量早已耗尽，可以帮助我的生命的，就是这种非常可笑的寻找了。

现在，以前的一切，我已全部写成详尽的提纲，剩下的工作还需你来完成。我相信你会干下去的，因为你是个战士，而那些战士永存。你是个真正的军人，所以我感谢与你相遇，因为，从本质上讲，我也是个战士，而不该是学者……

剩下的字似乎因他的颤抖而无法写清，它们在纸上模糊着，感觉是将什么全部交给他和连队。仔细辨认，认出那是个"戈"字……

单一海抓紧那张薄纸，喟然长叹，转过头低声对待在一旁的战士们喝道："下葬！"

棺木稳稳落进泥土中，单一海把大把的玫瑰撒在棺木上，一堆一堆的，几乎把坑填满了，才向里面填土，他边填边想，明年他的坟头会被一片新的玫瑰覆盖。那些玫瑰会遥望着那片残迹，整日默默不言，像望着一种新的风景一样，向天怒放。

这时，单一海远远地听到一阵迥异的口琴声。那口琴声闪动着清亮的韵律，在玫瑰丛中飘来。单一海循声望去，那栋以前空荡的房子前，站着一个小小的女孩。她着一身鲜红的衣服，小脸儿鼓着，正在吹一只口琴。身后的房子里，炊烟正在袅袅飘起。

他惊异地站定，这片房子里原本空无一人啊！现在，他们又回来了，又开始了生活。哦，这一切难道是偶合吗？他被那孩子的琴声打动，下意识地摸出老人的那只"嘶啵"，一丝忧郁的低吟飞出，很快淹没了这片巨大的玫瑰林。单一海感觉，自己也给那片玫瑰林给溶掉了。

只有一种声音仍在飘飞。

今夜忽然很空旷。

单一海走出宿舍，站在营区的黑暗中。初冬的风呼呼地拍击着坚硬的天空，大地到处都是逼人的寒气，他却觉出种深深的燥热，脑际似充满某种被抽空般的压抑。他抬起头，扫视空中冰冷群星。那些星一到冬天就离开大地远了，远得令人以为那是些只会闪光的石头。他喟叹一声，顺营区边沿散步。戈壁闪着辽阔的黑暗，在夜幕中如同一幕巨大的黑墙，又深邃又令人恐惧，单一海在黑暗中无依地走着。

他从没像今天这样内心空荡得没有着落过，近几天来的事变和来回折腾，已让他觉出疲惫。这种疲惫在一种巨大的激情地掩盖下，显得只是一些琐屑般的累，甚至被他忽略了。从那块残迹回到营区后，他以为自己会立即被这种累替代。从心理上他已经渴望大睡一次了，每逢巨大的悲伤和事变之后，单一海躲避和让自己冷静下来的唯一方式就是大睡。这种大睡会使他的内心和精神获得新的角度和力量，主要的是会获得一种安宁。可现在，他已回来一天了，身体已明显地觉出疲惫，可内心却麻木地苏醒着。他躺在床上，整夜睁着眼睛。他只看到白色的天花板，其余的他甚至什么也想不起，也无法触及。现在他仍在重复着这种感觉。他燃着烟，深吸一口，接着又把烟头抛于风中，红色的火

259

星四散而去，这个简单的动作使他的心情仿佛松开了一道缝隙，感觉上轻松了许多，他又沿戈壁向回走。

军营中回荡着熟睡的韵律，踏着这韵律行走，单一海的内心也蒙着一层沉沉的睡意。他摸黑走近连队，看到通信员正站在门前等他。

见他回来，通信员轻声汇报："刚才，9 点 15 分，有个长途找你！"

"谁呀？"单一海警觉地抬起头，谁会打来长途？

"是一个很好听的女音，她听说你不在，只告诉我几个字，让转告你。"

"什么话？"

"你为什么不回信？"

"为什么不回信？"

单一海在脑子里搜寻着。想了半天，也没想清楚有谁的信该回。忽然，他下意识地想到，那个人肯定是邹辛。只有她会这么讲话。单一海心里一激灵，想起居然有两个多月了，未想起过她。他忽然想起邹辛来时，竟有种深深的陌生，甚至遥远的感觉，远得像某种心情一样，而这种感觉一直被他隐藏在内心深处，可她并没有来信哇。他皱皱眉，问通信员："最近有我的信吗？"

"有，好几封！这一个多月你不在家，我全在你的抽屉里放着呢。"单一海瞥他一眼，转身匆匆离去。遗憾自己这些日子忙得几乎忘了还有信这档子事，同时叹息，这通信员太精细了，居然放在他看不见的抽屉里。如果他忘了打开或者不打开，那么这几封信将会存放更久的时间。

他拉开抽屉，果真有一大堆信。他坐定，一封封地看完地址，最后找到了邹辛的信。信很薄，字迹少见的清晰。看得出她是在一笔一画地写好的，他感觉出一种冷静的气息。哦，这么冷静的笔触似乎不该是她的性格，可却适于做出这种事来。

他凝神细读，信短到令他无言的地步，几乎像一点儿随感或者不是。

这封信也许不该写，写了就是错。如同我们最近的相遇，总觉得在哪里发生了错位，但一静下来，却发现自己并不清楚。如同我们的……假如还是爱情。

我是个爱自己的人，我的个性使我尊敬那些精神上可以覆盖我的人。你是个最好的精神恋人。即使远隔千里，但你的精神和思想却会使你的魅力压倒我周围的任何人。我固守着这种纯精神式的感情已经四年了，可我却发现，你离开我太远了，远得我已不习惯你进入我的生活。对于生活你几乎一点儿不懂，或者不适应。你缺少生活应有的宽容，连我也觉得奇怪，见到你时，竟有种陌生和遥远的感觉，甚至没有了应有的冲动。而我是个情感丰富的姑娘，我们不可能一生靠信来联系。所以我想调你回来。可我发现错了，你与我一样，首先爱的是自己，然后才是对方。

你走后的日子里，正好适于我在空白中想想。我发现自己其实更注重的是实实在在的生活。那种过于浪漫的东西我同样需要，但却越来越遥远了。

相处四年，却发现自己爱上了一个完全陌生的人。是生活变化快了，还是我们变了？我其实有许多你不了解的东西。我只为自己负责，有的东西也许是我错了，但我却决不会请求你原谅，我不需要……

这些只是我的感觉，我近来心内太乱，各种情绪交织着，让我无法作出决断。

我只想写给你，让你知道我的心情。按说，谈了几年恋爱了，出点儿危机啦什么的，也算正常。可一旦来临时，我却一下子失去了应有的判断，我们该怎么办？

信到此戛然而止，仿佛是一个开着飞车横冲直撞的司机终于找到了刹车似的，那种急促的停顿使人总无法立即停下来，即使人停下来了，思想也给往前摔出了一大截子。使得自己有种被摔出去的异痛。

单一海感觉自己重又被两个月前的一切给撞击了一下，那东西是一枚裹在肉中的刺，稍微一动，就有刺痛传来。他忍受着内心的难受，双手在信纸上轻微抖动，那种抖动证实了他内心的不安。他从衣袋中抽出支烟，哦，烟真是种绝妙的物件，它任何时候都可以成为密友或者装饰，来帮自己掩盖住一些不愿意暴露的东西，甚至内心。

可其实啊！烟却什么也无法掩住。当它自己成为灰烬时，你就站到了灰烬上，并且要迅速承受更大的暴露。

单一海双脚搁在床上，头向后深仰。这样可以使自己沉入某种深思或者至少有助于自己的思考。这封信里提出的几个问题，令单一海觉出深深的心惊。这些东西其实在他的心里已来回翻滚了好多次了。每次他都用各种心情来咀嚼它们，像思考一个重大问题一样，其实这种思考每次都不彻底。一到半途，他就又主动绕过去了，甚至是不愿往下想，其实是不敢想。有的东西真不敢想，一想出来的结果连自己也感到吃惊，现在，他才明白，自己是不敢想或者是无力承担那结果吧！可在这一点上，邹辛却走得挺远。她不但想到了，而且还问他怎么办？是啊！该怎么办呢？一瞬间，他觉出某种默契。他们居然同时想到了这些东西，他们总是在拉开一段距离之后，才会彼此安静下来，然后想念对方，谁说的，距离产生美，其实，该是距离产生思念。可过多过远的距离呢？单一海觉出深深的遗憾。

他转身走出宿舍，房子里太压抑了，走廊里的灯幽暗着，飘满混杂着深深的鼻鼾的汗臭味。每次一嗅到这味道，单一海内心就有种强烈的亲切。可现在这些气味在他的身边飘过时，他竟觉出某种噪声般的难受。他快步离开，同时躲开连值班员迷惑的眼睛，一头扎到了黑暗里。

一到黑暗中，他的全身立即就有了种新的韵味。月亮又小又亮，如同一只小小的逃离地球的鹅蛋，闪着羞怯的光。单一海觉得自己也如那只鹅蛋般的月亮，一瞬间，他发现自己其实一直在回避着邹辛，犹如回避着自己。他想起那天他离开邹辛时的果断了，那时他走得坚决又从容。在那漫长的旅途上，他的心奇异地平静，脸上沉默着，最多只有那天留下的一丝阴影。车到那个小站时，单一海已经恢复了平时的自信。连他自己也佩服自己，居然就这样挺过来了，并且有种小小的喜悦。这种酸涩的感觉连他也深觉诧异。

戈壁上的石头一粒粒地被他的脚步碰飞。他放慢脚步，可脚落下时，仍会碰到那些似乎无处不在的石头。他有些异样地凝视那些石头，石头们在暗夜中仿佛消失了似的，只是一些点点的黑迹。哦，他发现了一个秘密。到了黑夜这些石头们也会睡去，而他的脚步踢飞的，只是它的睡意。蓦地，他看到了一大片黑色的排列整齐的石头。借着月光，他辨认出那是一个巨大的"心"字，单一海内心一惊。这不是那天给女真堆的"心"字吗？没想到这个"心"字还在，没想到自己居然无意中就又走到了这里。他蓦然想起女真，今天已是她做完手术的第三天了吧！他想起自己对她说：我等你。她醒来看到的也许只是一片虚无，那个说要等她的人，现在却等在这里。

他心乱如麻，同时，强烈地担心和想她，他下意识地被自己吓了一跳。他从没这样直接想一个人，哦，想一个具体的人，体会为她担心的感受。他以前也想过邹辛，甚至时常想，但她却模糊成了一团幻影。那些思念的原因只是因为没有信，没有电话，或者没有她的信息，而却不是真正的人本身。他似乎看清了邹辛的信，自己也许和邹辛一样，在生活中陷入了真正的爱情。他们的爱也许存在，并且美好过，却无法存留下来。看来，仅有爱是不够的。单一海再次震惊，他似乎明白了自己对邹辛的感情。

邹辛在某种程度上只是一种坐标。哦，很不幸，我也是她的。也许是彼此的存在，反而使对方更加珍惜和恐惧自己。他觉出一和悲哀，真正的爱情要靠失败的感情来弥合，甚至来发现。这种代价太大了，唉，人哪，总是无法真正认清自己。他惊讶自己用了四年才明白，这竟是一种失败，这对自己是不是也是一种损害？

想到此，他几乎要仰天长啸了。但他忍住未动，他被一种深深的冲动给覆盖。转身向回走去，宿舍里泡着杯新茶，通信员见他回来，无声退去。单一海暗中感激着他的精细。端起茶，一饮而尽。他略一沉吟，决定写一封信。信写得很短，却写了很久。写完正是军号吹响时，太阳随着那单调的号音一点点地醒来。他提笔写好信封，通信员恰到好处地进来清理卫生。单一海把信交给他，要他发走，通信员怪异地看他，继而转身而去，并不问什么。他会知道结果的。单一海伸直腰，觉出一种思想喷泄后极度的疲惫。

他忽然强烈地想去见女真，这回他可以无惧地告诉她了：我爱……你。单一海暗自想。

女真从蒙眬中醒来。感觉像从一个短暂而又疲惫的梦中退出。身上残留着梦境艰辛的味道，所以，她的眼睛睁开时，身体还浸在疲软的酣睡中。她下意识地打个呵欠，咧开的嘴停在半空，隐忍不动了。那片刻的刺疼令她忽然想起自己的脸。

她吃惊地伸手去抚摸，那儿仍包着大块纱布，一圈儿一圈儿的。它们勒紧她的脸，只余下眼睛、鼻孔和嘴巴。她的手哆嗦着抚摸那用纱布包住的左脸，感觉脸孔轻微地凸凹着。那才是她的脸啊！她忽然有些小小的恐惧，手按在那儿半晌不动。眼睛躲避什么似的，深深地闭上。

这样无知无觉地躺着真该是某种享受，她在心里呢喃。猛地想起，自己已动完手术了。也就是说，自己将一生戴着那半张用自己大腿上的皮肤代替的脸孔了。她被这个想法吓了一跳，眼睛又下意识地睁开，她的手按住被沿，只把眼睛暴露在外面。房间里充满燥烈的心跳。那是自己的，这儿真的太宁静了，宁静得只有自己了。阳光从薄纱般的窗帘上漏在她的身上，她呆呆地看着那片阳光，直到它从自己身上悄然退出，移到地上。阳光行走时犹如某种想法，她顺着那片阳光，抬眼瞥见了搁在床头柜上的那个大花环。哦，这个花环可真美啊！女真凝神去看，那些干枯的玫瑰保持着最后的娇媚，羞闭在各自的缠绕中，干掉的玫瑰其实比活着的玫瑰更让人心惊啊！她把那束玫瑰取过来，用双手轻轻揉搓，花片刀割似的发出惊叫，接着簌簌抖落。

看着那些花片，蓦地，她想起了单一海。这种心情刚一滑过，她就有些呆然地想起了这束花是他送的。哦，她还想起，那天她进手术室时，他亲口对她说：我等你回来。她的心际涌起片刻的温暖，使劲抓紧那束花，内心充满深深的渴望。

走廊响起深深的脚步，那脚声又重又稳，但又很陌生。她在心里追踪那串脚步，听到那脚步在门前停住。她的心跳骤然加紧，同时下意识地把身子缩进被子里，她忽然强烈地惧怕见他，尤其是戴着这张脸。

那脚步停在她床前，一股陌生的气息扑来。她从心里判断出，此人不是单一海。她有些失望地睁开眼，看清是自己的主治医生。那医生看她醒过来，脸在口罩后面隐约笑了笑，告诉她："你终于醒了过来，你已经这样毫无知觉地躺了三天了。我还以为是麻醉太重的缘故呢！"

"三天？"女真吃惊了，自己居然这样毫无知觉地在这儿躺了三天。忽然，她意识到什么似的，问她："他在哪里，我是说，有没有见到那个高个子中尉？"

"哦？"那医生似乎回忆似的想想，"是有这么个人，不过，那天你动手术时他就走了。"

"他三天前就离开了？"

"是的，这几天你一直实行特护，任何人不准见你，除非我批准。除了你母亲来电话询问外，再没有其他人。你母亲说她明天来接你。目前她也在住院。"她意味深长地瞥她一眼，"这个花环真让人心惊，我还是头一次见这么个枯了的玫瑰，是他送你的吗？"

"嗯。"她沉沉地点点头，"很奇怪这么个花环吧，尤其是枯萎的玫瑰。"

那医生仔细审视："也许在编成时，还没有枯呢！那小伙子似乎有极深的心思，我察觉出来了，他很关心你……也许他很快就会回来。哦，他那天走时给你留下一个纸条。"

"这已不重要了，医生，他知道我的伤情吧！我是指以后。我是个医生，知道自己伤好后会是什么样子。"女真接过那个信封，手居然抖了一下。

"很抱歉，我以为他是你的男朋友，所以就全告诉他了，我想他应该有所准备。"

"……我明白了！是的，他该知道。"女真的唇紧咬，"我什么时候可以拆线。"

"后天，"她扶扶她的肩，"我尽力恢复你的原状，只是你要接受最坏的后果，我是指假如，不过，目前你的伤情良好，我是指假如不再有意外发生。这两天，你要安静下来，尤其不可有大的情绪波动。要知道，不良情绪会使脸部肌肉发生变化。"

女真忽然有些深深的失落，她的眼睛失神地望定某处，直到那个医生轻轻离开，她也未曾察觉。三天前，他居然在把自己刚送进手术室时先走了，并且只留下了这么一张纸条。难道还有比自己更重要的事吗？她叹息一声，轻轻拆开那个信封，纸上只有寥寥几行小字：

子老突然病逝，我回去参加他的葬礼，感谢我们还活着，等我回来。

女真被那几行小字给惊住，她的眼睛死死盯住那封信。内心倏然现出子老的形象。哦，子老居然死了。她下意识地抓紧那张纸，像抓住子老的手，脑际再次响起了子老那略显沙哑的声音。她什么也想到了，唯独没想到子老会死去。哦，这一切，几乎像某种传说，可为什么传说总是要以死作为结局啊！她的手抖动着，下意识地握紧那只花环，那个干枯的花环上还遗留着子老的气味儿。她的眼潮湿着，轻轻地托起那个花环，静静地用眼睛去触它们。一枚刺碰伤了她的手，她被突然的刺疼给弄得差点儿惊叫起来。这枚刺在哪里？自己抚过许多遍，都没发现啊！她失神地又看看那张纸条。她知道，单一海一定会回去的，在这一点上，他们太相似了。她早就察觉出了子老与单一海之间精神上的相似之处了。两个都被某种古老的精神吸引的男人，你总无法清晰地将他们区分开来。子老的逝去，也许会给单一海带来某种巨大的损伤，至少会使他的精神受到伤害，这种伤害也许将会影响他的一生。其实他们之间的影响早就开始了，只是他们在相遇的一瞬间，都把对方当成了自己，他们不过只是在欣赏对方眼中的自己而已。

女真深叹一口气，男人哪，总是喜欢把强者当成自己的某一部分来爱，这种爱因为过于深刻而显出了更多的自私。女真发现，自己居然也喜欢这种方式，至少她的意识深处是欣赏他的。而且不正是因为这，自己才爱上他的吗？想到此，女真内心哗地温暖起来。同时诧异于自己在听到他不在时，竟有如此深的失落！

一想到单一海，她的心立即就乱了，这些日子来，单一海奇怪地蹲踞在她身上的某处，只要一触摸，仿佛就会立即刺穿自己的脑海似的。这一切，从那天他为自己过生日时就开始了。当她下意识地意识到自己喜欢与单一海在一起，并且这种喜欢已让她产生某种渴望时，她就开始疏远他了。而在这之前，她一直以为自己只是喜欢与他说话，听他骄傲地散布自己的谬论，而却从未把他当成一个恋人来看待。

可这种拒斥换来的只是重新的接近，她对单一海有种奇怪的感情。觉得他和自己的命运相似，都是在爱情中遭遇巨大不幸的人。即使单一海从未向她倾诉过他的爱情，她也看出来了，他对那个她不知名的女孩爱得很深，可却似又囿于某种难言的隐疼，有深爱必有深痛。可那天她听到他的叹息后，脑际竟泛起某种隐约的失意，连她也不太清楚，只觉得情绪突然下降。她奇怪自己的这种心情，却又无能为力。

她想，人一生只配有一份情感，失败的或者美满的。很不幸，自己被失败的阴影给罩上了，那也是命定的。她将终生拥有它，之后是逃开它，或者逃开一切情感。她对所有情感都产生深深的疑虑，甚至恐惧。当单一海终于向她表白时，她除了震惊，便是深深地拒斥。女真那天把自己撕开，其实只是想把自己袒露给他，之后坚决地看他悲痛离去，然后把她遗忘掉。尽管这很残忍，尤其对一个爱自己的人来说，几乎就是一种伤害。可你爱我，就得爱我的一切，包括这种情感，否则，这种爱至少是不完整的，也无法经受住深刻的考验。

她没想到，单一海会去找她。而奇怪的是，自己竟然在绝望中所想到的人仍是他。人只有到了最后一刻，才会想到自己最该干的事啊！那一瞬，她下意识地想要告诉他，自己爱他，可当他坐到自己身边时，她却一下子无言了。她只是默默地感受着那种深深的情感。其实只有被爱着，才是幸福的哪！她的脸上浮出一种淡淡的笑容。这时，额角又深深地被牵疼了。那种异疼使她忽然意识到什么似的，掀开被子，扑到窗前悬挂的那面镜子前。那面镜子镶在白墙上，远看只是一片宁静的晶白。她刚一走动。大腿部静静地揪扯着，那儿的伤口还没愈合啊！她竭力稳住，不使自己疼倒。然后，一步步地挪到那面镜子前，镜中清晰地显出一个可怕的形象，她有些陌生地看着镜中的那张脸孔。逐渐，她从中找出了熟悉的那个自己。哦，这就是自己吗？她出奇地平静。仿佛只是看着别人的脸，而自己只在内心中品味那个人的情感，心中竟多了种新的感觉，她用手轻抚自己露出来的一点皮肤，按按，皮肤细微地弹动着。这个念头让她又激动又紧张，她是医生，知道满头纱布只不过是掩遮住伤口，防止病菌的入侵而已。女真看着镜中那个头影，轻轻地撕开。纱布在手里一层层剥净。每剥一下，她的心就唰地抖动不已，感觉有种被剥去衣服的清凉感。最后一圈纱布终于卸下来了，一张面目迥异的脸孔凸现在镜中，睁着双陌生的眼睛，平静地注视着她，左脸半边儿上，缝补丁似的盖着一大块更加细密的针孔，它们此时已镶进自己的皮肤。几天后，细线拆除，那些针孔将逐渐和这块皮肤长合，直到长得密不透缝儿，四沿只有点点的细针尖似的痕迹。她有些呆然地凝视那半边脸，渐渐地她看出了新的感觉。左脸明显地肿了起来。脸孔失去了原先的谐调，而使原本生动的眼睛显出了呆滞。两边的眼睛仿佛对立似的，各自呈现着一种眼神。嘴角奇怪地下坠着，显着有些斜歪。

这就是我吗？她静静地打量自己。像看着一个陌生人一样，内心竟涌起一种麻木般的好奇。她原以为自己看到这张脸肯定会万分沮丧，或者一下子丧失所有的自信。哎，她没想到，经过这么一番生死挣扎，竟带给自己这么一种深刻的感受。她平静地欣赏自己，像看一个熟悉的陌生人，那含笑的注视竟如此平静，且有着更深的淡淡的满足和幸福。后来，连她自己也吓了一跳，自己居然有这样的心境。哦，她对着镜中的那个自己想清楚了，自己能够坦然地面对这一切，其实只是因为那次变故已让她的内心一下子升到了另外一个层次。从生到死，从死再到生，没有哪一个人不会被这种奇异的经历所震惊的，哪怕是一种伤害，它也可以让你对伤害的认识产生一种新的视角。她抚抚镜中的自己，内心充满豁达和平静的笑意。她想清楚了，自己没觉出意外或者伤感，是因为她经历了这种意外。她静静地站在镜前，良久，一动不动地看着，似乎永远看不够似的。忽然她想，自己也该走了，后天拆线，就回去，就去找到单一海，告诉他，我还爱着他……只是，他还会接受我的这张脸吗？

女真察觉到身后响起轻微的脚声，那声音在她的身后停住，之后便是深深的沉默，女真觉察出被注视的灼烧，她忍住不往身后瞧，等待那个人先开口。她不想一转身，把对方给吓住。那个人站在身后半晌未动，那种静止令她觉出某种压抑。她忍不住回过来，不由得吃惊了。站在门口静立不动的居然是单一海，他的脸孔瘦了一大圈，右手吊在胸前，还好的左手捧着一大堆鲜花，静静地笑望着女真，显然是想让她大吃一惊呀！

"是你吗？女真……"单一海吵哑地说着，脸上显出疲惫的惊异。他也许刚从车站赶来，军衣上满是浑浊的灰土。

"当然是我。你很吃惊是吗？"女真原先设想的热烈竟一下子消失殆尽，深泛上来的竟是莫名的平静。

"有一点儿，不过，你真的让我吃惊。"

"变得太丑，是吗？"

"不能用丑来表达，我只是庆幸。我拥有过两种面孔了。知道吗？就像拥有了两种生活一样，我感到很突然……"单一海走过来，把花交给女真，"对不起，我来迟了。你知道……"

"子老真的去世了？"女真抚着那堆花，轻声问他。

"是的，那天我接到他去世的消息时，你正在手术，我来不及告诉你。"单一海回避她的目光，从衣袋中摸出那只"嘶啵"递给她，"子老知道你会吹它，也传给你。"

"子老？"女真喃喃道，泪水簌簌溅落在那只"嘶啵"上。

"他看到了你的画，你在戈壁上看到的一切都应验了，那座城真的塌毁了。子老在城塌毁倾倒后，就一病不起。这一切，几乎像某种传说，令人难以置信。"

"它们是真的啊！"她忽然忧怨地瞥单一海一眼，"你寻找的东西为什么总出现在我的视野里，我为什么无法逃开你？"

单一海轻轻地近前，颤抖着把她的肩扳过来。他深深地看定她的脸孔，一双眼睛凝成两束火焰："我们早就开始了对彼此的承诺，不是吗？"

"我什么时候答应过你？"女真娇嗔地闪躲他的目光，自己此刻的脸上肯定应该闪现着娇羞，可惜他看不到了……

"其实有的感情是不要承诺的。"单一海紧紧地拥住她，泪水在眼中闪烁着稀薄的光亮。

"像我们。"

"嗯。"单一海呻吟着说。把她拥得更紧了，一颗泪水打在她的唇上，女真竟嗅出一种酸苦的甜蜜。哦，原来爱情竟是苦和甜。

单一海从车上跳下来，双脚踩着厚雪，身子立即稳妥了，脸上溢出天真的神色。他四下环视，范村埋在清晨冷寂的雪中，街巷上清冷而又寂静。极目处只有苍茫的雪色。在雪中，几乎所有的物与物之间，都被抹平了，显出一样的色泽。

单一海待自己欣赏够了，才想起车上的人。女真靠在后座上，脸上显出极深的疲惫。她太累了，单一海不由心生爱怜。从上周开始，他们已连续在车上摇了四天。枯寂的长途旅行几乎摇得骨头都不属于自己了。昨天晚上，他们一下车，就遇到了这场暴雪，望着近在咫尺的故乡，他强忍住内心的焦虑，等待雪停。直到天亮，他才匆匆打了个车，往回赶。因为不知道自己可倒乘车次的准确时间，单一海故意没叫家里人来接。但他知道，昨夜奶奶肯定一夜未眠，这场大雪落下的东西太多了，包括担忧。

女真被他捅醒，她下意识地睁开眼，不好意思地笑笑："我太困了，一坐下我就可以睡着，怎么，这就是你常给我吹嘘的故乡？"

单一海把她扶出车来，指指脚下："不像吗？故乡似乎只可以在遥远处审视，一到了它身边，唉，那么多可以回忆的东西，就都没了，故乡倒好像只属于游子式的人，而不属于归乡者。瞧出来没，这儿太冷清了，我以为自己常想的那些人和东西就在门外边闹哄哄地挤着哪！"

女真环视四周："这儿与你给我吹嘘的回忆中的故乡，好像并不同嘛。不过，比你传达给我的感觉好多了。"她转身打量眼前的高大门楼，声音忽然放低，满腹不安地说，"这就是家吗？"

"嗯。我在这个院子里待了十五年，这幢楼比我们的年龄大多了，所以，有股老人的味道，我挺想它。"单一海把钱付给那个司机。车疾速远去，只遗下他们站在空旷的门前。

女真忽然抓紧单一海的右臂，低语："我……有些怕。"

"怕什么呢？这儿以后……就是你的家了。"

"我也不知道。我只觉得心里挺紧张……"

"哦。"单一海轻轻拍打一下她，故意坏笑道，"我明白了，你不怕我，倒怕我的家里人了。放心，他们吃不了你，丑媳妇早晚要见公婆嘛！"单一海话一出口，立即有些后悔了。自从与女真在一起，丑字几乎成了他们之间的忌讳。他竭力不去涉及这个话题，因为女真太敏感了，受过伤的女人简直都长满了灵敏的触角，每一句话都得防备让她们受伤哪。他移眼轻瞟女真。女真的脸色果然暗了下来。

单一海轻叹一口气，不再言语，拎起包，招呼女真随他回家。老屋里的人似乎都浸在睡梦中，院里空无一人，只有门前立着个雪像。那个雪像背影似乎很忧郁，又很熟悉。孤独地站在院子中间，仿佛某种情绪一样，戳着他们的眼睛。女真忽然住脚，望定那个雪像："一海，你看这个雪像，堆得多么像你。尤其是远看，简直就是你嘛！"

单一海也发现了那个雪像，他早就觉出了怪异，只是没把这个发现说出来而已。他远远地凝视它，那雪像堆得似乎挺随意，但却处处透着对他细腻的熟悉。他目测雪像的身高，居然与自己惊人的一致。哦，只有脸上似乎呈现着某种不同。也许那人在塑到这儿时情绪发生变异，所以脸上的眼与鼻奇怪地分离开很远。单一海被那雪像深深吸引，同时在心中怀疑，谁会塑这样的像哪！是奶奶？决不可能。家中的人似乎没有谁会有这样的心情，何况那种细腻的感觉并不是谁都可以传达出来的。那么，会是谁呢？蓦地，他的脑际闪过一个人影，又被他否定了。但不是她又会是谁？他的内心罩上某种异样神情。他下意识地预感到有人来了，但这人会是谁呢？

"此人对你很熟悉嘛！手法如此细腻，像是个女孩子给塑的。"女真似乎看出某种端倪，"会是奶奶吗？"

单一海摇摇头："我也不知道。知道了我真该奖励她一下才对呀。"

"你猜对了。那个雪像就是一个女孩子塑的。"单一海被身后传来的声音撞了一下。他唰地回头。看到奶奶正从廊阶上走过来，脸上蕴着浅浅的笑意。

单一海惊喜地奔过去，扶住奶奶："奶奶！"他亲热地喊了一声，之后，便再无话，脸上显出孩子般的傻笑。在奶奶面前，单一海总觉得自己还没有长大，永远都像个孩子似的。

奶奶似也被这骤然的会面冲撞得兴奋起来。她疼爱地端详单一海片刻，但仅仅是片刻，她的目光便从单一海身上挪开，移向了他身后。

单一海把自己使劲儿往奶奶身上靠靠。奶奶身上散着一种甜浆样的熟悉气味。她比自己的个子矮了整整三十公分。他有些伤感地发现，似乎从小是往高了长，而到了老年，又开始往回缩，似乎要拼命回去似的。他从奶奶身上看出了某种可怕的生长奥秘，她比自己又矮了几公分！

忽然，他察觉出异样。奶奶似有满腹心思，竟半晌未再说话。他顺着奶奶的目光望过去，看到奶奶正用余光注视着在雪地上站着的女真。而女真似也有些羞怯，呆愣地望着奶奶。他不由得有些哑然。刚才自己只顾激动了。而竟忘了还带回个女真来。他笑笑，作后悔状地道："哎呀。奶奶，这是女真哪！"他跑过去，帮女真把东西拿过来，轻声示意："这是奶奶！"

女真羞怯地低语："奶奶！"脸上闪过一片绯红。

奶奶稍微愣怔一下，随即抓住女真的手，轻轻地握紧。老人的神色略显异样。她的目光尖刺地一闪："哦，我还以为要等雪化了你们才回来。路上挺难走吧！哎哟，看你的手冰的，快，快回屋吧！"老人拍拍女真的臂，转身便向屋里走。只是脸上隐忍着某种表情，那表情因为蕴含着某种难言的隐痛而使她的话显出一种冰冷的热情。

单一海觉出某种异样，奶奶刚才的话令他产生深深的担忧。他跟随奶奶进屋，临进门时，他又蓦然回首，远远地看了一眼那个雪像，那像真孤独，可这会是谁塑的呢？他因这个念头而在内心觉出淡淡的不宁。

西厢房洒扫得干净而又温馨。火炉熊熊地燃着，暖意立即扑了过来。奶奶已盘腿上炕，女真偎坐在她身边，温顺得如同一只猫。她轻声地回答着奶奶的什么话。奶奶的脸上显出莫名的笑意。刚才在院中的那种冰冷的热情也仿佛被融化似的，消失了，仿佛她们早就认识似的，那种融洽连单一海也觉出奇怪。他洗漱完时，两人还在亲热地说着什么。奶奶这是怎么啦？这次回家，他是带着要被奶奶训斥一顿甚至进行一次深刻的争吵的准备回来的。在这个家，奶奶几乎还从没有与谁妥协过。刚才进门时，他以为奶奶会拒绝自己，甚至让女真无法走进家门。现在看来，这种担心纯属多余。只是奶奶的这种变化总让他觉出种深深的不安。这样融洽似乎不正常，应该有点儿危机才对。可奶奶却没事似的，与女真坐在一起。单一海吃惊之余，竟有些淡淡的遗憾。这时，他又想起奶奶那句话了。他下意识地觉出，奶奶一定是在掩饰什么。肯定有什么东西隐在奶奶心中，可那又会是什么呢？

他自顾坐在一边想着自己的心思。因为插不上话，他倒显得多余。女人之间的关系确实奇妙，按说他们之间应该有所不同或者说陌生吧。可恰恰因为陌生，他们反而一下子把自己交了出去。这时，奶奶忽然想起什么似的，谈话戛然而止，从炕上下来："看我，一高兴，就光顾与你们说话了。你们累了好几天，就先歇歇吧！我去让他们给你们做点儿饭。"那神情如同换上去似的，变得得体而又礼貌，让人怀疑刚才她们的亲热是不是假的。

奶奶走至门前，沉默地停住，似乎无意似的，对单一海说："待会儿你过我这屋来一下。"话毕，转身离去。

单一海点点头，他一直在等奶奶这句话。现在他明白了，奶奶这样做，其实只是掩盖什么。哦，他的心猛跳了一下，那种预感又哗地浮上脑际，难道她真的来了？

女真轻轻地依偎过来。仿佛一团暖气。单一海掩饰地从背后抱住她，似乎要表达某种歉意。女真用手轻轻划过他的手背："我看出来了。奶奶似乎不喜欢我。"

"……不，不是的，她与你不是谈得很投机嘛，我连嘴也插不上。"单一海慌乱地解释，远不如抱她那样自然。

"至少不那么自然。她也许只是同情我或者是为了掩饰什么？我不可能这么快就被她接受。我相信自己的感觉！奶奶其实喜欢的是那个给你塑像的女孩子。"

单一海被她的话吓了一跳，有些呆愣地松开她："哪个女孩子？不可能！"

"我觉得她也许就在这个院子里。刚才我老觉得被一双目光注视着，可找不到出处。我想，她肯定也在。你猜得出来她是谁吗？"

"谁？"单一海越发怪异地看她。今天这个家里人都有些怪怪的，一个个变得都快让他有些无法辨认了。尤其是女真，女真的直觉有时真令人恐惧啊！

"邹辛！"

单一海浑身一颤。他若有所思地向身后望去。眼睛凝住窗上的阳光，不动了。

奶奶仁立在窗前，一双深目透过这间百年老屋混浊的老玻璃，在窗上纷扬的雪花中飘闪。她内心充满某种无言的焦虑、忧伤，甚至还有些淡淡的愤怒。有一瞬间，她甚至惊讶于自己的这种莫名的感受。房屋里饭菜已热了三遍，可她却一筷未动。她还从未这么心焦地等过一个人。

……三天前，当这场狂雪飘起时，她收到了单一海的信。说他将赶回来参加她的寿辰。一海已经三年未能回来了。她有些欣悦的幸福。这个孙子最小，也最让她揪心。三年了，不知他长高了还是长胖了。唉，她幸福地叹息。往下读却让她有些深深地震惊。如果仅仅是他回来也就罢了。可让她内心不安的却是，他还将带回一个陌生的女人。这个女人真是太陌生了，陌生到了甚至是第一次听说，并且不知道她长什么样的地步。可单一海却在信中说，他将要与她结婚，带回来只是先让她看看。更让她感到震惊的是，他在信中告诉她，那个女孩子在一次事变中毁了容……也就是说，这个女孩子将带着一副丑陋的面孔，走进这个家门。奶奶有些伤感地把那封信读了一遍又一遍。刚刚泛起的幸福又被淡淡的愤怒淹没。她踱到窗前，那页短短的信纸飘在地上，像一片孤零零的雪。她的内心有些淡淡的刺疼。脑中蓦地闪过一个人的身影，那个影子又遥远、又逼真，她也有三年未见过她了，她只是在自己想起一海时，才会伴随着出现。可现在，伴随着单一海的却是另一个女人了，这也正是让她伤心和愤怒的地方。在单家，奶奶一直用自己的眼光和准则，为单家的儿孙们选择他们的职业，甚至婚姻。至少在这个家已形成一条不成文的规矩：凡是单家的媳妇，必须得经过奶奶的认可才行。而一海居然胆大到了不经过她的同意,便与那个……哦……又乖巧又漂亮，远在海边上的小姑娘邹辛结束了，结束得让她手足无措，并且全然不知。要知道，邹辛才是她心目中单一海的媳妇儿。这个家也早已把她当成了自己人。一想到邹辛，她内心中的歉疚和不安便仿佛被点燃了。她下意识地翻出那张一直放在炕沿的照片，那个女人健康地笑着。她的笑倒是挺迷人。可奶奶却从中读出另外一种感觉。她下意识地在内心中抗拒着她，同时有种隐隐的担忧。而可怕的是一海还并不知道邹辛也到家了。这下子好了，家中一下子来了两个女人，并且全是与一海有关。

这时，风中传来汽车的鸣响，奶奶心中一动，她隔窗倾听那脚步声，凭感觉是单一海。她立即起身，隔窗望去。霜冰遮住了玻璃。只有两团模糊的影子。哦，他真的带回了那个女人。

这时，楼上响起轻微的行走声，那串脚步声音轻微，却极脆地刺着她的心。邹辛就睡在她楼上，她一定也听见了那汽车的低鸣。奶奶感觉着她走到窗前，脚步停住了。她一定也看见了单一海和那个女人。奶奶被这种想象给压抑着，胸中郁闷难消，她从内心深处喜欢邹辛。她已感觉出，邹辛千里迢迢地跑来，一定另有原因。她直觉邹辛和单一海之间，肯定有过极深的误解或者冲突。

她也是女人，她不信她说的已不爱他之类的话，那些话只是某种掩饰。她早已从邹辛的眼中，读出她的真实心态：她还对单一海心存某种渴望！

奶奶的心一下子悬在了两头。她忽然听见那串脚步声从楼上向下走去。哦，邹辛要下来了。她的心倏地揪紧，脑际蓦地出现一种可怕的念头。她不敢往下想，快步走了出来。她不能让邹辛和他们这样猝然相见。那个女孩子站在雪像前，她的手抚着那个雪像。哎，她的直觉真让人吃惊，奶奶沉声低语，同时把目光扫向了她。

那个女真……哦，奶奶一眼瞥去，尽管她已知道她的伤情，可还是有些小小的吃惊。她没想到，这个孩子的脸上会变得这么丑。但更让她吃惊的是她那一脸健康的笑。哦，她的笑真迷人。有一瞬间，她心际产生某种难言的感受。没见到这孩子以前，她一直在心里排斥着她，同时让她感到震惊的是一海的选择。可当她一脸灿烂地站到自己面前时，奶奶心中竟产生一种陌生的亲切。她一下就被这孩子的笑吸引了。哦，拥有这样灿烂的笑容，尤其是一个失去美丽的女人的笑容，似乎更令人难以拒绝。

奶奶几乎是下意识地就在心里接纳了她，等到发现这一点时，连她也有些吃惊。原来自己可是下意识地拒绝着她啊！

奶奶拐进房门，盘腿上炕，那张照片仍斜放在地上。她捧起来，女真在上面灿烂地笑着，这种笑不知为何，令她产生一种无言的感伤。她凝神倾听楼上，楼上可怕的寂静着，脚步声沉默地消失了。奶奶在那种固执的沉默中，反觉出极深的不安。

这时，房门被轻轻推开。单一海有些不安地走至她面前。奶奶似早已知道他要问什么似的，示意他坐。

"邹辛来了？"

奶奶深吸一口烟。顾自言道："那个女孩子，我是说，她挺特别的，我看到她，就想起了一个人！"

单一海意外地："谁？"

"我。她的身上有许多我陌生的东西。她与我年轻时很像。"奶奶动容地把烟挟紧，"我明白你为什么会选择她了，这种感情我懂，可你想过没有，你与邹辛怎么办？"

"邹辛……"单一海有些吃惊地看定奶奶。奶奶总是这样让人出乎意料！

她已经这么苍老了，可有时说出的话却不像她说的，倒像是从大学教授嘴里讲出来的。不过这也不奇怪，奶奶五十年前，真的是北平女子师范大学的高才生。她在这个家里说的话，总让家人半懂不懂，大家似乎明白了她说的意思，却又似乎不明白。总感觉在她的每句话后，肯定还隐藏着许多大家仍看不清楚的东西。单一海却天然地喜欢着奶奶。一个看似已经变得像个地道村妇的老太太总是让人诧异，并且让人温暖，同时也让人有些敬畏。他沉默一会儿，沙哑地道："我们已经结束了。"

"结束了？可她现在却在这儿！"

"她真的来了？"

"就在楼上房间里，估计她早看见你们了。我刚才听到楼上脚步响，这会儿反而一直静着。唉，这孩子，这么静才真让我不安哪！"

单一海胸中哗地升腾起复杂的情感。他下意识地抬眼望望头顶，一时竟沉默了。

"你先不要上去。这孩子太倔……"奶奶叹息一声，盯住单一海。

"她来这儿干什么？"

"这该问你。这孩子呀，真是，不过我觉得她其实还在喜欢你。"

"晚了，我们不是没办法爱，而是爱不起来。"单一海苦笑片刻。忽然发恨地道，"我已经决定了自己的选择。"

"为什么你们说的都一样？"奶奶忽然长叹，"我越来越不懂你们了。"

单一海无言地扶奶奶坐稳。抬眼瞥见那张飘落在炕沿上的照片，轻轻捡起来："这是她第一次给我的照片。那时候，她可真美。"

奶奶内心一动，擦了半截的火柴停在半空："你喜欢的只是她的以前吗？这孩子以前可真漂亮，现在呢？你还会像以前那样吗？"

"当然。奶奶，也许在两个人见面时，容貌会主宰两个人的心情。可当彼此切入对方太深的时候，容貌其实已不重要了。"单一海似被触动，深深地呼吸了一下，"我很珍惜这段爱情，奶奶，你理解我吧！"

"我六十年前就理解了自己，当然也理解你。"奶奶略有些沙哑地说，"孩子，我这回不会拦你了，我相信你自己的选择。"

"谢谢。"单一海低语。奶奶的话让他的心内一热。到底是奶奶啊！他想。他冷静地点燃一支烟，讲起自己与女真相恋和受伤的经过。单一海平静地诉说着，仿佛只是讲一个与他无关的故事似的。连他也觉出奇怪，自己竟在讲述中觉出某种新的意味。哦，连他也有些感动了……这时，他看见奶奶的眼睛忽然奇怪地扫向门口方向，有些惊异般地愣了一下。门边响起一串脚步声，快速离去。

单一海被那串脚步声惊动。转过头，只看到一个背影。奶奶低声告诉他："是邹辛。她站在门边有很久了，她也许听到了谈话……"

女真斜倚在炕上，疲惫像灰尘一样扑满全身，头脑中却可怕地清醒着。从一进单家大门，女真就被一种不安深深地笼罩。让她觉出异样的是那个神秘的女人。她从奶奶的话语中，已预感到她就在这幢老房子里。她听单一海说过他们已经结束了啊！可那女孩子的一切，却又明确无误地表明，她还深爱着他。她被这种莫明的情绪淹没。她还是头一回遇到这样的事。但她竭力隐忍住，把自己藏起来，不动声色。她想这一切只能由单一海来解决。同时，她相信他。

院子里奇怪地安静着。有一刻，她几乎有些诧异了，这院儿里几乎没有人走动，偌大个院子里似乎只有他们几个人！一海说过，他有许多兄弟姐妹啊！同时让她有些不可思议的是，他不把自己带回家里，而是回到这个偏远的村庄里来。她忽然意识到奶奶在这个家里的地位了。

就在这时，女真听到一串急促的脚步声。那脚步在门前停住。女真听出那不是单一海的声音，可那又会是谁呢？她忽然意识到什么似的，心头一动，飞快地下炕，走到门前。

门无声地开启，门边站着位姑娘。她的眼神中闪过一丝不安，满目忧郁地看着她。

女真被她冰冷的沉默攫住。她已经意识到她是谁了。只是没想到，她长得这么漂亮，并且会来敲开她的门。她其实在内心中已渴望见到她多次了。可当她真正出现在自己面前时，她还是有些深深的吃惊，两个女人因为忽然的相见，反而变得沉默了。她们只用沉默相互触动对方，此时谁说一句话，都只会破坏这种氛围。

良久，那姑娘似乎被什么东西触动似的，自语般地说："我是邹辛……"

女真点点头："我早就见过你，是在一海的影集里。不过，你长得真漂亮，比照片上的更动人！"

邹辛勉强一笑，一双亮眸灼灼地盯住女真："今天早晨，你一进门时，我就看到了你。我早就想见见你。可……其实，见到了又能如何？"

"我很丑，是吧！"女真平静地看她。她直觉邹辛似乎受到了震动。她好像被另外一些东西给压着，可那又会是什么呢？女真一旦被伤害，总会有某种变异的深刻。而这种深刻，在刺伤自己的同时，同样会让别人受伤。

"不，你的丑并不能掩盖住你。"邹辛嗓音暗哑地说，"也许因为那场变故，才让一海发现了自己。唉，我现在似乎才觉出，我与你的区别是什么。"

"你也知道了那场变故？"

"我刚才听一海讲的。我是个普通女人，可我能体会出那种感情。"邹辛的神情暗淡，目光却钩子般地尖刻，"也许爱情其只是一种付出，而不是索取，不浪漫，也不令人累，而是相濡以沫……"

"你说得真精彩。"女真略略喘息着，"你还爱着一海？"

"爱？"邹辛忽然笑了起来。到后来，笑声成了一种凄楚的呻吟，"女人哪，其实真可怜。为什么我总是为情所累，可却又一次次地与之失之交臂。其实，我真羡慕你！"

"我？"

"对。"邹辛忽然伤感地说，"从见到你的那一刻，我就发现，自己完了！我还以为自己真的很坚强，对这种感情认识得很明确。可现在，我才觉出，我只是来帮助自己摆脱了一次爱情。"

女真心里闪现难言的灼疼，她没想到邹辛会在她面前流露出这样的痛苦。她从来都害怕被情所害，可被情所累呢？女真无言地望定邹辛。一瞬间，两个女人似乎找到了知音般，眼中竟都闪着理解的潮湿。

邹辛看定女真，喃喃着说："他很爱你。我可以看出来，我还以为他对你只是同情哪，没想到，他是真的爱你。正是这一点，让我觉出极深的震惊……"

邹辛看一眼女真，顾自说下去："他是对的。其实，我与他谈了四年，直到今天，我似乎才理解了他。"她凄然一笑，"但却要以失去为代价。嗨，我又伤感了。其实，我来这儿看你，你也许奇怪，我为什么会说这些话。可我确实想告诉你，他是个好男人，他值得让我后悔。"

女真惊愕地看定她："谢……谢。"继而，她真诚地说，"留下来参加我们的婚礼吧！"

邹辛低眉不语，半天才仿佛从刚才的情绪中抽出似的，喃喃地说："我该走了。原谅我不能留下来，我太累了……"说完，摇晃着走了出去，感觉像刚从某种巨大的伤悲中抽出似的，全身都是伤感的味儿。

女真呆呆望着她的背影，眼睛不觉潮湿了。她的内心没了刚才的不安，但另外一种不安却让她陷入深长的感伤中，仿佛那感伤是自己的似的。

单一海怅然追出门去，看到那个背影孤独地飘向村边的宝崖方向。她似乎在躲避什么似的，走得很急，身影抖晃得如同一片叶子。单一海的心骤然狂跳，他从那背影中寻找到一种熟悉的东西。那种散漫的情感波浪般淹没了过来，竟然真的是她。单一海在内心自语。尽管他已知道了她要来，可一见到那个身影，他还是有种莫名的激动。她真的是来告别吗？他内心再次闪过异样的情感，下意识地追着她的背影，向前走去。

邹辛似乎未察觉出他的跟随，她在雪上踉跄行走。宝崖的厚雪上，遗下一行歪斜的脚印。她的红色风衣在苍白中闪出极深的光泽。单一海快步向前紧跟，心中掠过一丝阴影，她到宝崖上去干什么？

邹辛似浑然无觉地呆望着崖下。脚下的汾河已被大雪压覆住。厚绒似的雪色一直苍茫到极目处。单一海忽然发觉，这块地儿正是宝崖极顶。当年他时常和她一起坐在这儿看汾河。他内心一动，她现在冒雪来这儿，是还要看汾河吗？可惜，现在有了积雪……他轻声叹息。

叹息声似乎惊动了邹辛。单一海看到她双肩一抖，却竭力控制住不转回身。

单一海觉出种无言的难受："我没想到你会来。"

"你很爱她，是吗？"邹辛顾自对着空旷讲话，仿佛一个人自语，"我很……高兴，你找到了自己喜欢的人。看得出，她也很喜欢你！"

"你又在挖苦了……"单一海喃喃地道。

"不是。"邹辛忽然把头转过来。她的眼睛残留着深深的潮湿，"刚开始我看到她时，觉得简直太不可思议了，甚至有种耻辱，我还以为，自己竟连这样一个丑女人也不如。可我现在不这样以为了，你是对的。"

"谢谢！"单一海怜爱地注视邹辛。她瘦多了。脸上显出某种新奇的美艳。她属于那种女人，越瘦越显出一种新的韵味。一胖，反而令人觉出惋惜来了。他的嘴唇蠕动了几下，真诚地望定邹辛，"其实，你不该来……"

"连你也这么说……"邹辛兀自伤感地低语，"我很可笑，是吗？为了一个可笑的借口，就千里迢迢地赶来了。可你知道吗？也许你会当成笑话，甚至嘲笑我！可这一番挣扎，对我却极为重要！"

单一海喃喃地望定她:"过去的其实很快就会过去。人不该老在过去里生活。我理解你,也希望你把我永远忘掉。"

"如果说忘就忘了,我也不会如此虐待自己。"邹辛苦笑,"你倒是可以,我则不能。也许,我真的太自私了。不过,我已经让自己平静下来了。你很快只会在我的记忆中成为一个小小的黑点。"

"请你谅解。我……"

"谈不上谁谅解谁,这份感情对我很重要,我挣扎了四年,才认清自己。唉,人哪,有时要靠时间,还要靠别人来弥补,才能找回自己呵!"

"你太伤感,"单一海略微停顿。继续道,"我永远是你最好的朋友。"

"谢谢,我也是。"邹辛略微停顿,继续道,"我该走了。这儿已不该再有我了。"她望望单一海,伸出手,"就此告别。"

单一海心中一沉,避开那只玉米芯儿似的小手,真挚地:"能留下来吗?我想请你参加我们的婚礼。"

邹辛吃惊地望定他,半晌才摇摇头,似乎忍受着极深的痛苦:"不……"

"为什么?"

"你不该发出这样的邀请。我是个普通女人,来这儿对我已经是一种情感虐待了。参加你的婚礼,已对我不是一种潇洒,而是一种残忍了……"

单一海口吃般地说:"对……不起。"

邹辛忽然发恨地望住单一海,眼神中传达出的那种恨意几乎让他震惊。他还从没被她这样的目光击中过呢!哦,那目光蕴含的光刺伤了他般,令他觉出无言的战栗。邹辛足足盯了他有一分钟,忽然收回目光,转身向山下走去。

单一海从她的目光中读出许多内容。他意识到,也许这将是他与邹辛的最后一次见面……他出神地盯视她坐上一辆不知什么时候早已候在门外的汽车,很快消失在雪里,心里翻腾着苦涩的情感。

女真不知什么时候来的,她轻依在他身边。单一海注意到,她的眼睛深深潮润着,脸上是淡淡的沉思或者幸福,他轻轻地揽过她的肩头,任那种心情在自己身边涨着,并且触痛他。

奶奶似乎无意间踱过来。单一海觉察出,刚才她显然站在门廊用目光为邹辛送行。因为他看到她身上还残留着送别的气味。奶奶在他们面前住脚,独语般地低声说:"就在我寿日那天,一起把仪式办了吧!"老人颤抖着说毕,脸孔异常平静，仿佛经过极深思考似的，又向门外踱去。

单一海被一种难言的感觉充塞。他对着她的背影说："谢谢。"他知道奶奶说出此话，对他们来说，只是一种承诺，但对她却是一次艰难的选择。

奶奶的背影孤独而又决绝。单一海看到，纷扬的雪花正从阳光中洒下。那些雪花如同阳光的羽毛，闪着蓬松的光芒，淹没了他的视线。

女真动人地看着她，继而闭上自己的眼睛，两滴泪水正从眼内溢出。单一海的大手接住那些溅碎的泪珠，感觉像接住某种幸福一样。他再次感觉到幸福的滋味了。

后　记

　　写完这本书的最后一个字时，已是凌晨两点。我的手痉挛着松开那管伴了我八年的英雄钢笔，内心出现真空般感受。我抚着那一堆积满这半年心血的手稿，不知为何竟流下泪来，一种从未有过的累袭上心头。但脑际却涌满许多种复杂的感觉，令我无言。这在我确实少见，以往奋笔完后，我急切的想法便是大睡一场，只有睡觉，似乎才是对我超负荷工作的补偿。

　　可这次我却无法安睡。

　　尽管我很累。

　　那天我一直呆坐到黎明，直到早晨的阳光照亮室内，我的身边是一堆烟蒂、一杯残茶和这本书的第一稿。

　　西北也许是这个时代唯一可以寄存一点儿关于战争、神秘、沙场甚至传奇的地方了。在这里的每一块沙地、孤独的炊烟、黯红的圆太阳、西倾的姿势、稠密的风沙，几乎每一种意象都是一种诗、一种幻觉。甚至你不经意看到的旷野中，偶尔出现一具白骨，那具白骨的手上还有把锈了的刀，你会有什么感受？在这里，历史与文化不是写在文章中，也不是洋溢在脸庞中的表层。它孤独的石头是诗，荒瘠的远山和零散的州府是诗、是词，也是一些令人战栗和感怀的实证。即使偶尔路经的风也在这儿的每一片石头缝里溅着各自刚直的声音。还有许多人的边塞诗，传说中的异族……这就是我16岁以前对于西北的认识。但这种认识仿佛有一种神秘的暗合。我确信，每一个人天生有一块地域属于自己。我指的是，这块土地应该与你有一种灵魂上的相通，甚至于到了与你的情感、呼吸相类似的地步。西北也许是我的灵地。因为我的从军，包括自己下意识地冲动，至今回想起来，其实只为证实一个小小的事实，那就是我的所有光荣与

281

失败都与这块土地有关。我的一切其实都可以从这块土地上找出回应和脚印。

当我 1986 年 10 月来到西北时，我才发现，传说其实只是一种精神的谎言，西北与传说似乎并无关联。我们所接受的一切仅仅只是书面上的东西。那些东西只是现代人的传奇与神话。再后来，我便到了曾经在课本上读过的著名诗歌"凉州词"的地方——西凉武威市。在这里，我接受了许多更为书面的东西。于是西北有了另一种面孔，那些前辈军人们写滥了的昆仑、戈壁和祁连山，都成了我眼前的障碍。我被他们眼中的高原感动着，却唯独找不到自己的西北。我自己的西北又是个什么样子呢？十年后的今天，当我重新面对西北时，搜索十年来西北在我心中的影像，我十分悲哀地发现，这个世界已没有多少东西属于我了。我看见的人们都看见了。我读过的书人们也在读。偏远的沙漠也正成为观光的沙盘。甚至连伴在身边的军人，也被千篇一律地从许多角度表现得淋漓尽致。这种感觉让我觉出种被遗弃的难过。我知道，如果我这样下去，紧接着失去的将会是自己。可是我看到的西北是什么样子呢？那是另一个人的面孔呢，还是一些人群留在那儿的感恩？

遇到那座古城，是在一个夏天，当时我们去演习。路上遇到了它，就走了进去。它建在海拔 2700 米的焉支山右侧。我不知为什么，天生喜欢这些陈旧的、暗淡的残迹，它们太吸引我了。我当时下意识地觉出，这座城与我有某种冥冥相通的东西。后来我就直觉它肯定有着某种奇异的过去。就让人在墙前拍照留影。哦，别看它像一个残碎的老人，可它是一座兵城。几千年前它就是，我当时想。回来后，我就在报上看到了一条消息。那消息说在永昌县发现了一些当年西汉政府俘获的罗马战俘的证据，还讲到挖掘出了一些实物，其中就有一座城。我当时心下骇然，让我惊异的是当年横征亚欧的古罗马军团竟会有人成为西汉政府的战俘。更令我惊异的是，那座古城居然就是当年西汉政府为这些罗马战俘而建的，而它居然就在我的身边，距凉州城仅 100 公里。我一连几天，被这个消息给搔着，终于忍受不住了，就在一个雨天驱车去看它。那天的雨把焉支山上的草全打湿了。212 吉普两次滑进山沟，一次翻倾，但我还是见到了它。站在雨中，我惊奇地发现，我又遇见了那座城。

回来后，为了查阅这支战俘的来历，用了一个冬天，读了一部《汉书》，却只找到一条不足两百字的证据。并且只交代了这件事的结果，并没讲来历。许多历史似乎都很简单，简约到了只告诉你结局而无来历的地步。这种简约的空白刺激了我的想象和好奇，但当时却没想到要写什么东西，从那时起，这种陈旧的故事便又沉到了我的血液里。

某日，我去凉州博物馆。在一间几乎与世隔绝的禅房里，住着一位八旬老人，他居然用了一生在研究这队古罗马战俘。无人知道他的来历，甚至连姓名也被忘记了。并且没人知道他为什么要这样生活？

我也不知道。

还有，我在陕西历史博物馆，看到了一种兵器，那种兵器名字叫戈。它们在展厅里排了几十米。那兵器一下子打动了我。我记得我用了近三个小时，站在它们面前。仅仅只为了与它们对视。

还有，1993年5月15日，在镍都金昌市，我第一次遇到传说中的沙暴，那种几乎夺去我性命的巨大沙暴，让我永生难以忘记。这次经历后来我写成了一篇特写，《金昌不见了》，发表在《中国青年报》头条。它们是我从事新闻工作以来，写的真正的新闻。

还有，我的老连长，一位把军人职业当成个人使命和理想的职业军人，却因为不懂生活至今未婚。他是个军队上的精英，但很不幸，同时也是生活的弱者。

还有，军人在这个时代的尴尬。军人在经济大潮中的另外生存状态。没有战争的寂寞，边缘地理心理和经济的偏远，留给他们的不仅是失落。这就是我身边的军人和西北。我作为他们的一员，与他们共同经历着这样的时代。

这就是西北留给我的印象。它们琐碎但却真实。它们令人叹息却又让人尊敬。它们只属于我。但我却从来没想过，它们缓慢地积淀成了一堆火药，只待有人点燃。

情况也常常就是这样，有时候，自己身上的潜质竟必须要另外的人来发现。这就如打井，自己的潜质只藏在地下的深处，好的编辑犹如好的打井师，一眼就可以看到藏匿极深的地下水。有时候编辑们并不知道，他们的肯定与否，竟注定了一部作品的成长或消亡。这本书最初的起源，与现在的样子无关。1993年3月，我接到刘增新老师的电话，约我去兰州汇报关于写作长篇的设想。我当时正热衷于散文和诗。对于长篇，根本没作过任何打算，其实是没能力，因为此前最好的经验是写过几部中篇，因自己的功力，而打了退堂鼓。但刘老师却一直认定我应该写小说。对此我只认定为鼓励的话。我不安地到了兰州，才知道为了抓好长篇创作，同行的还有总政文艺局的陆文虎副局长，屈琼干事和范传新副社长、刘静编辑诸位老师。他们专门腾出一个下午听我谈。可谈什么呢？后来我想起了自己的家族。讲了几十年来十几个从军的军人和家庭的故事。没想到，他们竟对此很感兴趣，当场就定了下来。可这对于几乎连结构长篇也不懂的我，简直是个巨大的难题，刘老师耐心地给我讲结构方式，一起编织提纲。凭着一股勇气，那样繁杂庞大的题材我干了两月，写了四十多万字。但等到8月份拿到庐山时，我却尝到了失败的滋味。这部小说终因我功力的浅薄，而没能把握好。写好自己的家族，成了我的梦。但庐山之行，我学到的并不全是失败，我还学会了思考。同时更重要的一点是，为了写好这部长篇，我写了许多大众的，我并不熟悉，同时也是陌生的东西。我丢了自己的优势、语言，思考方法，西北的经历。

我在小说初稿失败后，其间又经历了各种巨大的压力。年仅四十九岁的父亲中秋节患心肌梗死逝去。一月后，年逾八旬的奶奶无疾而逝。家中老母和小妹需我照顾，接连的不幸接踵而至，可让我奇怪的是，当我回到西北后，却出奇地沉静。不幸教会了我成熟，生活下去成为最基本的信条。仿佛神示，我又一次独自一人去看那座城堡。回来后，我似乎一下就找到了我久寻不得的东西。10月份，在骊山笔会上，我拿出了现在这本书的提纲和设想。刘老师与我一起商讨了这本书的结构，并且提出了许多极好的建议，比如这本书最后的结局。当时，他还着重提醒我，把自己熟悉的那些东西写出来。而前边那些奇特的东西就成了这部书的重要依托。只是我在书中，为了需要，改变了许多地理位置和看法，因为我写的是小说，而不是历史。

丹麦人凯西讲：文学其实是感觉的革命。我深以为然。但我也坚信，文学其实更应是生活的革命。从西安回来后，我几乎把自己按在房子里，整整两个月足不出户。因为那些东西都是自己所熟悉的，并且因为时间而使它们发生了新的变异，两月后，我终于拿出了这部书的第一稿。刘增新老师这期间几乎时常电话指导，不断与我分析人物的发展，提出了宝贵意见。这本书历时一年，先后修改四次，直到成了现在这个样子。

当这本书终于要出版时，同所有对为自己付出过真挚关心和扶助的人心存感激之情一样，我的内心同样涌满许多的感动。即使就这本书而言，其实我也可以认真地说：如果没有老师和朋友对我的关心，要完成这本书几乎不太可能。因此，允许我在这里对他们表示诚挚的谢意。

　　还要感谢王树维、张清源、陈伟明、王群等诸位首长。如果没有他们的鼓励、协调和提供各种方便，我几乎无暇从繁忙的日常工作中脱身。是他们给予了我足够的写作时间和物质上的帮助。

　　还有我的朋友济川、康晔等，他们甚至直接参与了对我这部小说的修改，同时提供了许多极为宝贵的素材。最让我难以忘记的是为我打完这部书稿的战友赵峰，他几乎为这部书稿付出了半个月的时间和精力。

　　我把这部书献给早逝的父亲，还有我孤独的母亲。我只能在异乡说：我永远爱你们。

　　最后，感谢我的西北。

图书在版编目（CIP）数据

天将雄师 / 师永刚著. — 北京：北京联合出版公司，2015.3
ISBN 978-7-5502-4687-4

Ⅰ．①天… Ⅱ．①师… Ⅲ．①长篇小说—中国—当代 Ⅳ．①I247.5

中国版本图书馆CIP数据核字(2015)第025328号

天将雄师

出版统筹：新华先锋
责任编辑：徐秀琴 昝亚会
特约编辑：孙小波 宋亚荟
封面设计：王　鑫
版式设计：左巧艳

北京联合出版公司出版
（北京市西城区德外大街83号楼9层 100088）
北京上元柱昌印刷有限公司印刷 新华书店经销
字数235千字 787毫米×1092毫米 1/16 18印张
2015年3月第1版 2015年3月第1次印刷
ISBN 978-7-5502-4687-4
定价：36.80元